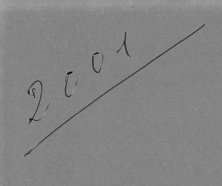

LE GRAND LIVRE DES

PÂTES

LE GRAND LIVRE DES
PÂTES

KÖNEMANN

Editor: Wendy Stephen
Managing Editor: Jane Price
Concept and Art Direction: Marylouise Brammer
Designer: Vivien Valk
Food Director: Jody Vassallo
Photographers (cover and special features): Chris Jones, Luis Martin
Stylist (cover and special features): Mary Harris, Rosemary Mellish, Kerrie Ray (assistant),
Tracey Port (assistant)
Background painter (special features): Sandra Anderson from Painted Vision
Food Editors: Jody Vassallo, Kerrie Ray
Additional text: Joanne Glynn, Justine Upex, Jody Vassallo
Picture Librarian: Denise Martin

Titre original : *The Essential Pasta Cookbook*

Copyright© 1998 pour l'édition française
Könemann Verlagsgesellschaft mbH
Bonner Str. 126, D-50968 Cologne

Traduction de l'anglais : Delphine Nègre
Réalisation : Bookmaker, Paris
Mise en pages et suivi éditorial : Régine Ferrandis pour Bookmaker
Correction : Astride Journet
Chef de fabrication : Detlev Schaper
Impression et reliure : Leefung Asco Printers Ltd.
Imprimé en Chine
ISBN : 3-8290-0434-6

10 9 8 7 6 5 4

NOTRE SYSTÈME D'ÉTOILES

Lorsque nous testons les recettes, nous leur attribuons des étoiles en fonction de la facilité de leur préparation.
★ Une seule étoile indique une recette simple et généralement rapide à préparer, idéale pour les débutants.
★★ Deux étoiles indiquent qu'il faut juste un peu plus de soin, ou de temps.
★★★ Trois étoiles indiquent des plats particuliers nécessitant davantage de temps, de soin et de patience.
Mais les résultats en valent la peine. Même les débutants peuvent les réaliser,
à condition de suivre attentivement la recette.

NUTRITION : Les renseignements donnés sur les valeurs nutritives des plats n'incluent pas
les accompagnements, sauf s'ils font partie de la liste des ingrédients. Les valeurs indiquées sont approximatives
et peuvent être affectées par les variations biologiques et saisonnières des aliments,
l'absence de composition sur certains produits manufacturés et les incertitudes de la base de données alimentaire
employée. Les valeurs nutritives proviennent essentiellement de la base de données officielle NUTTAB95.

LES PÂTES... UN RÉGAL DES DIEUX

Les délices de la gastronomie italienne n'ont désormais plus de secrets : on ne peut tout simplement plus rater les pâtes ! Quoi de plus simple et de plus appétissant en effet qu'un peu de beurre et quelques copeaux de parmesan fondant sur un plat de tagliatelle frais ? Les pâtes réconfortent, nourrissent et, surtout, ravissent le palais.

Certains disent que les pâtes italiennes auraient été ramenées de Chine par Marco Polo en 1295, ce qui contredit la légende selon laquelle les pâtes se consommaient déjà à l'époque de la Rome antique. Cicéron lui-même aurait été un grand amateur de *laganum*, les pâtes rubans, que l'on appelle aujourd'hui tagliatelle. Le Tasse raconte qu'un aubergiste du Moyen Âge aurait inventé les tortellini à l'image du nombril de Vénus. Voilà de quoi réjouir tous les amateurs de pâtes !

SOMMAIRE

Les pâtes… un régal des dieux	5
Secrets de pâtes	8
Pâtes sèches et pâtes fraîches	10
La confection des pâtes	16
Sauces classiques	20
Soupes	34
Pâtes et viande	54
Pâtes et poulet	78
Pâtes et fruits de mer	92
Pâtes et légumes	114
Pâtes et sauces à la crème	144
Salades de pâtes	170

Gnocchi   196

   Comment confectionner les gnocchi   202

Pâtes farcies   210

   Comment farcir les pâtes   218

Pâtes au four   228

Recettes rapides   252

Desserts de pâtes   284

Index   293

PAGES SPÉCIALES

ANTIPASTI   50

CHARCUTERIES   66

OLIVES   134

FROMAGES   166

PAIN   184

SECRETS DE PÂTES

Il n'est pas étonnant que les pâtes jouissent d'une telle renommée : elles sont économiques, rapides et faciles à préparer (la plupart des recettes sont classées «faciles»), savoureuses, nutritives et, comme cet ouvrage s'applique à le montrer, s'accommodent de toutes les façons. On peut les napper de sauce au saumon fumé pour un dîner sophistiqué, ou les agrémenter simplement de parmesan ou de bacon et d'œufs. On peut les servir froides en salade, chaudes en potage ou tout juste sorties du four, farcies aux épinards et à la ricotta. On peut également en faire des desserts et même un remède contre la gueule de bois! Les Italiens, en effet, affirment que des spaghetti à l'ail et à l'huile pimentée, consommés avant de se coucher, anéantissent les effets secondaires d'un excès de chianti. Les pâtes peuvent se manger tous les jours de la semaine, comme le font beaucoup d'Italiens, sans jamais lasser. Elles s'accommodent de tout – pain, légumes et salade, ainsi que le prouvent les recettes de cet ouvrage.

À tous ces accompagnements, il faut bien sûr ajouter le traditionnel parmesan. Il est certes très décoratif, mais évitez toutefois de le servir systématiquement. Certaines sauces aux fruits de mer, en particulier, ne s'accommodent guère du goût fort de ce fromage. Si vous ne pouvez vous empêcher de décorer vos pâtes, ornez-les de gremolata, comme cela est expliqué en page 113.

SÈCHES OU FRAÎCHES ?

Beaucoup pensent que les pâtes fraîches sont forcément meilleures que les sèches. Ce n'est pourtant pas toujours le cas. Les pâtes fraîches vont très bien avec les sauces à base de crème fraîche, de beurre et de fromage car leur texture molle absorbe la sauce. La sauce Alfredo est idéale avec des pâtes fraîches maison, consistant simplement en une garniture de beurre et de parmesan râpé. Les pâtes fraîches sont également préférables si vous les servez avec une sauce tomate épaisse. Mais si celle-ci contient des olives, des anchois, du piment, de la viande ou des fruits de mer, les pâtes sèches seront alors tout indiquées.

Les pâtes se composent de farine, d'eau et parfois d'œuf et d'huile. Les pâtes faites avec de la farine complète sont plus foncées. Si les pâtes sèches contiennent de la farine de blé dur, elles sont de meilleure qualité. Parmi les autres pâtes sèches existantes figurent celles à base de sarrasin, de maïs, de riz et de soja. Les pâtes sont parfois parfumées aux herbes aromatiques, à la tomate, aux épinards ou autres légumes. Les pâtes sèches se conservent jusqu'à six mois, dans un récipient hermétique à l'abri de la chaleur et de la lumière. Toutefois, les pâtes sèches à la farine complète ne se gardent qu'un mois. Les pâtes fraîches peuvent se conserver cinq jours au congélateur dans du film plastique, ou quatre mois dans une double épaisseur. Ne pas les décongeler avant cuisson.

QUELLE FORME ?

Ce n'est pas par hasard que l'on associe une forme de pâtes à une sauce particulière. Hormis la préférence régionale que l'on peut avoir pour une forme particulière, l'aptitude des pâtes à bien tenir la sauce est très importante. Les formes tubulaires comme les penne sont parfaites pour les sauces épaisses, tandis que les pâtes plates ou longues sont généralement servies avec des sauces fluides et onctueuses. Il n'y a toutefois pas de règles strictes, et l'on recommande vivement de laisser libre cours à son imagination. Consultez les pages suivantes pour connaître les diverses formes de pâtes sèches et fraîches disponibles sur le marché.

Le nom des pâtes est lui-même porteur d'informations. Les mots à terminaison -ricce signifient que les pâtes ont un bord ondulé; nidi indique qu'il s'agit de nids; rigate veut dire cannelé et lisce lisse. Et si la langue italienne vous fait défaut, sachez que les noms sont souvent (mais pas tou-

jours !) évocateurs : *orecchiette* signifie oreillettes ; *eliche*, hélices ; *ditali*, dés à coudre ; *conchiglie*, coquillages ; *linguine*, languettes ; et *vermicelli*, petits vers. Si le nom des pâtes se termine par *-oni*, il s'agit de la taille supérieure : les *conchiglioni*, par exemple, sont de gros *conchiglie*. De même, *-ini* et *-ette* désignent des tailles inférieures, comme dans *farfallini*. Toutefois, avant d'insister trop sur l'importance des noms, il convient de savoir que ceux-ci changent d'un fabricant à l'autre et d'un ouvrage à l'autre. Les *tortelloni* d'Untel peuvent être les *agnolotti* de quelqu'un d'autre. Heureusement, avec un peu de bon sens, on arrive toujours à s'en sortir.

QUELLE QUANTITÉ ?

Un autre sujet d'importance parmi les amateurs de pâtes est celui de la portion requise pour chaque personne et, question encore plus controversée, de la quantité de sauce qu'on sert à chacun. En règle générale, on utilise 60 g de pâtes fraîches par personne pour une entrée et 125 g pour un plat principal. Comptez-en un peu plus dans le cas de pâtes sèches (elles contiennent moins d'eau et sont plus légères), soit 90 g pour une entrée et 150 g pour un plat principal.

La quantité de sauce est une question de goût personnel, mais l'erreur la plus répandue parmi les cuisiniers non italiens est d'en mettre trop. Les pâtes doivent être légèrement enduites et non couvertes de sauce. Une fois les pâtes et la sauce bien mélangées, il ne doit pas y avoir d'excédent de sauce au fond du plat.

QUELLE CUISSON ?

L'eau non salée parvient plus vite à ébullition que l'eau salée ; ajoutez donc le sel une fois qu'elle bout. Utilisez une grande casserole d'eau, de façon que les pâtes aient suffisamment de place pour tourner. Plongez-les dans l'eau seulement quand celle-ci bout à gros bouillons. On peut ajouter une cuillerée d'huile d'olive dans l'eau bouillante pour éviter que les pâtes ne collent. Après avoir versé les

pâtes dans l'eau, couvrez la casserole jusqu'à ce que l'ébullition reprenne, puis ôtez le couvercle.

Les pâtes parfaitement cuites doivent être *al dente*, soit tendres mais encore fermes sous la dent. Il est essentiel d'égoutter les pâtes et de les remettre immédiatement dans le plat chauffé, dans la casserole de sauce ou dans la casserole de cuisson. Ne les égouttez pas trop afin qu'elles restent glissantes. Ne les laissez jamais longtemps dans la passoire, ou elles se transformeraient en une masse collante. Un peu d'huile ou de beurre ajouté aux pâtes égouttées les empêche de coller. On peut également arroser les pâtes d'eau bouillante et les remuer délicatement (il est judicieux de garder un peu d'eau de cuisson à cet effet). Le temps de cuisson fait toute la différence entre un bon et un excellent plat de pâtes. Lisez attentivement la recette avant de commencer et coordonnez vos temps de cuisson. Tâchez de préparer la sauce juste avant que les pâtes soient cuites, en particulier dans le cas de pâtes fraîches (celles-ci ont tendance à prolonger leur cuisson si on les laisse dans la casserole). Les pâtes utilisées en salade doivent être rincées à l'eau froide et additionnées d'un peu d'huile. Les couvrir et les mettre au réfrigérateur avant utilisation.

À GAUCHE : *Pâtes aux noix de Saint-Jacques et au lemon-grass (p. 165)*
CI-CONTRE : *Pâtes aux olives vertes et à l'aubergine*

PÂTES SÈCHES

Traditionnellement, les longues et fines pâtes comme les spaghetti sont servies avec des sauces fluides à l'huile, tandis que les pâtes courtes et volumineuses s'accommodent de sauces épaisses.

SPAGHETTI

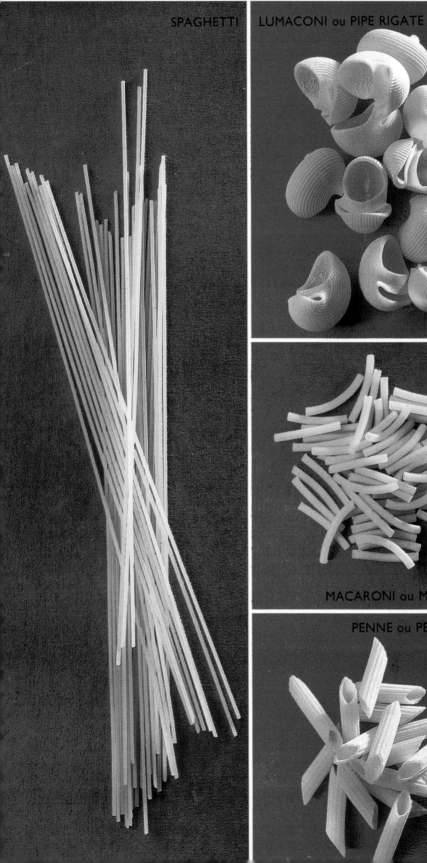

LUMACONI ou PIPE RIGATE

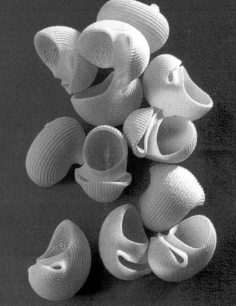

PAPPARDELLE

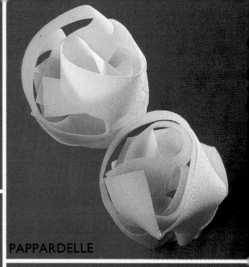

RISSONI

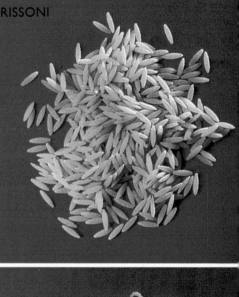

MACARONI ou MACCHERONI

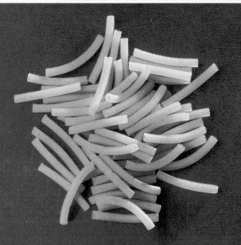

ANELLI

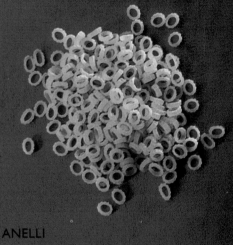

PENNE ou PENNE RIGATE

RIGATONI

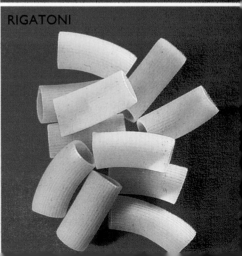

FUSILLI ou ELICHE   ORECCHIETTE   CANNELLONI

FUSILLI ou BUCATI LUNGHI   SARDI ou GNOBETTI

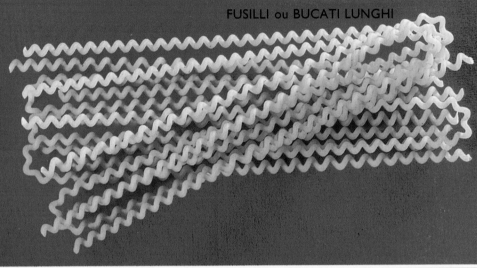

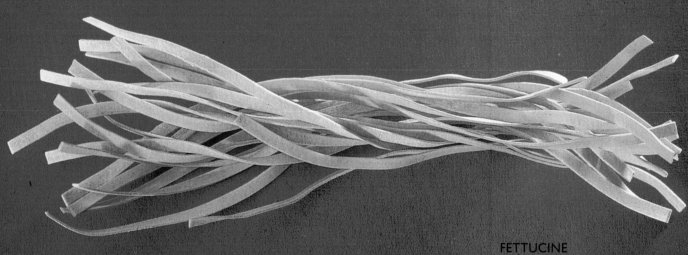

FETTUCINE

LASAGNE   COTELLI ou CAVATAPPI

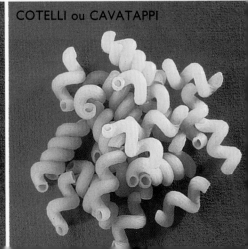

LASAGNETTE ou MAFALDINI

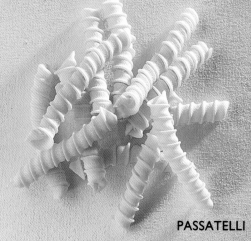

PASSATELLI

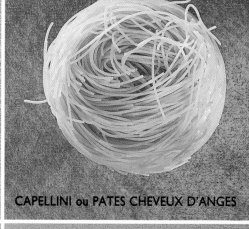

CAPELLINI ou PATES CHEVEUX D'ANGES

RUOTE ou ROTELLE

DITALI ou DITALINI

FARFALLE

GNOCCHI

CRESTI DI GALLO

CAVATIELLI

TAGLIATELLE

GARGANELLI

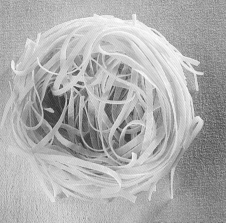

TAGLIARINI

ZITI

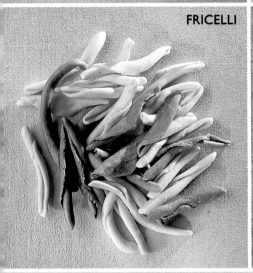

FRICELLI

CONCHIGLIE

STELLINI

VERMICELLE

LINGUINE ou TRENETTE

TORTELLINI

PÂTES FRAÎCHES

Délicieuses avec du beurre ou des sauces à base de crème fraîche, leur texture moelleuse absorbe les parfums. Faites-les vous-même ou achetez-les dans votre supermarché ou chez votre traiteur.

MALTAGLIATI

GNOCCHI

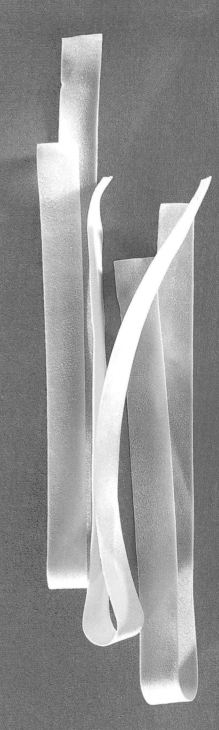

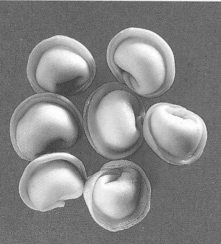

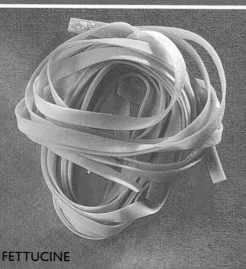

TORTELLINI

FETTUCINE

PAPPARDELLE

RAVIOLI

MEZZALUNA

AGNOLOTTI

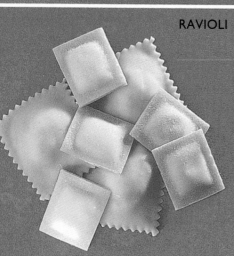

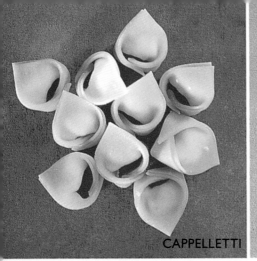

CAPPELLETTI

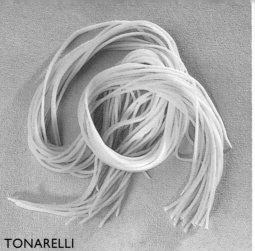

TONARELLI

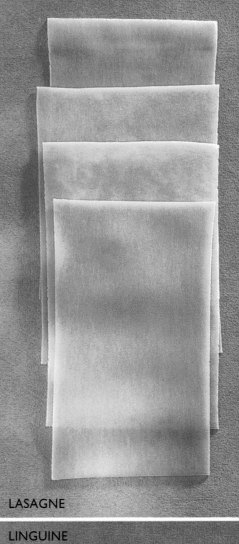

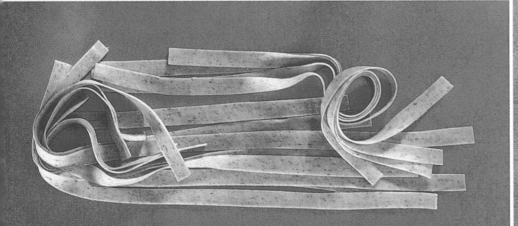

TAGLIATELLE

LASAGNE

QUADRUCCI

GARGANELLI

LINGUINE

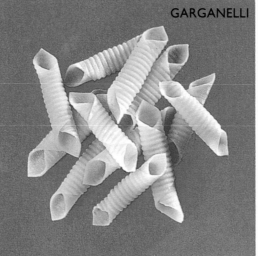

SPAGHETTI

PANSOTTI

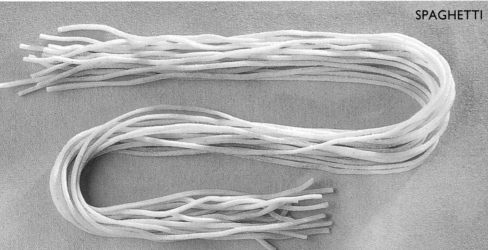

LA CONFECTION DES PÂTES

Faire soi-même ses pâtes, quel plaisir! Avec un peu de pratique et des ingrédients de qualité, vous serez vite à même de réaliser vos propres formes, saveurs et textures.

Il n'est pas difficile de faire des pâtes – c'est même une activité très reposante –, à condition de suivre quelques principes. On a souvent tendance à négliger une question d'importance, celle de l'aération de la cuisine (sans courants d'air ni climatisation). De même, l'humidité altérant la qualité d'une pâte, il est recommandé de ne pas en faire les jours de pluie.

Le pétrissage est un élément important; il est en effet nécessaire de travailler le gluten de la farine pour former une pâte ferme mais tendre. Pétrissez celle-ci jusqu'à ce qu'elle soit malléable, en rajoutant un peu de farine si elle est trop molle.

Les pâtes maison peuvent se conserver 48 heures au réfrigérateur, dans un récipient hermétique. Retournez-les une fois pour vérifier l'humidité. La congélation n'est pas déconseillée, mais les pâtes peuvent s'émietter. Ne décongelez pas les pâtes congelées; plongez-les directement dans l'eau bouillante. Les lasagne doivent être blanchies, puis empilées entre des couches de papier sulfurisé avant d'être réfrigérées ou congelées.

MATÉRIEL
Aucun matériel spécial n'est requis pour la confection des pâtes, mais quelques ustensiles permettent de gagner du temps. Travaillez sur une vaste surface lisse. Les supports de travail en bois ou en marbre sont idéaux. Si vous faites la pâte vous-même, un long rouleau à pâtisserie donne une pâte régulière et requiert moins de mou-

vements qu'un rouleau normal, et une terrine en céramique est préférable. Un mixeur permet de malaxer rapidement la pâte et réduit le temps de pétrissage. Pour découper les pâtes, il vous faudra un long couteau affilé, éventuellement une roulette de pâtissier, et un racloir. Les machines à pâtes manuelles sont très efficaces. Elles pétrissent la pâte tout en l'abaissant, donnent des rouleaux de pâte réguliers et sont faciles à manœuvrer. Les meilleures sont les plus robustes, avec un long manche et des cylindres réglables et bien ajustés.

INGRÉDIENTS

Tous les ingrédients doivent être portés à température ambiante avant que vous commenciez à les travailler. Les proportions de farine et d'œuf dépendent du temps, de la qualité de la farine, et de la fraîcheur et de la taille des œufs. L'huile facilite le travail mais n'est pas indispensable.

Utilisez de la farine ordinaire ou non traitée. Elle donne une pâte à la texture légère et malléable. Certains l'additionnent de semoule de blé dur pour améliorer le goût, la couleur et la texture. Mais elle est parfois difficile à travailler, en particulier sur une machine manuelle, et tout excès de proportion peut poser des problèmes.

PÂTE DE BASE

Pour confectionner suffisamment de pâtes pour 6 personnes en entrée ou 4 personnes en plat principal, il vous faudra 300 g de farine, 3 gros œufs (de 60 g), 30 ml d'huile d'olive (facultatif) et une pincée de sel.

1 Verser la farine ordinaire en pyramide sur un plan de travail ou dans une grande terrine en céramique et creuser un puits au centre.

2 Casser les œufs dans le puits, ajouter l'huile et une bonne pincée de sel. À l'aide d'une fourchette, commencer à battre les œufs et l'huile ensemble, en incorporant un peu de farine en même temps.

3 Incorporer progressivement la farine dans les œufs, en travaillant à partir du centre. Avec la main libre, maintenir la pyramide de farine en place afin d'éviter que les œufs ne s'échappent.

4 Pétrir la pâte sur un plan de travail fariné à l'aide de mouvements doux et légers; la tourner régulièrement pour la plier et la malaxer. Elle doit devenir bien souple, mais sèche au toucher. Si elle est collante, incorporer un peu de farine tout en pétrissant.

5 Compter 6 minutes au moins pour obtenir une texture élastique et homogène à l'aspect légèrement luisant. Si l'on utilise de la semoule de blé dur, compter au moins 8 minutes de pétrissage. Mettre la pâte dans un sac en plastique non fermé, ou la couvrir d'un torchon ou d'un saladier retourné. Laisser reposer 30 minutes. La pâte peut se faire au mixeur.

RÉALISATION DES PÂTES

ÉTALER ET DÉCOUPER LA PÂTE À LA MAIN

1 Diviser la pâte en trois ou quatre portions et les couvrir.

2 Fariner un grand plan de travail. Étaler une portion de pâte sur la surface et l'étendre à l'aide d'un long rouleau à pâtisserie en partant du centre.

3 Continuer à l'étendre toujours vers les bords extérieurs, en la tournant souvent. Veiller à ce que le plan de travail soit toujours légèrement fariné. Une fois la pâte étalée en un cercle régulier, la plier en deux et l'étaler à nouveau. Continuer ainsi sept ou huit fois de suite jusqu'à obtention d'un rond de pâte de 5 mm d'épaisseur.

4 Étaler le rond rapidement jusqu'à ce qu'il fasse 2,5 mm d'épaisseur. Recoller les fissures en prenant un peu de pâte du bord extérieur et en la faisant adhérer avec un peu d'eau.

5 Une fois que chaque rond de pâte est prêt, le transférer sur un torchon. Si la pâte doit être utilisé pour confectionner des pâtes farcies, la conserver à couvert, mais si elle est destinée à être coupée en longueurs ou en formes, la laisser légèrement sécher pendant la confection des autres ronds de pâte.

6 Pour réaliser des lasagne, découper la pâte en rectangles de la taille voulue. La meilleure façon de découper des pâtes longues comme les fettucine est de rouler la pâte pour former un cylindre, puis de couper celui-ci en largeurs régulières à l'aide d'un long couteau tranchant. Pour des tagliatelle, le couper à 8 mm d'inter- valle, 5 mm pour des fettucine, ou 3 cm pour des pappardelle. Éliminer les chutes. Disposer les pâtes découpées en une seule couche sur un torchon, afin de les faire sécher 10 minutes maximum, ou bien les suspendre sur des manches à balais ou de longues cuillères en bois posées entre deux chaises.

On peut également découper les pâtes à même le rond étalé à l'aide d'un couteau tranchant ou d'une roulette de pâtissier. Dans ce cas, faire glisser la roulette contre une règle pour découper droit. Une roulette en zigzag permet de confectionner des lasagnette et des farfalle.

Ne pas faire sécher les pâtes dans un lieu froid ou exposé aux courants d'air, car elles deviendraient cassantes. Il vaut mieux qu'elles sèchent lentement.

ÉTALER ET DÉCOUPER LA PÂTE AVEC UNE MACHINE MANUELLE

1 Fixer la machine au bord du plan de travail. Diviser la pâte en trois ou quatre portions, et rouler chacune en forme de boudin ; les conserver sous un torchon. Prendre un boudin de pâte et l'aplatir d'un ou deux coups de rouleau à pâtisserie. Le saupoudrer légèrement de farine.

2 En réglant les cylindres de la machine à l'écartement maximum, passer la pâte 2 ou 3 fois. La plier en trois, la tourner à 90° et la faire glisser de nouveau dans la machine. Si la pâte est humide ou poisseuse, fariner les faces extérieures chaque fois que vous la passez, jusqu'à ce qu'elle sorte sans adhérer. Recommencer à plier et à étendre la pâte huit à dix fois, jusqu'à ce qu'elle soit homogène et élastique, avec un aspect velouté. Ensuite, la pâte ne doit plus être pliée.

3 Réduire la largeur des cylindres d'un cran, et faire passer la pâte. Répéter, en réduisant d'un cran à chaque fois, jusqu'à obtention de l'épaisseur désirée. Certaines machines ont tendance à amincir la pâte trop finement au dernier cran, ce qui la déchire. Dans ce cas, mieux vaut s'arrêter à l'avant-dernier cran et passer la pâte plusieurs fois. Elle sortira un peu plus fine à chaque fois. Ce procédé s'applique également aux machines qui n'étendent pas la pâte suffisamment finement au dernier cran.

4 Une fois que chaque boudin de pâte est étendu, le déposer sur un torchon sec. Laisser sécher la pâte 10 minutes si elle doit être découpée, mais la couvrir si elle doit servir à faire des pâtes farcies.

5 Pour réaliser des lasagne, couper la pâte en rectangles de la taille voulue. Pour des pâtes plus étroites, sélectionner le jeu de lames adéquat et passer chaque longueur de pâte. Étaler les pâtes sur un torchon jusqu'à ce qu'elles soient prêtes à cuire, en ne les couvrant que si elles semblent sécher trop vite. Les pâtes longues, comme les tagliatelle, peuvent être suspendues sur des manches à balais ou de longues cuillères en bois posées entre deux chaises.

FAÇONNER DES FORMES

Pour les farfalle, il vous faut des longueurs de pâte fraîchement étalée de 2,5 mm d'épaisseur. À l'aide d'une roulette en zigzag tenue contre une règle, découper des rectangles de 2,5 x 5,5 cm environ. Pincer les rectangles en leur centre afin de former des papillons que vous laisserez sécher 10 à 12 minutes sur un torchon. Au bout de 5 minutes, pincer de nouveau ceux qui se sont relâchés.

Pour les orecchiette, prendre de la pâte non abaissée, mais reposée. La diviser en portions malléables et rouler celles-ci à la main en longs cylindres d'environ 1 cm de diamètre. En travaillant avec un cylindre à la fois, découper des rondelles de 2,5 mm de largeur. Presser chaque rondelle entre le pouce et une planche légèrement farinée. Il se formera des oreillettes grossières. Les faire sécher sur un torchon.

SAUCES CLASSIQUES

Il est parfois difficile de déterminer si l'on mange des pâtes à la sauce ou de la sauce aux pâtes. La différence est certes subtile, mais les Italiens tiennent à enduire leurs pâtes de sauce plutôt que les plonger dedans. Les sauces classiques suivantes se préparent avec des ingrédients de première fraîcheur et s'ajoutent directement aux pâtes. À ce sujet, la philosophie italienne est stricte : consommer des pâtes autrement serait leur faire une grande injustice.

Une fois que les fèves sont cuites, les presser pour les faire sortir de leur peau. Si elles résistent, fendre légèrement les extrémités.

Équeuter les pois mange-tout à l'aide d'un petit couteau. Éliminer aussi les parties dures des asperges.

SAUCE PRIMAVERA

Préparation : 25 minutes
Cuisson : 10 à 15 minutes
Pour 4 personnes

★

500 g de pâtes

150 g de fèves surgelées

200 g de pois mange-tout

150 g d'asperges vertes fraîches

30 g de beurre

250 ml de crème fraîche

60 g de parmesan, fraîchement râpé

1 Cuire les pâtes à l'eau bouillante salée jusqu'à ce qu'elles soient *al dente*. Les égoutter et les remettre au chaud dans la casserole.

2 Cuire les fèves 2 minutes à l'eau bouillante. Les plonger dans de l'eau glacée et les égoutter. Retirer la peau des fèves (soit en les pressant, soit en incisant soigneusement la peau avant).

3 Équeuter les pois mange-tout. Ôter les parties dures des asperges et les détailler en tronçons.

4 Faire fondre le beurre dans une poêle à fond épais, ajouter les légumes, la crème fraîche et le parmesan. Laisser mijoter 3 à 4 minutes à feu moyen, jusqu'à ce que les pois et les asperges soient vert vif et juste tendres. Saler et poivrer. Verser la sauce sur les pâtes chaudes et bien remuer. Servir immédiatement.

NOTE : la sauce primavera accompagne traditionnellement les spaghetti. L'illustration montre des spaghettini, ou fins spaghetti.

VALEURS NUTRITIVES PAR PORTION : *protéines 30 g, lipides 35 g, glucides 95 g, fibres alimentaires 12 g, cholestérol 105 mg, 3 420 kJ (815 kcal)*

SAUCE POMODORO

Préparation : 15 minutes
Cuisson : 10 à 15 minutes
Pour 4 personnes

★

500 g de pâtes

1 1/2 cuil. à soupe d'huile d'olive

1 oignon, très finement haché

800 g de tomates italiennes en boîte, hachées

2 cuil. à soupe de basilic frais

1 Cuire les pâtes à l'eau bouillante salée, jusqu'à ce qu'elles soient *al dente*. Égoutter et remettre au chaud dans la casserole.

2 Chauffer l'huile dans une grande poêle. Faire revenir l'oignon à feu moyen. Incorporer les tomates hachées et laisser mijoter 5 à 6 minutes, jusqu'à ce que la sauce ait réduit et épaissi. Saler et poivrer. Incorporer les feuilles de basilic et prolonger la cuisson d'1 minute. Verser la sauce sur les pâtes chaudes et remuer délicatement. Servir immédiatement. Cette sauce s'accompagne très bien de parmesan fraîchement râpé.

NOTE : la sauce pomodoro accompagne traditionnellement les tagliatelle. Sur l'illustration, il s'agit de fettucine.

VALEURS NUTRITIVES PAR PORTION : *protéines 20 g, lipides 10 g, glucides 95 g, fibres alimentaires 10 g, cholestérol 5 mg, 2 295 kJ (545 kcal)*

PAS À PAS

Pour hacher finement l'oignon, le couper en deux avec un couteau tranchant, puis l'émincer horizontalement sans aller jusqu'au bout.

Ensuite, l'inciser dans l'autre sens (perpendiculairement) et le tailler en petits dés verticalement.

Hacher finement le bacon après avoir ôté la couenne.

Râper la muscade en utilisant la partie la plus fine de la râpe.

SAUCE BOLOGNAISE TRADITIONNELLE

Préparation : 25 minutes
Cuisson : 3 heures minimum
Pour 4 personnes

★

50 g de beurre

180 g de bacon épais sans couenne, haché

1 gros oignon, finement haché

1 carotte, coupée en petits dés

1 branche de céleri, finement émincée

400 g de viande de bœuf maigre hachée

150 g de foies de volaille, finement hachés

500 ml de bouillon de bœuf

250 ml de purée de tomates (passata)

125 ml de vin rouge

1 pincée de muscade fraîchement râpée

500 g de pâtes

Parmesan fraîchement râpé, pour la garniture

1 Chauffer la moitié du beurre dans une poêle à fond épais et faire rissoler le bacon. Ajouter l'oignon, la carotte et le céleri ; les faire revenir 8 minutes à feu doux en remuant de temps en temps.

2 Augmenter le feu, mettre le reste du beurre et, lorsque la poêle est bien chaude, ajouter la viande hachée. Écraser les grumeaux à la fourchette et faire revenir en remuant. Ajouter les foies de volaille et bien mélanger jusqu'à ce qu'ils changent de couleur. Verser le bouillon, la purée de tomates, le vin et la muscade ; saler et poivrer.

3 Porter à ébullition puis laisser mijoter à couvert 2 à 5 heures, à feu très doux, en rajoutant un peu de bouillon si la sauce se dessèche. Plus la sauce cuit, meilleure elle sera.

4 Cuire les pâtes à l'eau bouillante salée jusqu'à ce qu'elles soient *al dente*. Les égoutter et les répartir dans les assiettes. Verser la sauce dessus et garnir de parmesan.

NOTE : cette sauce accompagne les tagliatelle, mais on la sert aussi avec les spaghetti.

VALEURS NUTRITIVES PAR PORTION : *protéines 45 g, lipides 35 g, glucides 95 g, fibres alimentaires 9 g, cholestérol 145 mg, 3 860 kJ (920 kcal)*

SAUCE ALFREDO

Préparation : 10 minutes
Cuisson : 15 minutes
Pour 4 à 6 personnes

★

500 g de pâtes

90 g de beurre

150 g de parmesan, fraîchement râpé

300 ml de crème liquide

3 cuil. à soupe de persil frais haché

1 Cuire les pâtes à l'eau bouillante salée jusqu'à ce qu'elles soient *al dente*. Les égoutter et les remettre dans la casserole.

2 Pendant que les pâtes cuisent, faire fondre le beurre à feu doux dans une casserole. Ajouter le parmesan et la crème et porter à ébullition, sans cesser de remuer. Baisser le feu et laisser mijoter en remuant jusqu'à épaississement. Ajouter le persil, du sel et du poivre et bien remuer.

3 Verser la sauce sur les pâtes et bien mélanger. Ce plat peut être garni de fines herbes hachées ou de brins d'herbes aromatiques, comme le thym.

NOTE : cette sauce accompagne traditionnellement les fettucine, comme le montre l'illustration, mais on peut utiliser toutes sortes de pâtes. Elle est très simple à préparer et doit se faire juste avant que les pâtes soient cuites.

VALEURS NUTRITIVES PAR PORTION (6) : *protéines 20 g, lipides 40 g, glucides 60 g, fibres alimentaires 4 g, cholestérol 125 mg, 2 875 kJ (685 kcal)*

PAS À PAS

Le parmesan doit être râpé juste avant utilisation ; cela l'empêche de perdre du goût et de se dessécher.

Hacher le persil à l'aide d'un gros couteau tranchant, avec des mouvements de balancier, tout en tenant la pointe du couteau en place.

Pour cette sauce, les légumes doivent être très finement hachés avant d'être mis dans l'huile.

Couper les tomates en très petits morceaux, avant de les mettre dans la casserole avec le persil, le sucre et l'eau.

SAUCE NAPOLITAINE

Préparation : 20 minutes
Cuisson : 1 heure
Pour 4 à 6 personnes

✵

2 cuil. à soupe d'huile d'olive

1 oignon, finement haché

1 carotte, coupée en petits dés

1 branche de céleri, finement hachée

500 g de tomates bien mûres, hachées

2 cuil. à soupe de persil frais haché

2 cuil. à café de sucre

500 g de pâtes

1 Chauffer l'huile dans une casserole à fond épais. Ajouter l'oignon, la carotte et le céleri. Couvrir et faire cuire 10 minutes à feu doux, en remuant de temps en temps.

2 Ajouter les tomates, le persil, le sucre et 125 ml d'eau. Porter à ébullition puis ramener à feu doux, couvrir et laisser mijoter 45 minutes, en remuant de temps à autre. Saler et poivrer. Si nécessaire, ajouter un peu d'eau (jusqu'à 180 ml) pour obtenir la consistance souhaitée.

3 Un quart d'heure environ avant de servir, faire cuire les pâtes à l'eau bouillante salée jusqu'à ce qu'elles soient *al dente*. Les égoutter et les remettre dans la casserole. Verser la sauce dessus et remuer délicatement. Servir dans des assiettes ou des bols individuels. On peut garnir le plat de fines herbes.

NOTE : cette sauce est généralement servie avec des spaghetti, mais toutes les pâtes conviennent, comme les penne rigate de l'illustration. Cette sauce peut être réduite en un concentré en prolongeant la cuisson. La conserver au réfrigérateur et ajouter de l'eau ou du bouillon, si nécessaire, tout en la réchauffant.

VALEURS NUTRITIVES PAR PORTION (6) : *protéines 10 g, lipides 7 g, glucides 65 g, fibres alimentaires 6 g, cholestérol 0 mg, 1 540 kJ (365 kcal)*

SAUCE CARBONARA
(SAUCE CRÉMEUSE À L'ŒUF ET AU BACON)

Préparation : 15 minutes
Cuisson : 25 minutes
Pour 4 à 6 personnes

★

8 tranches de bacon

500 g de pâtes

4 œufs

50 g de parmesan, fraîchement râpé

300 ml de crème liquide

1 Ôter la couenne du bacon et le découper en fines lamelles. Le faire rissoler à feu moyen dans une casserole à fond épais. Égoutter sur du papier absorbant.

2 Cuire les pâtes à l'eau bouillante jusqu'à ce qu'elles soient *al dente*. Les égoutter et les remettre dans la casserole.

3 Pendant que les pâtes cuisent, battre les œufs, le parmesan et la crème fraîche dans un saladier. Incorporer le bacon. Verser la sauce sur les pâtes chaudes et remuer délicatement.

4 Remettre la casserole à feu très doux et cuire 1/2 à 1 minute, jusqu'à ce que la sauce ait légèrement épaissi. Ajouter éventuellement du poivre noir fraîchement moulu.

NOTE : les fettucine sont traditionnellement accompagnées de cette sauce, mais on peut utiliser toutes sortes de pâtes. L'illustration montre des tagliatelle.

VALEURS NUTRITIVES PAR PORTION (6) : *protéines 30 g, lipides 35 g, glucides 60 g, fibres alimentaires 4 g, cholestérol 225 mg, 2 895 kJ (690 kcal)*

PAS À PAS

Faire rissoler les lamelles de bacon dans une casserole à fond épais, en remuant et en veillant à ne pas les laisser brûler.

Égoutter le bacon sur du papier absorbant. Après avoir battu les œufs, le parmesan et la crème, incorporer le bacon.

27

Passer les pignons, le basilic, l'ail, le sel et les fromages 20 secondes au mixeur.

Sans arrêter le moteur, verser l'huile d'olive en un fin filet, jusqu'à obtention d'une purée lisse.

PESTO

Préparation : 10 à 15 minutes
Cuisson : aucune
Pour 4 à 6 personnes

✦

500 g de pâtes

3 cuil. à soupe de pignons

100 g de feuilles de basilic frais

2 gousses d'ail, pelées

1/2 cuil. à café de sel

3 cuil. à soupe de parmesan fraîchement râpé

2 cuil. à soupe de pecorino fraîchement râpé
  (facultatif)

125 ml d'huile d'olive

1 Cuire les pâtes à l'eau bouillante salée jusqu'à ce qu'elles soient *al dente*. Les égoutter et les remettre au chaud dans la casserole.

2 Environ 5 minutes avant que les pâtes soient cuites, faire dorer les pignons dans une casserole à fond épais en les remuant 2 à 3 minutes à feu doux. Laisser refroidir. Passer les pignons, le basilic, l'ail, le sel et les fromages 20 secondes au mixeur, jusqu'à ce qu'ils soient finement hachés. Racler les bords du bol.

3 Tout en continuant à mixer les ingrédients, verser l'huile peu à peu en un fin filet jusqu'à obtention d'une purée lisse. Ajouter du poivre noir fraîchement moulu. Verser la sauce sur les pâtes chaudes et bien mélanger.

NOTE : cette sauce accompagne traditionnellement les linguine, mais on peut utiliser toutes sortes de pâtes. Le pesto peut se préparer une semaine à l'avance et se conserver au réfrigérateur dans un récipient hermétique. Bien le tasser et le couvrir d'un film plastique ou d'une couche d'huile superficielle, pour l'empêcher de noircir.

VALEURS NUTRITIVES PAR PORTION (**6**) : *protéines 15 g, lipides 30 g, glucides 60 g, fibres alimentaires 5 g, cholestérol 8 mg, 2 280 kJ (540 kcal)*

SAUCE AMATRICIANA
(SAUCE ÉPICÉE AU BACON ET À LA TOMATE)

Préparation : 45 minutes
Cuisson : 20 minutes
Pour 4 à 6 personnes

★

6 tranches de pancetta ou 3 tranches
    de bacon

1 kg de tomates bien mûres

500 g de pâtes

1 cuil. à soupe d'huile d'olive

1 petit oignon, très finement haché

2 cuil. à café de piment frais très finement haché

Copeaux de parmesan, pour la garniture

1 Hacher finement la pancetta (ou le bacon). Inciser d'une croix la base des tomates. Les plonger 1 à 2 minutes dans de l'eau bouillante, puis les égoutter et les plonger brièvement dans de l'eau froide. Les peler à partir de la croix. Les couper en deux et ôter les graines avant de hacher la pulpe.
2 Cuire les pâtes à l'eau bouillante salée jusqu'à ce qu'elles soient *al dente*. Les égoutter et les remettre dans la casserole.
3 Environ 5 minutes avant que les pâtes ne soient cuites, chauffer l'huile dans une poêle à fond épais. Faire revenir la pancetta (ou le bacon), l'oignon et le piment 3 minutes à feu moyen, en remuant. Baisser le feu et laisser mijoter encore 3 minutes. Verser la sauce sur les pâtes et bien mélanger. Servir avec des copeaux de parmesan. On peut aussi garnir de poivre noir fraîchement moulu.

NOTE : ce plat serait originaire d'Amatrice, une ville réputée pour son jambon fumé. À la place de tomates ordinaires, on peut utiliser des tomates Roma, à la pulpe ferme, aux graines peu nombreuses et à l'arôme puissant. Les bucatini, comme le montre l'illustration, sont les pâtes traditionnellement servies avec cette sauce, mais on peut utiliser d'autres variétés.

VALEURS NUTRITIVES PAR PORTION (**6**) : *protéines 15 g, lipides 9 g, glucides 60 g, fibres alimentaires 6 g, cholestérol 15 mg, 1 640 kJ (390 kcal)*

PAS À PAS

Retirer les tomates de l'eau froide et les peler à partir de l'incision.

Couper les tomates en deux et ôter les graines à l'aide d'une petite cuillère avant de hacher la pulpe.

Ajouter un peu de crème fraîche et racler les parois de la poêle avec une cuillère en bois pour en détacher les morceaux de bacon.

Cuire la sauce à feu vif jusqu'à ce qu'elle adhère au dos d'une cuillère en bois.

SAUCE BOSCAIOLA CRÉMEUSE

Préparation : 15 minutes
Cuisson : 20 à 25 minutes
Pour 4 personnes

★

500 g de pâtes

6 tranches de bacon, découennées et hachées

200 g de champignons de Paris, émincés

600 ml de crème liquide

2 oignons nouveaux, émincés

1 cuil. à soupe de persil frais haché

1 Cuire les pâtes à l'eau bouillante salée jusqu'à ce qu'elles soient *al dente*. Les égoutter et les remettre au chaud dans la casserole.

2 Pendant que les pâtes cuisent, chauffer environ 1 cuil. à soupe d'huile dans une grande poêle et faire dorer le bacon et les champignons 5 minutes en remuant.

3 Incorporer un peu de crème fraîche et racler les parois de la poêle pour faire retomber les morceaux de bacon.

4 Ajouter le reste de crème, porter à ébullition et faire cuire 15 minutes à feu vif, jusqu'à ce que la sauce adhère au dos d'une cuillère. Incorporer l'oignon nouveau et bien remuer. Verser la sauce sur les pâtes et bien mélanger. Saupoudrer de persil haché.

NOTE : cette sauce se sert traditionnellement avec des spaghetti, mais toutes les variétés de pâtes feront l'affaire. L'illustration montre des casereccie. Si vous n'avez pas beaucoup de temps pour réduire la sauce, sachez qu'elle peut être épaissie avec 2 cuil. à café de Maïzena délayée dans 1 cuil. à soupe d'eau. Remuer jusqu'à ébullition et épaississement. « Boscaiola » signifie bûcheronne, le ramassage des champignons étant une activité traditionnellement associée aux bûcherons.

VALEURS NUTRITIVES PAR PORTION : *protéines 30 g, lipides 60 g, glucides 95 g, fibres alimentaires 8 g, cholestérol 200 mg, 4 310 kJ (1 025 kcal)*

SAUCE PUTTANESCA
(SAUCE AUX CÂPRES, AUX OLIVES ET AUX ANCHOIS)

Préparation : 20 minutes
Cuisson : 20 minutes
Pour 4 personnes

★

500 g de pâtes

2 cuil. à soupe d'huile d'olive

3 gousses d'ail, écrasées

2 cuil. à soupe de persil frais haché

1 pincée de piment en flocons ou en poudre

850 g de tomates en boîte hachées

1 cuil. à soupe de câpres

3 filets d'anchois, finement émincés

45 g d'olives noires

Parmesan fraîchement râpé, pour la garniture

1 Cuire les pâtes à l'eau bouillante salée jusqu'à ce qu'elles soient *al dente*. Les égoutter et les remettre au chaud dans la casserole.

2 Pendant que les pâtes cuisent, chauffer l'huile dans une grande poêle à fond épais. Faire revenir l'ail, le persil et le piment 1 minute à feu moyen, en remuant constamment.

3 Ajouter les tomates et porter à ébullition. Baisser le feu et laisser mijoter 5 minutes à couvert.

4 Ajouter les câpres, les anchois et les olives et remuer encore 5 minutes. Poivrer à votre goût. Verser la sauce sur les pâtes et remuer délicatement pour bien les enduire. Servir immédiatement, garni de parmesan fraîchement râpé.

NOTE : cette sauce accompagne généralement les spaghetti, mais on peut utiliser toutes sortes de pâtes, comme les lasagnette ci-dessus.

VALEURS NUTRITIVES PAR PORTION : *protéines 20 g, lipides 15 g, glucides 95 g, fibres alimentaires 9 g, cholestérol 8 mg, 2 510 kJ (595 kcal)*

PAS À PAS

Pour peler l'ail facilement, écraser chaque gousse avec le plat d'un couteau, en appuyant avec la paume de la main.

Hacher grossièrement l'ail avec un peu de sel, puis actionner le couteau obliquement pour l'écraser finement.

Retirer la tige des piments et les partager en deux. Il est conseillé de porter des gants de caoutchouc.

Hacher finement les piments, en conservant la peau et les graines pour une saveur très corsée. On peut les ôter si l'on préfère une sauce plus douce.

SAUCE ARRABBIATA
(SAUCE TOMATE TRÈS ÉPICÉE)

Préparation : 30 minutes
Cuisson : 50 minutes
Pour 4 personnes

★

75 g de lard

2 à 3 piments rouges frais

2 cuil. à soupe d'huile d'olive

1 gros oignon, finement haché

1 gousse d'ail, finement hachée

500 g de tomates très mûres, finement hachées

500 g de pâtes

2 cuil. à soupe de persil frais haché

Parmesan ou pecorino fraîchement râpé, pour la garniture

1 Hacher finement le lard à l'aide d'un gros couteau. Hacher soigneusement les piments (le port de gants de caoutchouc est vivement conseillé).

Chauffer l'huile dans une casserole à fond épais et faire revenir le lard, le piment, l'oignon et l'ail. Cuire 8 minutes à feu moyen en remuant de temps en temps.

2 Ajouter les tomates avec 125 ml d'eau ; saler et poivrer. Couvrir et laisser mijoter 40 minutes environ, jusqu'à ce que la sauce soit épaissie.

3 Lorsque la sauce est presque prête, cuire les pâtes à l'eau bouillante salée jusqu'à ce qu'elles soient *al dente*. Les égoutter et les remettre dans la casserole.

4 Incorporer le persil et vérifier l'assaisonnement. Verser la sauce sur les pâtes et remuer délicatement. Parsemer de parmesan ou de pecorino frais.

NOTE : les penne rigate, comme ci-dessus, sont les pâtes idéales pour la sauce arrabbiata, mais on peut utiliser d'autres variétés.

VALEURS NUTRITIVES PAR PORTION : *protéines 20 g, lipides 25 g, glucides 95 g, fibres alimentaires 9 g, cholestérol 20 mg, 2 880 kJ (685 kcal)*

SAUCE MARINARA

Préparation : 50 minutes
Cuisson : 30 minutes
Pour 4 personnes

★

1 oignon, haché

2 gousses d'ail, écrasées

125 ml de vin rouge

2 cuil. à soupe de concentré de tomates

425 g de tomates hachées en boîte

250 ml de sauce tomate en bocal

1 cuil. à soupe de basilic et d'origan frais

12 moules nettoyées (éliminer les moules ouvertes)

30 g de beurre

125 g de petits tubes de calamar émincés

125 g de filet de poisson blanc sans arêtes,
coupé en dés

200 g de crevettes crues, décortiquées et sans
veine, avec les queues intactes

500 g de pâtes

1 Chauffer de l'huile d'olive dans une grande casserole. Faire revenir l'oignon et l'ail 2 à 3 minutes à feu doux. Passer à feu moyen et ajouter le vin, le concentré de tomates, les tomates et la sauce tomate. Laisser mijoter 5 à 10 minutes en remuant, jusqu'à ce que la sauce ait réduit et épaissi. Incorporer les herbes et assaisonner. Réserver au chaud.

2 Pendant que la sauce mijote, chauffer 125 ml d'eau dans une casserole. Mettre les moules, couvrir et laisser cuire 3 à 5 minutes jusqu'à ce qu'elles aient changé de couleur et se soient ouvertes. Éliminer les moules fermées. Retirer de la casserole et réserver. Incorporer le jus de cuisson à la sauce.

3 Chauffer le beurre dans une casserole et faire sauter les calamars, le poisson et les crevettes 1 à 2 minutes, en plusieurs fois. Mettre les fruits de mer dans la sauce et remuer délicatement.

4 Cuire les pâtes à l'eau bouillante salée jusqu'à ce qu'elles soient *al dente* ; les égoutter. Mélanger la sauce et les pâtes chaudes et servir.

NOTE : cette sauce accompagne les spaghetti.

VALEURS NUTRITIVES PAR PORTION : *protéines 40 g, lipides 10 g, glucides 100 g, fibres alimentaires 10 g, cholestérol 205 mg, 2 840 kJ (675 kcal)*

PAS À PAS

·Gratter les moules et éliminer celles qui sont ouvertes. Les nettoyer soigneusement.

Vider l'intérieur des calamars et émincer les tubes en rondelles.

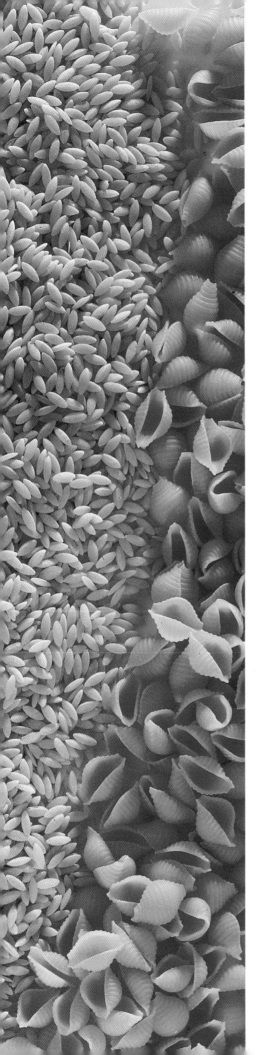

SOUPES

La soupe est un mets chaleureux, qui apporte le réconfort et évoque les soirées d'hiver. La meilleure façon de la confectionner consiste à faire mijoter vos ingrédients favoris en un bouillon goûteux, que vous agrémenterez d'une poignée de pâtes. Les conchiglie et les fusilli forment un potage proche du ragoût, tandis que les tortellini ou les ravioli font d'un élégant consommé un plat à part entière. Il existe même de minuscules pâtes spécialement conçues pour les potages. En fait, la soupe et les pâtes vont aussi bien ensemble que les macaroni et le minestrone !

et 750 ml d'eau. Faire cuire 10 minutes à feu doux. Retirer le citron et porter la soupe à ébullition.

3 Ajouter les tortellini et le persil ; poivrer. Prolonger la cuisson de 6 à 7 minutes, jusqu'à ce que les pâtes soient *al dente*. Garnir de fines lamelles de zeste de citron.

NOTE : on peut remplacer le persil par du basilic frais haché et servir la soupe avec un peu de parmesan fraîchement râpé.

VALEURS NUTRITIVES PAR PORTION (6) : *protéines 10 g, lipides 2 g, glucides 45 g, fibres alimentaires 4 g, cholestérol 10 mg, 1 060 kJ (250 kcal)*

SOUPE AU POULET, AU POIREAU ET AUX POIS CHICHES

Préparation : 15 minutes
Cuisson : 20 minutes
Pour 4 personnes

★

1 l de bouillon de volaille

125 g de pâtes miniatures

20 g de beurre

1 poireau, émincé

1 gousse d'ail, écrasée

100 g de pois chiches, grillés

1 cuil. à soupe de farine

2 cuil. à soupe de persil plat frais finement haché

1 pincée de poivre de Cayenne

200 g de poulet cuit haché

1 Dans une grande casserole, porter le bouillon de volaille à ébullition. Ajouter les pâtes et les faire cuire jusqu'à ce qu'elles soient juste tendres. Les retirer à l'aide d'une écumoire en gardant le bouillon sur le feu.

2 Pendant ce temps, fondre le beurre dans une grande casserole et faire blondir le poireau et l'ail. Ajouter les pois chiches, remuer 1 minute et saupoudrer de farine. Faire sauter le tout 10 secondes puis incorporer peu à peu le bouillon bouillant.

3 Ajouter le persil, le poivre de Cayenne, du sel et du poivre noir. Mettre les pâtes et la viande de poulet dans la casserole et porter de nouveau à ébullition avant de servir.

VALEURS NUTRITIVES PAR PORTION (6) : *protéines 15 g, lipides 8 g, glucides 30 g, fibres alimentaires 4 g, cholestérol 50 mg, 1 075 kJ (255 kcal)*

BOUILLON AUX TORTELLINI PARFUMÉ AU CITRON

Préparation : 10 minutes
Cuisson : 20 minutes
Pour 4 à 6 personnes

★

1 citron

125 ml de vin blanc de qualité

440 g de consommé de poulet en boîte

375 g de tortellini frais ou secs fourrés au veau ou au poulet

4 cuil. à soupe de persil frais haché

1 À l'aide d'un épluche-légumes, peler de larges lanières de zeste de citron. En découper trois en fines lamelles après avoir retiré la partie blanche avec un petit couteau tranchant. Réserver pour la garniture.

2 Dans une grande casserole profonde, réunir les grosses lanières de citron, le vin blanc, le consommé

CI-DESSUS : Bouillon aux tortellini parfumé au citron

MINESTRONE

Préparation : 30 minutes + 1 nuit de trempage
Cuisson : 3 heures
Pour 6 à 8 personnes

★

250 g de haricots borlotti secs,
    trempés toute la nuit

2 oignons, hachés

2 gousses d'ail, écrasées

3 tranches de bacon, hachées

4 tomates Roma, pelées et hachées

3 cuil. à soupe de persil frais haché

2,25 l de bouillon de bœuf ou de légumes

60 ml de vin rouge

1 carotte, coupée en dés

1 rutabaga, coupé en dés

2 pommes de terre, coupées en dés

3 cuil. à soupe de concentré de tomates (double)

2 courgettes, émincées

80 g de petits pois

80 g de petits macaroni

Parmesan fraîchement râpé et pesto,
    pour la garniture

1 Égoutter et rincer les haricots. Les couvrir d'eau froide dans une casserole. Porter à ébullition, remuer, baisser le feu et laisser mijoter 15 minutes. Égoutter.
2 Chauffer 2 cuil. à soupe d'huile dans une grande casserole à fond épais et faire revenir l'oignon, l'ail et le bacon sans cesser de remuer, jusqu'à ce que l'oignon soit tendre et le bacon doré.
3 Ajouter les tomates, le persil, les haricots, le bouillon et le vin rouge. Laisser mijoter à feu doux pendant 2 heures à découvert. Ajouter la carotte, le rutabaga, les pommes de terre et le concentré de tomates, couvrir et laisser mijoter 20 minutes.
4 Ajouter les courgettes, les petits pois et les macaroni. Couvrir et poursuivre la cuisson de 10 à 15 minutes, jusqu'à ce que les légumes et les pâtes soient tendres. Assaisonner à votre goût et garnir de parmesan et d'un peu de pesto. On peut aussi parsemer le plat de fines herbes.

VALEURS NUTRITIVES PAR PORTION (8) : *protéines 15 g, lipides 7 g, glucides 35 g, fibres alimentaires 8 g, cholestérol 8 mg, 1 135 kJ (270 kcal)*

HARICOTS BORLOTTI

Les haricots borlotti, ou cocos roses, sont de gros haricots secs joliment tachetés et particulièrement prisés dans le nord et le centre de l'Italie. Leur goût de châtaigne et leur texture onctueuse sont parfaits pour les soupes et les ragoûts, mais également pour les salades et les purées. Ils s'achètent frais au printemps et en été. Sinon, on utilise des borlotti secs ou précuits en boîte.

CI-DESSUS : Minestrone

SOUPE DE PÂTES AUX POIS MANGE-TOUT ET AUX GAMBAS

Préparation : 30 minutes
Cuisson : 15 minutes
Pour 4 personnes

☆

12 gambas crues

100 g de pois mange-tout

1 cuil. à soupe d'huile

2 oignons, hachés

1,5 l de bouillon de volaille

1/2 cuil. à café de gingembre frais râpé

200 g de pâtes « cheveux d'ange » ou de spaghettini

Feuilles de basilic frais, pour la garniture

CI-DESSOUS : Soupe de pâtes aux pois mange-tout et aux gambas

1 Décortiquer et ôter la veine des gambas, en laissant la queue intacte. Équeuter les pois mange-tout et les couper s'ils sont gros.

2 Chauffer l'huile dans une casserole et faire revenir les oignons à feu doux. Verser le bouillon de volaille et porter à ébullition.

3 Ajouter le gingembre, les pois mange-tout, les gambas et les pâtes. Cuire 4 minutes à feu moyen. Saler et poivrer, et servir immédiatement, garni de feuilles de basilic.

VALEURS NUTRITIVES PAR PORTION : *protéines 20 g, lipides 6 g, glucides 40 g, fibres alimentaires 4 g, cholestérol 85 mg, 1 255 kJ (300 kcal)*

BOUILLON AUX RISSONI ET AUX CHAMPIGNONS

Préparation : 15 minutes
Cuisson : 20 à 25 minutes
Pour 4 personnes

☆

90 g de beurre

2 gousses d'ail, émincées

2 gros oignons, émincés

375 g de champignons, finement émincés

1,25 l de bouillon de volaille

125 g de rissoni

300 ml de crème liquide

1 Faire fondre le beurre à feu doux dans une grande casserole ; faire revenir l'ail et l'oignon 1 minute. Ajouter les champignons et cuire 5 minutes à petit feu, sans faire brunir. Réserver quelques champignons pour la garniture. Verser le bouillon de volaille et prolonger la cuisson de 10 minutes.

2 Pendant ce temps, cuire les rissoni à l'eau bouillante salée jusqu'à ce qu'ils soient *al dente*. Égoutter et réserver.

3 Laisser les champignons refroidir légèrement avant de les passer au mixeur.

4 Remettre les champignons hachés dans la casserole et incorporer les rissoni et la crème. Réchauffer le tout et assaisonner à votre goût. Servir dans une soupière ou dans des bols individuels. Garnir des champignons réservés.

VALEURS NUTRITIVES PAR PORTION : *protéines 10 g, lipides 55 g, glucides 30 g, fibres alimentaires 5 g, cholestérol 165 mg, 2 660 kJ (635 kcal)*

SOUPE DE HARICOTS À LA SAUCISSE

Préparation : 25 minutes
Cuisson : 40 minutes
Pour 4 à 6 personnes

★

4 saucisses italiennes

2 cuil. à café d'huile d'olive

2 poireaux, émincés

1 gousse d'ail, écrasée

1 belle carotte, détaillée en dés

2 branches de céleri, émincées

2 cuil. à soupe de farine

2 cubes de bouillon de bœuf, émiettés

2 l d'eau chaude

125 ml de vin blanc

125 g de conchiglie

220 g de haricots blancs en boîte, égouttés

220 g de haricots rouges en boîte, égouttés

1 Couper les saucisses en petits morceaux. Chauffer l'huile dans une grande casserole à fond épais et faire dorer les saucisses 5 minutes à feu moyen, en remuant régulièrement. Retirer de la casserole et égoutter sur du papier absorbant.

2 Ajouter le poireau, l'ail, la carotte et le céleri et cuire 2 à 3 minutes jusqu'à ce qu'ils soient tendres, en remuant de temps en temps.

3 Incorporer la farine et remuer 1 minute. Verser peu à peu les cubes de bouillon délayés dans l'eau et le vin. Porter à ébullition, baisser le feu et laisser mijoter 10 minutes.

4 Ajouter les pâtes et les haricots. Augmenter le feu et cuire 8 à 10 minutes, jusqu'à ce que les pâtes soient tendres. Remettre la saucisse dans la casserole et assaisonner. Servir avec du persil frais haché.

NOTE : on peut aussi utiliser des haricots secs. Les mettre dans un bol, couvrir d'eau et laisser tremper toute la nuit. Égoutter et mettre dans une grande casserole avec suffisamment d'eau pour bien les couvrir. Porter à ébullition, baisser le feu et laisser mijoter 1 heure. Bien égoutter avant de les incorporer à la soupe.

VALEURS NUTRITIVES PAR PORTION **(6)** : *protéines 15 g, lipides 10 g, glucides 30 g, fibres alimentaires 9 g, cholestérol 20 mg, 1 145 kJ (270 kcal)*

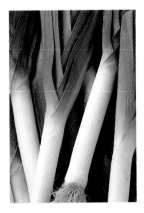

CI-DESSUS : *Soupe de haricots à la saucisse*

CI-DESSUS : *Bouillon de poulet épicé et pâtes à la coriandre*

CORIANDRE FRAÎCHE

La coriandre, ou persil chinois, s'utilise d'un bout à l'autre du monde. Toutes les parties de la plante sont comestibles. En Asie et au Moyen-Orient, les graines séchées s'utilisent pour leur parfum et forment la base des poudres de curry une fois moulues. Dans la cuisine mexicaine, les feuilles fraîches sont très appréciées alors qu'en Thaïlande on consomme aussi bien les feuilles que les tiges et les racines.

BOUILLON DE POULET ÉPICÉ ET PÂTES À LA CORIANDRE

Préparation : 1 heure
Cuisson : 50 minutes
Pour 4 personnes

★★★

350 g de poulet (cuisse ou aile), sans peau

2 carottes, finement hachées

2 branches de céleri, finement hachées

2 petits poireaux, finement hachés

3 blancs d'œufs

1,5 l de bouillon de volaille

Tabasco

Pâtes à la coriandre

60 g de farine

1 œuf

1/2 cuil. à café d'huile de sésame

90 g de feuilles de coriandre

1 Mettre les morceaux de poulet, les carottes, le céleri et les poireaux dans une grande casserole à fond épais. Pousser le poulet contre un bord et verser les blancs d'œufs sur les légumes. À l'aide d'un fouet, battre pendant 1 minute environ jusqu'à ce que le mélange soit mousseux (veiller à ne pas utiliser une casserole qui puisse être abîmée par le fouet).

2 Réchauffer le bouillon dans une autre casserole, puis l'incorporer progressivement à la première casserole sans cesser de fouetter. Continuer à battre jusqu'à ce que le bouillon parvienne à ébullition. Faire un trou dans la mousse à l'aide d'une cuillère et laisser mijoter 30 minutes sans remuer.

3 Garnir une passoire d'un torchon humide ou d'une double épaisseur d'étamine et passer le bouillon dans une jatte (éliminer le poulet et les légumes). Saler, poivrer et ajouter quelques gouttes de Tabasco. Réserver jusqu'au moment de servir.

4 Pâtes à la coriandre : tamiser la farine dans un saladier et faire un puits au centre. Battre l'œuf et l'huile ensemble et verser le tout dans le puits. Bien malaxer jusqu'à obtention d'une pâte souple et pétrir 2 minutes sur un plan de travail fariné.

5 Diviser la pâte en 4 portions égales. Étendre très finement l'une d'elles et la parsemer de feuilles de coriandre régulièrement espacées. Étendre une autre portion de pâte et la poser sur la première avant d'étaler les deux couches ensemble. Répéter avec le reste de pâtes et de coriandre.

6 Découper des carrés autour des feuilles. Si elles ne doivent pas être utilisées immédiatement, laisser reposer et sécher les pâtes. Au moment de servir, réchauffer le bouillon à petit feu. Lorsqu'il mijote, plonger les pâtes et les faire cuire 1 minute. Servir immédiatement.

NOTE : les blancs d'œufs ajoutés aux légumes et au poulet donnent un bouillon très clair. Cela s'appelle clarifier le bouillon. En passant le bouillon à travers l'étamine ou le torchon, ne pas écraser les éléments solides pour en retirer le jus, car le bouillon deviendrait opaque. Il est nécessaire de faire un trou dans la mousse pour empêcher le bouillon de déborder.

VALEURS NUTRITIVES PAR PORTION : *protéines 25 g, lipides 5 g, glucides 20 g, fibres alimentaires 5 g, cholestérol 95 mg, 920 kJ (220 kcal)*

SOUPE DE TOMATE AUX PÂTES ET AU BASILIC

Préparation : 25 minutes
Cuisson : 35 à 40 minutes
Pour 4 personnes

★

3 grosses tomates bien mûres (750 g environ)

2 cuil. à soupe d'huile d'olive

I oignon, finement haché

I gousse d'ail, écrasée

I petit poivron rouge, finement haché

I l de bouillon de volaille ou de légumes

60 g de concentré de tomates (double)

I cuil. à café de sucre

15 g de feuilles de basilic frais

150 g de conchiglie ou de macaroni

I Inciser d'une croix la base de chaque tomate. Les plonger 1 à 2 minutes dans de l'eau bouillante, puis dans de l'eau froide. Les peler à partir de la croix. Retirer les graines et hacher grossièrement la pulpe. Chauffer l'huile dans une grande casserole à fond épais et faire revenir les oignons, l'ail et le poivron 10 minutes en remuant. Ajouter les tomates et prolonger la cuisson de 10 minutes.

2 Ajouter le bouillon, le concentré de tomates, le sucre, du sel et du poivre. Couvrir et laisser mijoter 15 minutes. Retirer du feu et ajouter le basilic. Laisser refroidir légèrement avant de passer le tout au mixeur. Remettre la préparation dans la casserole et la réchauffer à petit feu.

3 Pendant que la soupe mijote, cuire les pâtes à l'eau bouillante salée jusqu'à ce qu'elles soient *al dente*. Les égoutter et les mettre dans la soupe jusqu'à ce qu'elles soient réchauffées. Garnir de feuilles de basilic.

NOTE : le basilic s'ajoute en fin de cuisson afin qu'il conserve tout son arôme.

VALEURS NUTRITIVES PAR PORTION : *protéines 10 g, lipides 10 g, glucides 40 g, fibres alimentaires 5 g, cholestérol 0 mg, 1 200 kJ (285 kcal)*

BASILIC

Il existe de nombreuses variétés de cette herbe aromatique à la saveur épicée, mais le basilic doux est le plus utilisé. Il occupe une place importante dans la gastronomie italienne et asiatique, en particulier dans la cuisine indonésienne. On l'utilise généralement frais, ajouté au dernier moment. Sa version sèche ne convient que pour les plats nécessitant une cuisson longue. Les feuilles de basilic ont une forte teneur en eau et s'abîment facilement. Elles sont meilleures lacérées plutôt que hachées, et moins elles sont coupées, moins elles noircissent.

CI-CONTRE : Soupe de tomate aux pâtes et au basilic

1 Dans une grande casserole, chauffer l'huile et le beurre. Ajouter les gousses d'ail pelées et l'oignon et faire revenir 2 à 3 minutes à feu doux.

2 Ajouter le céleri et la carotte et les faire dorer sans les brûler. Ajouter le persil, le basilic et le poivre de Cayenne. Remuer rapidement, ajouter les crevettes et bien mélanger. Retirer les gousses d'ail.

3 Verser le xérès, augmenter le feu et prolonger la cuisson de 2 à 3 minutes. Incorporer le bouillon, porter à ébullition puis baisser le feu et laisser mijoter 5 minutes.

4 Ajouter les pâtes et laisser mijoter jusqu'à ce qu'elles soient *al dente*. Incorporer la crème ; saler et poivrer.

VALEURS NUTRITIVES PAR PORTION : *protéines 25 g, lipides 20 g, glucides 20 g, fibres alimentaires 5 g, cholestérol 270 mg, 1 710 kJ (410 kcal)*

POTAGE DE BROCOLI

Préparation : 15 minutes
Cuisson : 20 minutes
Pour 4 personnes

★

2 cuil. à soupe d'huile d'olive

1 gros oignon, finement émincé

50 g de prosciutto ou de jambon, coupé en dés

1 gousse d'ail, écrasée

1,25 l de bouillon de volaille

50 g de stellini ou d'autres pâtes miniatures

250 g de brocoli, partagé en petits bouquets
  et tiges coupées en julienne

Parmesan fraîchement râpé, pour la garniture

1 Chauffer l'huile à feu doux dans une grande casserole, faire revenir l'oignon, le prosciutto et l'ail 4 à 5 minutes.

2 Verser le bouillon, porter à ébullition, baisser légèrement le feu et laisser mijoter 10 minutes, couvert aux trois quarts.

3 Ajouter les pâtes et le brocoli et cuire jusqu'à ce que les pâtes soient *al dente* et le brocoli ferme mais tendre. Assaisonner et servir dans des bols réchauffés, avec du parmesan.

VALEURS NUTRITIVES PAR PORTION : *protéines 10 g, lipides 15 g, glucides 10 g, fibres alimentaires 5 g, cholestérol 10 mg, 850 kJ (250 kcal)*

BROCOLI

Le brocoli appartient à la famille du chou. Très proche cousin du chou-fleur, il possède le même nom que celui-ci, *botrytis,* du grec «rassemblé en grappe». Le brocoli apporte non seulement de la couleur et du goût aux plats, mais également des substances nutritives, notamment beaucoup de vitamines et de sels minéraux. Il se cuit parfaitement à l'eau ou à la vapeur, en particulier lorsqu'il est découpé en petits bouquets. Il se prête également à la purée et ses bouquets agrémentent les salades et les sautés.

CI-DESSUS : Soupe de crevettes au basilic (en haut), Potage de brocoli.

SOUPE DE CREVETTES AU BASILIC

Préparation : 45 minutes
Cuisson : 15 à 20 minutes
Pour 4 personnes

★

2 cuil. à soupe d'huile d'olive

20 g de beurre

2 gousses d'ail

1 petit oignon rouge, finement émincé

2 branches de céleri, coupées en julienne

3 petites carottes, coupées en julienne

1 cuil. à soupe de persil frais finement haché

1 1/2 cuil. à soupe de basilic frais finement
  haché

1 pincée de poivre de Cayenne

500 g de crevettes crues, décortiquées et veine
  ôtée

125 ml de xérès demi-sec

1 l de bouillon de volaille

70 g de conchiglie

3 cuil. à soupe de crème fraîche

SOUPE AU BACON ET AUX PETITS POIS

Préparation : 20 minutes
Cuisson : 15 minutes
Pour 4 à 6 personnes

★

4 tranches de bacon

50 g de beurre

1 gros oignon, finement haché

1 branche de céleri, finement émincée

2 l de bouillon de volaille

150 g de petits pois surgelés

250 g de rissoni

2 cuil. à soupe de persil frais haché

1 Ôter la couenne et couper le bacon en petits morceaux.

2 Fondre le beurre dans une grande casserole à fond épais et faire revenir le bacon, l'oignon et le céleri 5 minutes à feu doux, en remuant de temps en temps. Verser le bouillon et les petits pois et laisser mijoter 5 minutes à couvert. Augmenter le feu, ajouter les pâtes et cuire 5 minutes à découvert en remuant de temps en temps, jusqu'à ce qu'elles soient tendres.

3 Garnir de persil frais et assaisonner à votre goût juste avant de servir.

POUR ACCOMPAGNER...

PAIN AUX FINES HERBES Mélanger 125 g de beurre ramolli avec 30 g de fines herbes variées hachées et une gousse d'ail finement hachée. Trancher une baguette en diagonale, sans séparer les tranches, et tartiner chaque tranche de beurre aux herbes. Reformer la baguette, l'envelopper de papier aluminium et l'enfourner à 180 °C pendant 30 minutes, jusqu'à ce qu'elle soit chaude et croustillante. On peut éventuellement omettre l'ail.

VALEURS NUTRITIVES PAR PORTION : *protéines 10 g, lipides 10 g, glucides 35 g, fibres alimentaires 5 g, cholestérol 35 mg, 1 130 kJ (270 kcal)*

CÉLERI

Utilisé pour son parfum dans de nombreux plats, le céleri est également délicieux tel quel, braisé, cuit au four ou servi cru en salade. Les branches sont filandreuses, en particulier celles de l'extérieur dont on doit enlever les fils, ou que l'on utilise hachées dans des plats mijotés. Les branches internes, plus tendres, se mangent crues. Les cœurs de céleri ne nécessitent aucune préparation et se braisent très bien. Les graines séchées du céleri, à l'arôme légèrement amer, s'utilisent en condiment.

CI-DESSUS : **Soupe au bacon et aux petits pois**

AUBERGINE

Ce très beau légume existe dans toutes sortes de formes et de couleurs. Il peut être de grande taille et bulbeux, fin et allongé ou petit et rond comme une tomate cerise. Sa couleur varie du violet foncé au blanc en passant par le vert, et certaines variétés sont rayées. Vérifier que la peau soit luisante et bien lisse et que la pulpe soit ferme mais pas trop dure.

CI-DESSUS : Soupe à la ratatouille et aux pâtes

SOUPE À LA RATATOUILLE ET AUX PÂTES

Préparation : 25 minutes + temps de repos
Cuisson : 40 minutes
Pour 6 personnes

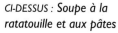

1 aubergine moyenne
2 cuil. à soupe d'huile d'olive
1 gros oignon, haché
1 gros poivron rouge, haché
1 gros poivron vert, haché
2 gousses d'ail, écrasées
3 courgettes, émincées
800 g de tomates en boîte, grossièrement hachées
1 cuil. à café d'origan sec
1/2 cuil. à café de thym sec
1 l de bouillon de légumes
45 g de fusilli
Copeaux de parmesan, pour la garniture

1 Détailler l'aubergine en petits morceaux. La faire dégorger au sel pendant 20 minutes avant de la rincer et de l'essuyer avec du papier absorbant.

2 Chauffer l'huile dans une grande casserole à fond épais et faire blondir l'oignon 10 minutes à feu moyen. Ajouter les poivrons, l'ail, les courgettes et l'aubergine, et faire sauter 5 minutes en remuant.

3 Ajouter la tomate, les herbes et le bouillon. Porter à ébullition puis baisser le feu et laisser mijoter 10 minutes, jusqu'à ce que les légumes soient tendres. Ajouter les pâtes et prolonger la cuisson de 15 minutes, jusqu'à ce qu'elles soient tendres. Servir avec des copeaux de parmesan.

NOTE : cette délicieuse soupe peut être servie avec du pain italien.

VALEURS NUTRITIVES PAR PORTION : *protéines 5 g, lipides 5 g, glucides 20 g, fibres alimentaires 5 g, cholestérol 0 mg, 640 kJ (150 kcal)*

SOUPE AU PISTOU

Préparation : 1 heure
Cuisson : 35 à 40 minutes
Pour 8 personnes

☆

3 brins de persil frais

1 gros brin de romarin frais

1 gros brin de thym frais

1 gros brin de marjolaine fraîche

1 feuille de laurier

60 ml d'huile d'olive

2 oignons, finement émincés

1 poireau, finement émincé

375 g de potiron, coupé en petits morceaux

250 g de pommes de terre, coupées en petits morceaux

1 carotte, coupée en deux dans la longueur et finement émincée

2 petites courgettes, finement émincées

1 cuil. à café de sel

2 l d'eau ou de bouillon de légumes

80 g de fèves fraîches ou surgelées

80 g de petits pois frais ou surgelés

2 tomates bien mûres, pelées et hachées

80 g de petits macaroni ou de conchiglie

Pistou

25 g de feuilles de basilic frais

2 grosses gousses d'ail, écrasées

1/2 cuil. à café de poivre noir

35 g de parmesan, fraîchement râpé

80 ml d'huile d'olive

1 Former un bouquet garni avec le persil, le romarin, le thym, la marjolaine et la feuille de laurier. Chauffer l'huile dans une casserole à fond épais et faire revenir l'oignon et le poireau 10 minutes à feu doux.

2 Ajouter le bouquet garni, le potiron, les pommes de terre, la carotte, les courgettes, le sel et l'eau (ou le bouillon). Couvrir et laisser mijoter 10 minutes, jusqu'à ce que les légumes soient presque tendres.

3 Ajouter les fèves, les petits pois, les tomates et les pâtes. Couvrir et prolonger la cuisson de 15 minutes, jusqu'à ce que les légumes soient très tendres et les pâtes cuites (rajouter de l'eau si nécessaire). Retirer le bouquet. Pendant que la soupe mijote, préparer le pistou.

4 Pistou : passer le basilic, l'ail, le poivre et le parmesan 20 secondes au mixeur. Sans arrêter le moteur, incorporer l'huile peu à peu, jusqu'à obtention d'une purée lisse. Servir de petites quantités de pistou sur la soupe.

NOTE : cette soupe consistante forme un plat principal. On peut la préparer avec toutes sortes de légumes de saison. La servir avec du pain frais ou des morceaux de pain libanais.

VALEURS NUTRITIVES PAR PORTION : *protéines 5 g, lipides 20 g, glucides 20 g, fibres alimentaires 5 g, cholestérol 5 mg, 1 150 kJ (275 kcal)*

FÈVES

Les fèves sont les légumineuses les plus utilisées en Europe. Seules les graines se consomment, parfois crues lorsqu'elles sont très jeunes. Sinon, on doit ôter l'épaisse peau des fèves à moins que celles-ci n'entrent dans la composition d'un ragoût ou d'une soupe. Les fèves se pèlent facilement une fois qu'elles ont été cuites à l'eau ou à la vapeur. Sèches, elles ont un goût particulier, une texture farineuse et une couleur neutre.

CI-DESSUS : *Soupe au pistou*

PÂTES ET HARICOTS

La combinaison pâtes-haricots peut paraître étrange, mais leur affinité est reconnue dans maintes parties du monde. En Italie, chaque région possède sa propre version de *pasta e fagioli*, agrémentés de légumes et de charcuteries locales, ou tout simplement de parmesan. Les pâtes associées aux haricots fournissent des protéines complètes, tout à fait adaptées à un repas végétarien.

CI-DESSOUS : Potage aux pâtes et aux haricots

POTAGE AUX PÂTES ET AUX HARICOTS

Préparation : 20 minutes + 1 nuit de trempage
Cuisson : 1 heure 25
Pour 4 à 6 personnes

⭐

250 g de haricots borlotti
    trempés toute la nuit
1 jarret de porc
1 oignon, haché
1 pincée de cannelle moulue
1 pincée de poivre de Cayenne
2 cuil. à café d'huile d'olive
500 ml de bouillon de volaille
125 g de tagliatelle (nature ou aux épinards)
    brisées en tronçons

1 Égoutter et rincer les haricots, les couvrir d'eau froide dans une casserole et porter à ébullition. Remuer, baisser le feu et laisser mijoter 15 minutes.

2 Égoutter les haricots et les transférer dans une grande casserole munie d'un couvercle hermétique. Ajouter le jarret, l'oignon, la cannelle, le poivre de Cayenne, l'huile d'olive, le bouillon et suffisamment d'eau froide pour couvrir le tout. Couvrir et laisser mijoter 1 heure à feu doux, jusqu'à ce que les haricots soient cuits et commencent à épaissir le bouillon. Retirer le jarret et découper la viande. Hacher la viande et la remettre dans la casserole.

3 Vérifier l'assaisonnement. Porter de nouveau à ébullition, incorporer les pâtes et les faire cuire *al dente*. Retirer la casserole du feu et laisser reposer 1 à 2 minutes avant de servir. Garnir de fines herbes.

VALEURS NUTRITIVES PAR PORTION (6) : *protéines 15 g, lipides 3 g, glucides 40 g, fibres alimentaires 6 g, cholestérol 4 mg, 1 025 kJ (245 kcal)*

SOUPE DE POULET AUX PÂTES

Préparation : 20 minutes
Cuisson : 20 minutes
Pour 4 personnes

☆

2 blancs de poulet

90 g de champignons

2 cuil. à soupe d'huile d'olive

1 oignon, finement haché

180 g de spaghetti, coupés en courts tronçons

1,5 l de bouillon de volaille

35 g de feuilles de basilic

1 Couper le blanc de poulet en petits dés et hacher grossièrement les champignons. Chauffer l'huile d'olive dans une casserole et faire dorer l'oignon. Ajouter le poulet, les champignons, les spaghetti et le bouillon. Porter à ébullition.

2 Baisser le feu et laisser mijoter 10 minutes. Incorporer le basilic. Saler et poivrer à votre goût.

NOTE : cette soupe est très consistante ; si vous la préférez moins épaisse, rajoutez du bouillon. La consommer immédiatement.

VALEURS NUTRITIVES PAR PORTION : *protéines 20 g, lipides 10 g, glucides 35 g, fibres alimentaires 4 g, cholestérol 30 mg, 1 380 kJ (330 kcal)*

SOUPE DE POISSON À L'AIL ET AUX PÂTES

Préparation : 30 minutes
Cuisson : 40 minutes
Pour 4 à 6 personnes

☆

4 cuil. à soupe d'huile d'olive

1 poireau, émincé

20 à 30 gousses d'ail, finement émincées

2 pommes de terre, coupées en petits dés

2 l de fumet de poisson

75 g de pâtes miniatures

10 mini-pâtissons jaunes, coupés en deux

2 courgettes, coupées en rondelles épaisses

300 g de filet de julienne, coupé en gros morceaux

1 à 2 cuil. à soupe de jus de citron

2 cuil. à soupe de basilic frais grossièrement haché

1 Chauffer l'huile dans une grande casserole et faire revenir le poireau, l'ail et les pommes de terre 10 minutes. Ajouter 500 ml du fumet de poisson et prolonger la cuisson de 10 minutes.

2 Laisser légèrement refroidir avant de passer le tout au mixeur, en plusieurs fois.

3 Verser le reste de fumet dans la casserole et porter à ébullition. Ajouter les pâtes, les mini-pâtissons, la courgette et la purée de légumes ; laisser mijoter 15 minutes.

4 Quand les pâtes sont tendres, ajouter le poisson et prolonger la cuisson de 5 minutes. Ajouter le jus de citron et le basilic, puis assaisonner.

VALEURS NUTRITIVES PAR PORTION (6) : *protéines 15 g, lipides 15 g, glucides 20 g, fibres alimentaires 4 g, cholestérol 35 mg, 1 165 kJ (275 kcal)*

CI-DESSUS : Soupe de poulet aux pâtes

POTIRON

Les potirons font partie de la famille des courges. En raison de leur haute teneur en eau, ils cuisent plus rapidement que certains légumes comme les pommes de terre. Si le potiron est destiné à être réduit en purée, essayez de le cuire au four plutôt qu'à l'eau. La texture n'en sera que plus ferme et la saveur plus intense, avec un arrière-goût de noisette.

CI-DESSUS : Potage champêtre au potiron et aux pâtes

POTAGE CHAMPÊTRE AU POTIRON ET AUX PÂTES

Préparation : 25 minutes
Cuisson : 20 minutes
Pour 4 à 6 personnes

☆

700 g de potiron

2 pommes de terre

1 cuil. à soupe d'huile d'olive

30 g de beurre

1 gros oignon, finement haché

2 gousses d'ail, écrasées

3 l de bouillon de volaille

125 g de stellini ou de rissoni

Persil frais haché, pour la garniture

1 Peler les pommes de terre puis les détailler, ainsi que le potiron, en petits dés. Chauffer l'huile et le beurre dans une grande casserole, faire revenir l'oignon et l'ail 5 minutes à feu doux en remuant.
2 Ajouter le potiron, les pommes de terre et le bouillon. Augmenter le feu, couvrir et laisser cuire 10 minutes, jusqu'à ce que les légumes soient tendres.
3 Ajouter les pâtes et prolonger la cuisson de 5 minutes, jusqu'à ce qu'elles soient juste tendres. Saupoudrer de persil haché et servir immédiatement.

NOTE : outre le potiron, les courges butternut ou jap sont les plus sucrées. Utiliser un bouillon de qualité supérieure afin de donner une meilleure saveur à la soupe et d'éviter qu'elle ne soit trop salée.

VALEUR NUTRITIONNELLES PAR PORTION (6) : *protéines 5 g, lipides 10 g, glucides 35 g, fibres alimentaires 5 g, cholestérol 15 mg, 1 000 kJ (240 kcal)*

SOUPE À L'AGNEAU ET AUX FUSILLI

Préparation : 25 minutes
Cuisson : 40 minutes
Pour 6 à 8 personnes

★

500 g d'agneau maigre, coupé en cubes

2 oignons, finement hachés

2 carottes, coupées en dés

4 branches de céleri, coupées en dés

425 g de tomates en boîte, grossièrement
    hachées

2 l de bouillon de bœuf

500 g de fusilli

Persil frais haché, pour la garniture

1 Chauffer un peu d'huile dans une grande casserole et faire dorer l'agneau en plusieurs fois. Retirer chaque portion et l'égoutter sur du papier absorbant. Ajouter l'oignon et le faire revenir 2 minutes. Remettre la viande dans la casserole.

2 Ajouter la carotte, le céleri, la tomate et le bouillon. Bien mélanger et porter à ébullition. Baisser le feu et laisser mijoter 15 minutes à couvert.

3 Ajouter les pâtes et remuer brièvement pour les empêcher de coller. Laisser mijoter 10 minutes à découvert, jusqu'à ce que la viande et les pâtes soient tendres. Saupoudrer de persil haché avant de servir.

VALEUR NUTRITIONNELLES PAR PORTION **(8)** : *protéines 25 g, lipides 5 g, glucides 50 g, fibres alimentaires 5 g, cholestérol 40 mg, 1 400 kJ (330 kcal)*

BOUILLON DE BŒUF

Le bouillon de bœuf forme la base d'un grand nombre de soupes et donne du goût aux ragoûts. Un bon bouillon peut également se consommer tel quel. Concentré, il agrémente les sauces. Le bouillon de bœuf ou de volaille s'utilise dans les recettes comportant de l'agneau et du porc, deux viandes au goût particulier.

CI-DESSUS : Soupe à l'agneau et aux fusilli

ANTIPASTI

Destinés à aiguiser l'appétit, les antipasti nous rappellent l'époque colorée des banquets romains. Ils forment de parfaits amuse-gueule ou plats de fête.

FRITTATA AU SALAMI ET À LA POMME DE TERRE

Dans une poêle antiadhésive d'environ 20 cm de diamètre, faire sauter 2 pommes de terre coupées en petits dés dans 2 cuil. à soupe d'huile. Ajouter 50 g de salami italien épicé grossièrement haché et faire revenir 10 minutes en remuant de temps en temps. Ajouter 8 œufs légèrement battus et cuire

10 minutes à feu moyen. Mettre la poêle au gril préchauffé et cuire 3 minutes jusqu'à ce que la frittata soit prise. La retirer de la poêle et la laisser refroidir légèrement avant de la couper en parts. Pour 6 à 8 personnes.

VALEURS NUTRITIVES PAR PORTION (8) : *protéines 8 g, lipides 10 g, glucides 4 g, fibres alimentaires 1 g, cholestérol 185 mg, 660 kJ (155 kcal)*

MOULES FARCIES

Nettoyer 500 g de moules, en éliminant celles qui sont ouvertes. Les cuire 3 minutes à l'eau bouillante, jusqu'à ce qu'elles s'ouvrent (jeter celles qui restent fermées). Égoutter et laisser refroidir. Retirer la coquille supérieure et disposer les moules dans leur coquille dans un plat à four. Préchauffer le four à 200 °C. Faire

dorer 1 oignon finement haché dans 1 cuil. à soupe d'huile d'olive. Ajouter 2 tomates mûres hachées et 2 gousses d'ail écrasées. Retirer du feu et assaisonner. Déposer un peu de sauce dans chaque coquille. Mélanger 80 g de miettes de pain et 20 g de parmesan finement râpé et en saupoudrer les moules. Enfourner 10 minutes, jusqu'à ce que la chapelure soit dorée. Pour 6 à 8 personnes.

VALEURS NUTRITIVES PAR PORTION (8) : *protéines 15 g, lipides 5 g, glucides 8 g, fibres alimentaires 1 g, cholestérol 65 mg, 545 kJ (130 kcal)*

GALETTES DE POLENTA AU CHORIZO ET À LA SALSA

Dans une casserole, porter 750 ml d'eau à ébullition. Ajouter peu à peu 110 g de polenta et remuer constamment à feu

moyen jusqu'à ce que le mélange se détache des parois. Incorporer 100 g de gruyère râpé, 50 g de mozzarella râpée et 1 cuil. à soupe d'origan frais. Étaler le mélange dans un moule beurré, d'environ 28 x 18 cm. Laisser reposer 2 heures au réfrigérateur. Découper des formes à l'aide d'emporte-pièce de 5 cm de diamètre. Les badigeonner d'huile et les faire dorer au gril. Trancher finement 4 chorizos et faire dorer les tranches sur leurs deux faces dans une poêle antiadhésive. Garnir les galettes de polenta de salsa en bocal et d'un morceau de chorizo. Parsemer d'origan frais. Pour 6 à 8 personnes.

VALEURS NUTRITIVES PAR PORTION (8) : *protéines 9 g, lipides 15 g, glucides 10 g, fibres alimentaires 1 g, cholestérol 30 mg, 945 kJ (225 kcal)*

SARDINES GRILLÉES

Mélanger 3 cuil. à soupe de jus de citron, 2 cuil. à soupe d'huile d'olive et 1 ou 2 gousses d'ail pelées et coupées en deux. Huiler une grille de barbecue ou un gril et faire dorer 20 filets de sardine à feu vif. Badigeonner les sardines de sauce au citron en cours de cuisson, puis les disposer sur un plat. Pour 20 sardines.

VALEURS NUTRITIVES PAR SARDINE : *protéines 3 g, lipides 4 g, glucides 0 g, fibres alimentaires 0 g, cholestérol 15 mg, 220 kJ (50 kcal)*

CI-DESSUS, À PARTIR DE LA GAUCHE : Frittata au salami et à la pomme de terre, Moules farcies, Galettes de polenta au chorizo et à la salsa, Sardines grillées.

ANTIPASTI

AUBERGINE ET POIVRONS GRILLÉS

Couper 1 grosse aubergine en rondelles de 1 cm. Partager 2 gros poivrons rouges en deux et ôter les graines et les membranes. Passer les poivrons 8 minutes au gril chaud, côté peau en haut, jusqu'à ce que la peau cloque et noircisse. Retirer du gril et les couvrir d'un torchon humide. Une fois refroidis, les peler et couper la pulpe en larges lanières. Badigeonner généreusement les rondelles d'aubergine d'huile d'olive et les passer au gril moyen jusqu'à ce qu'elles soient dorées. Retourner soigneusement les rondelles, badigeonner l'autre face d'huile et les repasser au gril.

Veiller à ce que le gril ne soit pas trop chaud, car une cuisson lente permet au sucre de l'aubergine de caraméliser. Dans un saladier, mélanger l'aubergine et les poivrons avec 2 gousses d'ail écrasées, 2 cuil. à soupe d'huile d'olive vierge extra, 1 pincée de sucre et 2 cuil. à soupe de persil frais haché. Couvrir et laisser mariner toute la nuit au réfrigérateur. Porter à température ambiante avant de servir. Pour 4 à 6 personnes.

VALEURS NUTRITIVES PAR PORTION **(6)** : *protéines 1 g, lipides 15 g, glucides 3 g, fibres alimentaires 2 g, cholestérol 0 mg, 670 kJ (160 kcal)*

BOCCONCINI AU PESTO

Passer 50 g de feuilles de basilic, 3 cuil. à soupe de pignons et de parmesan fraîchement râpé et 2 gousses d'ail au mixeur. Sans arrêter le moteur, incorporer peu à peu 80 ml d'huile d'olive et mixer jusqu'à obtention d'une purée lisse. Transférer le pesto dans un saladier et ajouter 300 g de mini-bocconcini (boules de mozzarella). Remuer très délicatement, couvrir et laisser mariner 2 heures au réfrigérateur. Pour 4 à 6 personnes.

VALEURS NUTRITIVES PAR PORTION **(6)** : *protéines 15 g, lipides 30 g, glucides 1 g, fibres alimentaires 1 g, cholestérol 35 mg, 1 400 kJ (335 kcal)*

TOMATES RÔTIES AU FOUR

Préchauffer le four à 160 °C. Couper 500 g de tomates Roma en deux. Les disposer sur une plaque antiadhésive et les badigeonner légèrement d'huile d'olive vierge extra. Saler et arroser de 2 cuil. à soupe de vinaigre balsamique. Enfourner 1 heure, en les badigeonnant toutes les 15 minutes de 2 cuil. à soupe de vinaigre balsamique. Pour 6 à 8 personnes.

VALEURS NUTRITIVES PAR PORTION (8) : *protéines 1 g, lipides 2 g, glucides 1 g, fibres alimentaires 1 g, cholestérol 0 mg, 135 kJ (30 kcal)*

BRUSCHETTA

Découper 1 pain italien en tranches épaisses. Hacher 500 g de tomates mûres en tout petits cubes. Hacher finement 1 oignon rouge. Dans un saladier, mélanger les tomates et l'oignon avec 2 cuil. à soupe d'huile d'olive. Saler et poivrer. Griller légèrement le pain et, quand il est encore chaud, frotter une gousse d'ail entière sur ses deux faces. Garnir chaque tranche de préparation à la tomate et servir chaud avec du basilic haché. Pour 6 à 8 personnes.

VALEURS NUTRITIVES PAR PORTION (8) : *protéines 6 g, lipides 6 g, glucides 30 g, fibres alimentaires 3 g, cholestérol 0 mg, 875 kJ (210 kcal)*

BEIGNETS DE CHOU-FLEUR

Partager 300 g de chou-fleur en gros bouquets. Les cuire à l'eau bouillante salée jusqu'à ce qu'ils soient juste tendres (veiller à ne pas trop les cuire, ce qui les rendrait trop mous). Égoutter soigneusement et laisser refroidir légèrement. Détailler 200 g de fontina en petits cubes et les insérer délicatement à l'intérieur du chou-fleur. Battre 3 œufs dans un bol et plonger chaque bouquet de chou-fleur dedans. Ensuite, rouler les bouquets dans de la chapelure fraîche. Les faire frire à l'huile chaude, en plusieurs fois, jusqu'à ce qu'ils soient bien dorés. Servir chaud. Pour 4 à 6 personnes.

VALEURS NUTRITIVES PAR PORTION (6) : *protéines 15 g, lipides 30 g, glucides 5 g, fibres alimentaires 1 g, cholestérol 120 mg, 1 440 kJ (340 kcal)*

CI-DESSUS, DE GAUCHE À DROITE : Aubergine et poivrons grillés, Bocconcini au pesto, Tomates rôties au four, Bruschetta, Beignets de chou-fleur.

PÂTES
ET VIANDES

Le plus célèbre de tous les plats de pâtes est certainement les spaghetti bolognaise, composés de pâtes et de sauce à la viande hachée. Bien que le bœuf soit la viande la plus couramment utilisée, à Bologne on ajoute du porc et parfois de l'agneau. Toutes ces viandes, et bien d'autres encore, qu'elles soient parfumées aux fines herbes ou associées à des tomates, des légumes et du vin, transforment un plat de pâtes ordinaire en un délicieux repas nutritif.

SPAGHETTI BOLOGNAISE

C'est peut-être la préparation de pâtes la plus populaire qui soit, et chaque famille détient sa propre recette. Cet ouvrage propose trois versions différentes de ce grand classique : une recette traditionnelle parfumée aux foies de volaille et requérant plusieurs heures de cuisson et d'attention (page 24), une recette rapide (page 60) et la recette ci-contre, idéale pour les repas en famille.

CI-DESSUS : Spaghetti bolognaise

SPAGHETTI BOLOGNAISE

Préparation : 20 minutes
Cuisson : 1 heure 40
Pour 4 à 6 personnes

✩

2 cuil. à soupe d'huile d'olive

2 gousses d'ail, écrasées

1 gros oignon, haché

1 carotte, hachée

1 branche de céleri, hachée

500 g de viande de bœuf hachée

500 ml de bouillon de bœuf

375 ml de vin rouge

850 g de tomates en boîte, grossièrement hachées

1 cuil. à café de sucre

Persil frais haché

500 g de spaghetti

Parmesan fraîchement râpé, pour la garniture

1 Chauffer l'huile d'olive dans une grande casserole profonde. Faire dorer l'ail, l'oignon, la carotte et le céleri 5 minutes à feu doux, en remuant constamment.

2 Augmenter le feu, ajouter la viande hachée et la faire brunir en la remuant et en écrasant les grumeaux à l'aide d'une fourchette. Ajouter le bouillon, le vin, la tomate, le sucre et le persil.

3 Porter le tout à ébullition, baisser le feu et laisser mijoter 1 heure 30, en remuant de temps en temps. Assaisonner à votre goût.

4 Pendant que la sauce mijote et peu de temps avant de servir, cuire les pâtes à l'eau bouillante salée jusqu'à ce qu'elles soient *al dente*. Les égoutter et les répartir dans les assiettes. Verser la sauce sur les pâtes et garnir de parmesan râpé.

VALEURS NUTRITIVES PAR PORTION (**6**) : *protéines 30 g, lipides 20 g, glucides 65 g, fibres alimentaires 5 g, cholestérol 55 mg, 2 470 kJ (590 kcal)*

TAGLIATELLE AU VEAU, SAUCE CRÉMEUSE AU VIN

Préparation : 15 minutes
Cuisson : 20 minutes
Pour 4 personnes

☆

500 g d'escalopes de veau, coupées en fines
   lanières
Farine, additionnée de sel et de poivre
60 g de beurre
1 oignon, émincé
125 ml de vin blanc sec
3 à 4 cuil. à soupe de bouillon de bœuf
   ou de volaille
170 ml de crème fraîche
600 g de tagliatelle fraîches nature ou aux
   épinards (ou les deux)
Parmesan fraîchement râpé

1 Enduire les lanières de veau de farine. Fondre le beurre dans une casserole. Mettre le veau et le faire revenir rapidement jusqu'à ce qu'il brunisse. Retirer à l'aide d'une écumoire et réserver.

2 Ajouter les rondelles d'oignon et les faire dorer 8 à 10 minutes environ, en remuant souvent. Verser le vin et le faire réduire à feu vif. Ajouter le bouillon et la crème fraîche et assaisonner. Faire réduire la sauce et ajouter le veau en fin de cuisson.

3 Pendant ce temps, cuire les pâtes à l'eau bouillante salée jusqu'à ce qu'elles soient *al dente*. Les égoutter et les disposer dans le plat de service chauffé.

4 Incorporer 1 cuil. à soupe de parmesan dans la sauce. Verser la sauce sur les pâtes et garnir de parmesan. On peut aussi ajouter quelques fines herbes.

NOTE : ce plat s'accompagne très bien d'une salade composée. Pour une sauce plus légère, on peut parfaitement omettre la crème fraîche sans en altérer la saveur.

VALEURS NUTRITIVES PAR PORTION : *protéines 45 g, lipides 35 g, glucides 75 g, fibres alimentaires 5 g, cholestérol 205 mg, 3 355 kJ (800 kcal)*

POUR ACCOMPAGNER...

POTIRON À LA SAUGE Préchauffer le four à 220 °C. Découper un potiron en petits cubes et les enduire d'huile d'olive. Transférer dans un plat à four et parsemer de 2 cuil. à soupe de sauge fraîche hachée, de sel et de poivre. Enfourner 20 minutes minimum. Servir avec un peu de sauge fraîche.

CONCOMBRE AU SÉSAME Trancher finement un grand concombre, assaisonner et ajouter 2 cuil. à soupe d'huile de sésame et 1 cuil. à soupe de graines de sésame grillées. Bien remuer et laisser reposer 20 minutes environ avant de servir.

VIN BLANC
Le vin blanc apporte une touche subtile aux plats. Pour que sa présence ne soit pas discernable, il doit être employé en petite quantité, et suffisamment cuit pour que l'alcool s'évapore. Le vin doit toujours être de bonne qualité. Les vins blancs non fruités s'utilisent dans les plats salés, en particulier ceux à base de fruits de mer, tandis que pour les mets sucrés on choisit plutôt des vins de liqueur, jamais de vin blanc doux.

CI-DESSUS : Tagliatelle au veau, sauce crémeuse au vin

PÂTES À LA QUEUE DE BŒUF ET AU CÉLERI BRAISÉS

Préparation : 20 minutes
Cuisson : 3 heures 45
Pour 4 personnes

★

1,5 kg de queue de bœuf, découpée

30 g de farine, assaisonnée (voir Note)

60 ml d'huile d'olive

1 oignon, finement haché

2 gousses d'ail, écrasées

500 ml de bouillon de bœuf

425 g de tomates en boîte, grossièrement
   hachées

250 ml de vin blanc sec

6 clous de girofle

2 feuilles de laurier

3 branches de céleri, finement hachées

500 g de penne

30 g de beurre

3 cuil. à soupe de parmesan fraîchement râpé

*CI-DESSUS : Pâtes
à la queue de bœuf
et au céleri braisés*

1 Préchauffer le four à 160 °C.

2 Rouler la viande dans la farine et ôter l'excédent. Chauffer la moitié de l'huile dans une grande casserole et saisir la viande à feu vif, quelques morceaux à la fois. Transférer dans un grand plat à four.

3 Essuyer la casserole. Chauffer le reste de l'huile et faire revenir l'oignon et l'ail à feu doux, jusqu'à ce que l'oignon soit tendre. Incorporer le bouillon, les tomates, le vin, le girofle, le laurier et assaisonner. Porter à ébullition et verser sur la viande.

4 Couvrir et enfourner 2 heures 30 à 3 heures. Ajouter le céleri et poursuivre la cuisson durant 30 minutes. En fin de cuisson, cuire les pâtes à l'eau bouillante salée jusqu'à ce qu'elles soient *al dente*. Les égoutter et les mélanger au beurre et au parmesan. Servir la viande et la sauce avec les pâtes.

NOTE : la farine assaisonnée est de la farine ordinaire à laquelle on ajoute les assaisonnements de son choix : sel, poivre, fines herbes, moutarde sèche…

VALEURS NUTRITIVES PAR PORTION : *protéines 50 g,
lipides 70 g, glucides 100 g, fibres alimentaires 10 g,
cholestérol 110 mg, 5 200 kJ (1 240 kcal)*

SPAGHETTI AU SALAMI ET AUX POIVRONS

Préparation : 15 minutes
Cuisson : 55 minutes
Pour 4 à 6 personnes

⭐

2 cuil. à soupe d'huile d'olive

1 gros oignon, finement haché

2 gousses d'ail, écrasées

150 g de salami épicé, coupé en fines lamelles

2 gros poivrons rouges, hachés

825 g de tomates en boîte, grossièrement hachées

125 ml de vin blanc sec

500 g de spaghetti

1 Chauffer l'huile dans une poêle à fond épais. Faire revenir l'oignon, l'ail et le salami 5 minutes à feu moyen, en remuant. Ajouter les poivrons, couvrir et cuire 5 minutes.
2 Ajouter les tomates et le vin, et porter à ébullition. Baisser le feu puis laisser mijoter 15 minutes à couvert. Retirer le couvercle et prolonger la cuisson de 15 minutes, jusqu'à ce que le liquide soit réduit et que la sauce ait atteint la consistance voulue. Saler et poivrer.
3 Environ 15 minutes avant que la sauce soit prête, cuire les pâtes à l'eau bouillante salée jusqu'à ce qu'elles soient *al dente*. Les égoutter et les remettre dans la casserole. Les mélanger à la moitié de la sauce et répartir dans les assiettes individuelles. Verser le reste de sauce dessus et servir.

VALEURS NUTRITIVES PAR PORTION : *protéines 20 g, lipides 15 g, glucides 70 g, fibres alimentaires 5 g, cholestérol 25 mg, 2 150 kJ (510 kcal)*

POUR ACCOMPAGNER...

SALADE DE POMMES DE TERRE Cuire 1 kg de très petites pommes de terre à l'eau bouillante salée, en conservant leur peau. Égoutter et laisser refroidir. Dans un grand saladier, mélanger 2 cuil. à soupe de mayonnaise, 2 cuil. à soupe de crème fraîche et 4 oignons nouveaux finement hachés. Ajouter les pommes de terre et bien mélanger. Saupoudrer d'un peu de poivre de Cayenne.

SALAMI

Le salami est un saucisson sec italien disponible sous plusieurs formes, goûts et mélanges de viande. Il peut être doux ou fort, frais ou très sec, dur ou moelleux, fin ou grossier. Les viandes les plus employées sont le bœuf, le porc et le gras de porc en proportions variées, mais on y trouve parfois de la viande de gibier. La plupart des salamis sont séchés au sel, mais certaines variétés originaires des régions montagneuses sont séchées à l'air. Le salami ne doit pas être cuit trop longtemps, afin de ne pas perdre son gras.

CI-DESSOUS : Spaghetti au salami et aux poivrons

HUILE D'OLIVE VIERGE EXTRA

L'huile d'olive vierge extra résulte de la première pression d'olives à peine mûres, sans aucun procédé de réchauffement (pression à froid) ni conservateurs. Elle n'a pratiquement aucune acidité ; sa couleur est dense, elle est épaisse et souvent non filtrée. Toutefois, selon les normes européennes, la seule distinction que doit posséder une huile d'olive pour pouvoir être qualifiée de « vierge extra » est de contenir moins de 1 % d'acidité. Il s'avère donc plus économique pour les gros producteurs espagnols, italiens et français de rectifier leurs huiles de qualité inférieure, en faisant baisser le taux d'acidité au pourcentage requis. Malheureusement, les fermiers et petites coopératives n'ont pas les moyens de se livrer à ce procédé et poursuivent leurs méthodes traditionnelles. La différence étant quasi inexistante, la seule façon de juger la qualité d'une huile est de la goûter et de la tester.

CI-DESSUS : Spaghetti bolognaise « rapides »

SPAGHETTI BOLOGNAISE « RAPIDES »

Préparation : 15 minutes
Cuisson : 30 minutes
Pour 4 personnes

☆

2 cuil. à café d'huile d'olive vierge extra

75 g de bacon ou de pancetta, finement hachées

400 g de bifteck maigre haché

500 g de sauce tomate toute prête

2 cuil. à café de vinaigre de vin rouge

2 cuil. à café de sucre

1 cuil. à café d'origan sec

500 g de spaghetti

Parmesan fraîchement râpé, pour la garniture

1 Chauffer l'huile dans une grande poêle et faire dorer le bacon (ou la pancetta). Ajouter le bifteck haché et le saisir à feu vif, en écrasant les grumeaux à la fourchette.

2 Ajouter la sauce tomate, le vinaigre, le sucre et l'origan ; porter à ébullition. Baisser le feu et laisser mijoter 15 minutes, en remuant souvent pour éviter que la sauce n'attache.

3 Environ 10 minutes avant que la sauce soit prête, cuire les pâtes à l'eau bouillante salée jusqu'à ce qu'elles soient *al dente*. Les égoutter et les répartir dans quatre assiettes creuses. Garnir d'une généreuse portion de sauce bolognaise et garnir de parmesan.

VALEURS NUTRITIVES PAR PORTION : *protéines 40 g, lipides 30 g, glucides 100 g, fibres alimentaires 10 g, cholestérol 150 mg, 3 505 kJ (835 kcal)*

PÂTES AU BŒUF GRATINÉES

Préparation : 20 minutes
Cuisson : 2 heures
Pour 8 personnes

☆

2 cuil. à soupe d'huile d'olive

I gros oignon, haché

I kg de bifteck haché

60 ml de vin rouge

700 ml de sauce tomate (avec morceaux)

2 cubes de bouillon de volaille, émiettés

2 cuil. à soupe de persil frais finement
   haché

500 g de bucatini

2 blancs d'œufs, légèrement battus

2 cuil. à soupe de chapelure

Béchamel au fromage

50 g de beurre

2 cuil. à soupe de farine

600 ml de lait

2 jaunes d'œufs légèrement battus

125 g de gruyère, râpé

1 Chauffer l'huile dans une casserole à fond épais. Faire revenir l'oignon 2 minutes à feu moyen. Ajouter la viande hachée et saisir à feu vif en remuant, jusqu'à ce que le jus soit presque entièrement évaporé.

2 Ajouter le vin, la sauce et les cubes de bouillon ; porter à ébullition, puis laisser mijoter 1 heure à feu doux, à couvert, en remuant de temps en temps. Retirer du feu ; incorporer le persil et laisser refroidir.

3 Béchamel au fromage : dans une casserole, chauffer le beurre à feu moyen. Ajouter la farine et la tourner 1 minute jusqu'à ce qu'elle soit dorée. Retirer du feu et incorporer peu à peu le lait. Remettre sur le feu et remuer constamment à feu moyen pendant 5 minutes, jusqu'à ébullition et épaississement. Prolonger la cuisson d'1 minute. Retirer du feu, laisser refroidir légèrement et incorporer les jaunes d'œufs et le fromage.

4 Préchauffer le four à 180 °C. Cuire les pâtes à l'eau bouillante salée jusqu'à ce qu'elles soient *al dente*. Les égoutter, les rincer à l'eau froide et les égoutter de nouveau soigneusement avant de les mélanger aux blancs d'œufs. Mettre la moitié des pâtes au fond d'un plat à gratin légèrement huilé. Couvrir de la préparation à la viande.

5 Mélanger le reste des pâtes à la sauce au fromage et étaler le tout sur la viande. Saupoudrer de cha-

pelure et enfourner 45 minutes, jusqu'à ce que la surface soit dorée.

VALEURS NUTRITIVES PAR PORTION : *protéines 40 g, lipides 30 g, glucides 80 g, fibres alimentaires 5 g, cholestérol 160 mg, 3 210 kJ (765 kcal)*

POUR ACCOMPAGNER...

SALADE DE HARICOTS VINAIGRETTE

Mélanger des haricots blancs cuits à une vinaigrette composée d'huile de noix, de vinaigre balsamique et d'une gousse d'ail écrasée. Ajouter 2 cuil. à soupe de persil frais finement haché, 4 oignons nouveaux finement émincés et un peu de basilic frais. Saler et poivrer. Avant de servir, laisser reposer afin que les haricots s'imprègnent des divers aromates.

CI-DESSUS : Pâtes au bœuf gratinées

CHORIZO

Le chorizo est une saucisse sèche très épicée originaire d'Espagne. Elle se compose principalement de porc et de gras de porc parfumés à l'ail et au paprika. Certaines variétés se consomment crues, d'autres, moins grasses, se prêtent à la cuisson, en ragoût ou en soupe. À défaut, on peut le remplacer par du pepperoni italien ou toute autre saucisse sèche épicée.

CI-DESSUS : Rigatoni au chorizo et à la tomate

RIGATONI AU CHORIZO ET À LA TOMATE

Préparation : 15 minutes
Cuisson : 20 à 25 minutes
Pour 4 personnes

★

2 cuil. à soupe d'huile d'olive

1 oignon, émincé

250 g de chorizo, coupé en rondelles

425 g de tomates en boîte, grossièrement hachées

125 ml de vin blanc sec

1/2 à 1 cuil. à café de piment haché (facultatif)

400 g de rigatoni

2 cuil. à soupe de persil frais haché

2 cuil. à soupe de parmesan fraîchement râpé

1 Chauffer l'huile dans une poêle et faire revenir l'oignon à feu doux.

2 Ajouter le chorizo et le faire cuire 2 à 3 minutes en remuant fréquemment. Ajouter les tomates, le vin, le piment, du sel et du poivre, et bien mélanger. Porter à ébullition, baisser le feu et laisser mijoter 15 à 20 minutes.

3 Pendant que la sauce mijote, cuire les pâtes à l'eau bouillante salée jusqu'à ce qu'elles soient *al dente*. Les égoutter et les remettre dans la casserole. Verser la sauce dessus et bien mélanger. Servir avec du persil et du parmesan.

VALEURS NUTRITIVES PAR PORTION : *protéines 25 g, lipides 30 g, glucides 70 g, fibres alimentaires 5 g, cholestérol 50 mg, 2 990 kJ (715 kcal)*

ZITI AUX LÉGUMES ET À LA SAUCISSE

Préparation : 30 minutes
Cuisson : 40 minutes
Pour 4 personnes

☆

1 poivron rouge

1 poivron vert

1 petite aubergine, coupée en rondelles

60 ml d'huile d'olive

1 oignon, émincé

1 gousse d'ail, écrasée

250 g de chipolatas, tranchées

425 g de tomates en boîte, grossièrement hachées

125 ml de vin rouge

35 g d'olives noires, coupées en deux

1 cuil. à soupe de basilic frais haché

1 cuil. à soupe de persil frais haché

500 g de ziti

Parmesan fraîchement râpé, pour la garniture

1 Couper les poivrons en gros morceaux plats et retirer les graines et les membranes. Les passer 8 minutes au gril chaud, côté peau en haut, jusqu'à ce que la peau cloque et noircisse. Retirer du gril et couvrir d'un torchon humide. Lorsqu'ils sont froids, les peler et hacher la pulpe. Réserver.

2 Badigeonner les rondelles d'aubergine avec un peu d'huile. Les faire griller sur leurs deux faces, après avoir huilé l'autre face. Réserver.

3 Chauffer le reste de l'huile dans une poêle. Faire revenir l'oignon et l'ail à feu doux jusqu'à ce que l'oignon soit tendre. Ajouter les chipolatas et les faire brunir.

4 Incorporer les tomates, le vin, les olives, le basilic et le persil ; assaisonner. Porter à ébullition puis baisser le feu et laisser mijoter 15 minutes. Ajouter les légumes grillés et réchauffer le tout.

5 Pendant que la sauce mijote, cuire les pâtes à l'eau bouillante salée jusqu'à ce qu'elles soient *al dente*. Les égoutter et les remettre dans la casserole. Verser la sauce et les légumes dessus. Garnir de parmesan avant de servir.

NOTE : les ziti sont de grosses pâtes tubulaires, que l'on peut éventuellement remplacer par des fettucine ou des spaghetti.

VALEURS NUTRITIVES PAR PORTION : *protéines 30 g, lipides 35 g, glucides 105 g, fibres alimentaires 10 g, cholestérol 35 mg, 3 760 kJ (900 kcal)*

POUR ACCOMPAGNER...

ASPERGES AU BEURRE DE CITRON ET DE NOISETTE Faire cuire des asperges à la vapeur ou au micro-ondes. Chauffer un peu de beurre dans une petite casserole jusqu'à ce qu'il commence à roussir. Incorporer quelques noisettes grillées et grossièrement hachées et du zeste de citron râpé. Verser sur les asperges et servir immédiatement.

ÉPIS DE MAÏS AUX AROMATES Faire cuire des épis de maïs à l'eau, à la vapeur ou au micro-ondes. Retirer les feuilles et les soies. Les couper en trois et les enduire d'un mélange d'huile d'olive vierge extra, de beurre, d'ail écrasé et de ciboulette hachée. Saupoudrer généreusement de poivre noir concassé et de sel marin.

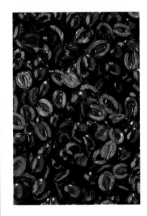

CI-DESSUS : Ziti aux légumes et à la saucisse

VIN ROUGE

Le vin apporte une saveur riche et veloutée à toutes sortes de plats. Son parfum puissant accompagne parfaitement les viandes rouges et le gibier, tandis que sa couleur se marie particulièrement bien aux sauces tomate et aux sauces brunes. Plus rarement, on l'associe à des produits laitiers, comme dans les sauces à la crème. Le meilleur vin rouge de cuisine est un vin jeune, corsé et bien équilibré, tel un bon vin de table.

CI-DESSOUS : Rigatoni à la queue de bœuf

RIGATONI À LA QUEUE DE BŒUF

Préparation : 25 minutes
Cuisson : 2 heures
Pour 4 personnes

★

2 cuil. à soupe d'huile d'olive

1,5 kg de queue de bœuf, découpée

2 gros oignons, émincés

4 gousses d'ail, hachées

2 branches de céleri, émincées

2 carottes, finement émincées

2 gros bouquets de romarin

60 ml de vin rouge

60 g de concentré de tomates (double)

4 tomates, pelées et hachées

1,5 l de bouillon de bœuf

500 g de rigatoni ou de ditaloni

1 Chauffer l'huile dans une grande casserole à fond épais. Saisir la queue de bœuf, la retirer de la casserole et la réserver. Faire revenir l'oignon, l'ail, le céleri et la carotte 3 à 4 minutes en remuant, jusqu'à ce que l'oignon soit doré.

2 Remettre la viande dans la casserole avec le romarin et le vin. Couvrir et faire cuire 10 minutes, en secouant la casserole de temps en temps pour empêcher la viande d'adhérer au fond. Ajouter le concentré de tomates et les tomates avec 500 ml de bouillon. Laisser mijoter 30 minutes à découvert, en remuant de temps en temps.

3 Ajouter 500 ml de bouillon et laisser mijoter encore 30 minutes. Ajouter 250 ml de bouillon et prolonger la cuisson de 30 minutes. Enfin, verser le reste du bouillon et faire cuire jusqu'à ce que la viande soit tendre et se détache de l'os. Le jus doit être réduit pour former une sauce épaisse.

4 Juste avant que la viande soit cuite, cuire les pâtes à l'eau bouillante salée jusqu'à ce qu'elles soient *al dente*. Verser la viande et la sauce dessus.

NOTE : pour varier, on peut ajouter 250 g de bacon en même temps que l'oignon, l'ail et les légumes.

VALEURS NUTRITIVES PAR PORTION : *protéines 50 g, lipides 55 g, glucides 100 g, fibres alimentaires 10 g, cholestérol 90 mg, 4 600 kJ (1 100 kcal)*

POUR ACCOMPAGNER...

SALADE DE CONCOMBRE ÉPICÉE Peler et émincer un concombre et disposer les rondelles sur un plat. Mélanger 1 oignon nouveau finement haché, 2 cuil. à soupe de vinaigre de riz ou de vinaigre de vin blanc, 1 cuil. à café de miel, 1 cuil. à soupe d'huile de sésame et 1 piment rouge finement haché. Verser la sauce sur le concombre et saupoudrer le tout de 3 cuil. à soupe de cacahuètes grillées hachées.

CHAMPIGNONS À L'AIL ET À L'ANETH

Faire sauter des champignons de Paris émincés dans un mélange d'huile et de beurre. Ajouter un peu d'ail haché et d'oignon nouveau émincé, et cuire jusqu'à ce que les champignons soient tendres et dorés. Égoutter l'excédent de jus, incorporer un peu d'aneth frais haché, du sel et du poivre noir concassé.

SAUCISSES ITALIENNES
Les saucisses fraîches italiennes se distinguent par leur viande grossièrement hachée et leur goût épicé. Elles sont faites à partir d'un mélange de porc, de gras de porc et de bœuf de qualité variable. Si elles sont destinées à être incorporées dans un ragoût ou une sauce, les choisir bien denses, avec un bon pourcentage de viande et un grain régulier. On peut ôter la peau avant la cuisson sans que la saucisse perde sa forme originale. Les saucisses italiennes s'achètent dans certaines charcuteries.

RIGATONI AUX HARICOTS ET À LA SAUCISSE

Préparation : 25 minutes
Cuisson : 30 minutes
Pour 4 à 6 personnes

☆

1 cuil. à soupe d'huile d'olive

1 gros oignon, haché

2 gousses d'ail, écrasées

4 saucisses italiennes, hachées

825 g de tomates en boîte, grossièrement hachées

425 g de haricots rouges ou borlotti en boîte, égouttés

2 cuil. à soupe de basilic frais haché

1 cuil. à soupe de sauge fraîche hachée

1 cuil. à soupe de persil frais haché

500 g de rigatoni

Parmesan fraîchement râpé, pour la garniture

1 Chauffer l'huile dans une casserole à fond épais. Faire revenir l'oignon, l'ail et la saucisse 5 minutes à feu moyen, en remuant de temps en temps.

2 Ajouter les tomates, les haricots, le basilic, la sauge, le persil, et assaisonner. Baisser le feu et laisser mijoter 20 minutes.

3 Pendant que la sauce mijote, cuire les pâtes à l'eau bouillante salée jusqu'à ce qu'elles soient *al dente*. Les égoutter et les répartir dans les assiettes. Verser la sauce dessus, garnir de parmesan et servir immédiatement.

NOTE : on peut aussi utiliser des haricots secs. Les faire tremper toute la nuit dans l'eau, puis les égoutter et les mettre dans une casserole. Couvrir d'eau, porter à ébullition et faire cuire 20 minutes, jusqu'à ce qu'ils soient tendres. On peut remplacer les rigatoni par des conchiglie géants, qui tiennent bien la sauce.

VALEURS NUTRITIVES PAR PORTION (**6**) : *protéines 25 g, lipides 30 g, glucides 75 g, fibres alimentaires 10 g, cholestérol 60 mg, 2 810 kJ (670 kcal)*

CI-DESSUS : Rigatoni aux haricots et à la saucisse

CHARCUTERIES
Si l'Italie est réputée pour ses pâtes, elle n'est pas moins fière de ses jambons et salamis. Chaque région reste passionnément convaincue de la supériorité de sa propre spécialité.

LA PANCETTA est la version italienne du bacon. La couenne est éliminée et la viande assaisonnée de sel, de poivre et d'épices, notamment de muscade, genièvre, girofle et cannelle, en fonction de la tradition de l'artisan. On la fait sécher pendant deux semaines, puis on la roule dans un étui semblable à celui utilisé pour le salami. Son goût est moins salé que celui du prosciutto, mais on peut la consommer crue. La pancetta donne un goût incomparable aux plats qu'elle agrémente et sa saveur mi-douce, mi-sucrée est irremplaçable.

LE PROSCIUTTO est une cuisse de porc séchée au sel et à l'air. Le sel absorbe l'humidité de la viande et le séchage à l'air produit une saveur douce et délicate. Le prosciutto peut sécher pendant 18 mois, et les meilleurs sont comparables au célèbre jambon de Parme. Le prosciutto en tranches doit être consommé dès qu'il est coupé car il perd rapidement de son goût. Le sortir du réfrigérateur 1 heure avant de le servir. Le jambon de Parme doit sa saveur unique au petit-lait issu de la fabrication du fromage et dont se nourrissent les cochons. On le sert traditionnellement en antipasto avec du melon ou des figues.

LA MORTADELLE de Bologne tire son nom du mortier utilisé pour écraser le porc. Parfumée aux grains de poivre, aux olives fourrées, aux pistaches et à l'ail, et parsemée de morceaux de gras, elle peut faire jusqu'à 40 cm de diamètre. La mortadelle hachée s'utilise en garniture de pizza, dans les sandwiches ou les tortellini.

LE SALAMI

C'est un saucisson de porc sec assaisonné d'ail, de fines herbes et d'épices. On pense qu'il est originaire de Salamine à Chypre, mais la plupart des salamis italiens prennent le nom des villes où ils sont produits. D'autres variétés de salamis sont également fabriquées au Danemark, en Espagne, en Hongrie, en Autriche et en Allemagne.

LE CACCIATORE se compose de porc, de bœuf, d'ail et d'épices plus ou moins fortes.

LE SALAMI DE MILAN est un salami italien peu épicé, composé de porc maigre, de bœuf et de gras de porc. Sa texture fine est assaisonnée d'ail, de poivre et de vin.

LA FINOCCHIONA TOSCANA est un saucisson de porc parsemé de graines de fenouil. On la trouve en version forte ou douce.

LE PEPPERONI est un saucisson sec fait à partir de porc haché et de bœuf, très généreusement additionné de poivre. On l'utilise pour garnir les pizzas et agrémenter les sauces de pâtes.

LA COPPA est de l'épaule de porc séchée. Plus grasse que le prosciutto, elle est roulée dans un filet à la manière du salami. On la sert généralement telle quelle sur un plat d'antipasti.

LE SPECK est la partie grasse d'un jambon, souvent fumé et salé. Il est d'origine autrichienne et s'achète en petits morceaux. Il peut être tranché pour un repas froid ou coupé en petits dés pour donner du goût aux plats cuisinés.

LE CHORIZO est un saucisson espagnol à la texture grossière, dont il existe un grand nombre de variétés. Il est toujours fait de porc pimenté. On le consomme en rondelles, sauté, dans les sauces de pâtes et surtout dans la paella.

DANS LE SENS DES AIGUILLES D'UNE MONTRE, À PARTIR DU COIN SUPÉRIEUR GAUCHE :
Prosciutto sur l'os, Pancetta, Tranches de prosciutto, Salami de Milan, Finocchiona toscana, Coppa, Cacciatore, Speck, Chorizo, Pepperoni, Mortadelle.

PÂTES AU PORC, AU PAPRIKA ET AUX GRAINES DE PAVOT

Préparation : 15 minutes
Cuisson : 15 à 20 minutes
Pour 4 personnes

☆

500 g de pappardelle

20 g de beurre

1 1/2 cuil. à soupe d'huile végétale

1 oignon, finement émincé

1 gousse d'ail écrasée

2 cuil. à café de paprika doux

1 pincée de poivre de Cayenne

500 g de porc maigre, finement émincé

1 cuil. à soupe de persil frais finement haché
    + 2 cuil. à soupe supplémentaires

1 cuil. à soupe de porto ou autre vin
    de liqueur sec

1 cuil. à soupe de concentré de tomates
    (double)

300 g de crème fraîche

150 g de champignons de Paris, émincés

2 cuil. à café de graines de pavot

CI-DESSUS : Pâtes au porc, au paprika et aux graines de pavot

1 Cuire les pâtes à l'eau bouillante salée jusqu'à ce qu'elles soient *al dente*. Les égoutter et les remettre dans la casserole.

2 Chauffer le beurre et 1/2 cuil. à soupe d'huile dans une poêle ; faire revenir l'oignon 6 à 8 minutes, jusqu'à ce qu'il soit tendre. Ajouter l'ail, le paprika, le poivre de Cayenne, le porc, le persil et du poivre moulu. Faire sauter le tout rapidement à feu vif jusqu'à ce que le porc soit cuit. Ajouter le porto, porter à ébullition et remuer 10 secondes environ. Ajouter le concentré de tomates et la crème fraîche, bien mélanger. Incorporer les champignons et vérifier l'assaisonnement. Ramener à feu doux.

3 Verser le reste de l'huile et les graines de pavot sur les pâtes chaudes. Servir le porc sur les pâtes et garnir de persil frais juste avant de servir.

VALEURS NUTRITIVES PAR PORTION : *protéines 40 g, lipides 45 g, glucides 65 g, fibres alimentaires 6 g, cholestérol 170 mg, 3 525 kJ (840 kcal)*

RAVIOLI TURCS

Préparation : I heure
Cuisson : 30 minutes
Pour 4 à 6 personnes

★ ★

Farce

I cuil. à soupe d'huile

I petit oignon, finement râpé

I piment rouge, finement haché

I cuil. à café de cannelle moulue

I cuil. à café de girofle en poudre

500 g d'agneau finement haché

2 cuil. à café de zeste de citron râpé

2 cuil. à café d'aneth frais haché

3 cuil. à soupe de persil plat haché

Sauce

250 ml de bouillon de volaille

500 ml de yaourt nature

4 gousses d'ail, écrasées

200 g de farine

50 g de farine complète

125 ml d'eau

I œuf

I jaune d'œuf

I poignée de menthe fraîche,
    finement hachée

I Farce : chauffer l'huile dans une grande poêle et faire revenir l'oignon, le piment et les épices 5 minutes à feu moyen. Ajouter la viande hachée et la saisir à feu vif jusqu'à ce qu'elle brunisse, en remuant constamment pour écraser les grumeaux. Retirer du feu, incorporer le zeste de citron et les fines herbes hachées. Laisser refroidir.

2 Sauce : porter le bouillon à ébullition dans une casserole et le faire réduire de moitié. Retirer du feu et battre le bouillon avec le yaourt et l'ail. Saler et poivrer.

3 Passer les farines, l'eau, l'œuf et le jaune d'œuf au mixeur jusqu'à obtention d'une pâte homogène. Poser la pâte sur un plan de travail fariné. Si elle est trop poisseuse, rajouter un peu de farine (il est plus facile d'ajouter de la farine à une pâte collante qu'ajouter un œuf à une pâte sèche).

4 Diviser la pâte en quatre. Écarter les cylindres de la machine à pâtes au maximum, les saupoudrer généreusement de farine et passer la pâte. Plier la pâte en trois de sorte que sa largeur reste identique et que sa longueur soit réduite à un tiers de ce qu'elle était.

5 Repasser la pâte dans la machine, et recommencer à plier et à étaler au moins dix fois, en tournant la pâte de 90° à chaque fois. Fariner la machine et la pâte si nécessaire. Lorsque la pâte est bien lisse, rapprocher les rouleaux d'un cran, passer la pâte et continuer ainsi en rapprochant les rouleaux d'un cran à chaque fois, jusqu'à ce que la pâte ne fasse plus qu'1 mm d'épaisseur. Couvrir et réserver. Répéter avec le reste de pâte.

6 Découper la pâte en carrés de 12 cm de côté et déposer 1 cuil. à soupe de farce au centre de chaque carré. Badigeonner légèrement les bords d'eau et replier les carrés en triangles. Souder les bords en les pressant et disposer les ravioli en une seule couche sur une plaque de four farinée. Les laisser couverts pendant la confection des autres ravioli.

7 Cuire les ravioli 3 minutes à l'eau bouillante salée, en plusieurs fois, jusqu'à ce qu'ils soient *al dente*. Les égoutter et les mélanger à la sauce. Garnir de menthe hachée.

VALEURS NUTRITIVES PAR PORTION (6) : *protéines 25 g, lipides 20 g, glucides 30 g, fibres alimentaires 3 g, cholestérol 120 mg, 1 595 kJ (380 kcal)*

YAOURT NATURE

Confectionné à partir de lait de vache ou de brebis fermenté, le yaourt est originaire des Balkans. Autrefois utilisé pour ses propriétés thérapeutiques, il est aujourd'hui consommé pour son goût frais et légèrement aigre, et entre dans la composition de certains plats pour les goûts complexes que crée son acidité. Le yaourt se compose de lait traité avec un ferment lactique qui, à une certaine température, provoque une fermentation naturelle. Il en résulte une caillebotte lisse et d'un blanc immaculé. Le yaourt frais se conserve 4 à 5 jours au réfrigérateur, après quoi il se détériore.

CI-DESSOUS : **Ravioli turcs**

GINGEMBRE

Le gingembre est un rhizome, ou racine d'une plante tropicale originaire du Bengale et des côtes de Malabar de l'Inde du Sud. On l'utilise en condiment pour les mets salés et comme agent aromatisant de certains plats salés et sucrés. Son goût est frais mais épicé et sa chair est très ferme. Son parfum, très aromatique, s'intensifie à la cuisson. Plus le gingembre reste en terre, plus sa saveur est forte ; malheureusement, il est d'autant plus filandreux et difficile à hacher ou râper. Achetez-le ferme et sans parties molles, et veillez à ce qu'il ne soit pas spongieux quand on le presse. Le gingembre se conserve au réfrigérateur, enveloppé de papier absorbant puis d'un sac en plastique.

PAGE CI-CONTRE : Bœuf sauté épicé aux spaghettini (en haut), Agneau à la marocaine aux poivrons et fusilli.

BŒUF ÉPICÉ SAUTÉ AUX SPAGHETTINI

Préparation : 40 minutes
Cuisson : 20 minutes
Pour 4 personnes

✩

500 g de spaghettini
3 cuil. à soupe d'huile d'arachide
1 oignon, émincé
1 gousse d'ail, écrasée
1/2 cuil. à café de gingembre frais finement râpé
1 pincée de piment en flocons
400 g de bœuf maigre (rumsteck), coupé en fines lamelles
1 1/2 cuil. à café de sauce de soja
Quelques gouttes d'huile de sésame
150 g de pousses de soja, équeutées
1 cuil. à soupe bombée de coriandre fraîche hachée

1 Cuire les pâtes à l'eau bouillante salée jusqu'à ce qu'elles soient *al dente*. Les égoutter, les remettre dans la casserole et les couvrir d'eau froide. Égoutter à nouveau et remettre dans la casserole. Incorporer 1 cuil. à soupe d'huile d'arachide et réserver.
2 Chauffer 1 cuil. à soupe d'huile d'arachide dans une grande poêle ou un wok et faire revenir l'oignon sans qu'il brunisse. Incorporer l'ail, le gingembre et le piment. Ajouter le bœuf et faire sauter le tout à feu vif en remuant.
3 Incorporer la sauce de soja, l'huile de sésame, les pousses de soja et la coriandre. Vérifier l'assaisonnement et continuer à remuer jusqu'à ce que tous les ingrédients soient bien réchauffés. Retirer de la poêle. Verser un peu d'huile d'arachide dans la poêle et ajouter les pâtes en les faisant sauter brièvement à feu vif pour les réchauffer. Servir le bœuf sur un lit de spaghettini.
NOTE : comme pour tous les sautés, ce plat nécessite une cuisson rapide à feu vif. Même si cela prend du temps, il est nécessaire de rincer les pâtes à l'eau froide afin de stopper le processus de cuisson et de leur donner la texture et le goût adéquats.

VALEURS NUTRITIVES PAR PORTION : *protéines 35 g, lipides 20 g, glucides 70 g, fibres alimentaires 7 g, cholestérol 65 mg, 2 455 kJ (585 kcal)*

AGNEAU À LA MAROCAINE AUX POIVRONS ET FUSILLI

Préparation : 25 minutes + 1 nuit de marinade
Cuisson : 25 minutes
Pour 4 personnes

✩

500 g de filet d'agneau
3 cuil. à café de cumin moulu
1 cuil. à soupe de coriandre moulue
2 cuil. à café de poivre de la Jamaïque moulu
1 cuil. à café de cannelle moulue
1/2 cuil. à café de poivre de Cayenne moulu
4 gousses d'ail, écrasées
80 ml d'huile d'olive
125 ml de jus de citron
2 poivrons rouges
400 g de fusilli
60 ml d'huile d'olive vierge extra
2 cuil. à café de harissa
150 g de roquette

1 Couper les filets en deux s'ils sont longs. Dans un saladier, mélanger le cumin, la coriandre, le poivre de la Jamaïque, la cannelle, le poivre de Cayenne, l'ail, l'huile d'olive et la moitié du jus de citron. Ajouter l'agneau et bien l'enduire de sauce ; laisser mariner la nuit au réfrigérateur, à couvert.
2 Détailler les poivrons en gros morceaux et ôter les graines et les membranes. Les passer 8 minutes au gril chaud, côté peau en haut, jusqu'à ce que la peau cloque et noircisse. Retirer et couvrir d'un torchon humide. Lorsqu'ils sont refroidis, les peler et émincer finement la pulpe.
3 Cuire les pâtes à l'eau bouillante salée jusqu'à ce qu'elles soient *al dente*. Égoutter et réserver au chaud.
4 Égoutter l'agneau ; chauffer 1 cuil. à soupe d'huile d'olive vierge extra dans une grande poêle et saisir la viande à feu vif jusqu'à ce qu'elle soit cuite à votre convenance. Retirer de la poêle et couvrir de papier aluminium.
5 Chauffer 1 cuil. à café d'huile dans la poêle et faire cuire la harissa quelques secondes à feu moyen (prendre garde aux éclaboussures). Verser dans un bocal avec le reste d'huile et de jus de citron, visser le couvercle et secouer vigoureusement. Assaisonner.
6 Émincer finement la viande et la mélanger aux pâtes chaudes, aux poivrons grillés et à la roquette. Verser la sauce à la harissa dessus et servir bien chaud.

VALEURS NUTRITIVES PAR PORTION (**6**) : *protéines 25 g, lipides 30 g, glucides 50 g, fibres alimentaires 5 g, cholestérol 55 mg, 2 365 kJ (565 kcal)*

MARJOLAINE

La marjolaine commune (*majorana hortensis*) est une cousine très proche de l'origan ; son goût est plus doux et plus subtil et son parfum est frais et intense. On l'utilise dans les potages et pour accompagner le poisson et la plupart des légumes. Elle pousse et sèche facilement. Pour la faire sécher, couper les tiges juste avant que les fleurs s'ouvrent, car c'est à ce moment qu'elle est le plus parfumée.

CI-DESSUS : Rigatoni au salami et aux fines herbes

RIGATONI AU SALAMI ET AUX FINES HERBES

Préparation : 35 minutes
Cuisson : 40 minutes
Pour 4 personnes

★

20 g de beurre

1 cuil. à soupe d'huile d'olive

1 carotte, coupée en julienne

1 feuille de laurier

75 g de bacon haché

200 g de salami italien épicé, pelé et coupé en rondelles

400 g de tomates Roma pelées en boîte

125 ml de bouillon de bœuf ou de volaille

400 g de rigatoni

1 cuil. à soupe de feuilles d'origan ou de marjolaine fraîches

1 Chauffer le beurre et l'huile dans une poêle et faire revenir l'oignon et la carotte avec la feuille de laurier, jusqu'à ce que l'oignon soit transparent et tendre. Ajouter le bacon et le salami et les faire brunir en remuant fréquemment.

2 Presser la moitié des tomates au-dessus de l'évier afin d'ôter le jus, déchirer la pulpe avec les mains et la mettre dans la poêle. Ajouter le reste des tomates entières et les écraser grossièrement à la cuillère tout en remuant. Saler et poivrer, puis laisser mijoter 30 minutes à feu doux, en rajoutant du bouillon au fur et à mesure que la sauce réduit.

3 Cuire les pâtes à l'eau bouillante salée jusqu'à ce qu'elles soient *al dente*. Les égoutter et les mettre dans un plat chauffé. Ajouter l'origan (ou la marjolaine) et la sauce ; mélanger délicatement avant de servir.

NOTE : la réussite de la sauce dépend de la qualité du salami utilisé. L'emploi de fines herbes fraîches contribue également à la saveur de ce plat.

VALEURS NUTRITIVES PAR PORTION : *protéines 25 g, lipides 25 g, glucides 75 g, fibres alimentaires 10 g, cholestérol 65 mg, 2 755 kJ (660 kcal)*

BOULETTES DE VIANDE AUX FUSILLI

Préparation : 35 minutes
Cuisson : 35 minutes
Pour 4 personnes

★

750 g de porc et de veau (ou de bœuf) haché

80 g de pain émietté

3 cuil. à soupe de parmesan fraîchement râpé

1 oignon, finement haché

2 cuil. à soupe de persil frais haché

1 œuf, battu

1 gousse d'ail, écrasée

Zeste et jus d'1/2 citron

30 g de farine, assaisonnée

2 cuil. à soupe d'huile d'olive

500 g de fusilli

Sauce

425 g de purée de tomates en boîte (passata)

125 ml de bouillon de bœuf

125 ml de vin rouge

2 cuil. à soupe de basilic frais haché

1 gousse d'ail, écrasée

1 Dans une grande terrine, mélanger la viande hachée, les miettes de pain, le parmesan, l'oignon, le persil, l'œuf, l'ail, le zeste et le jus de citron ; saler et poivrer. Façonner des boulettes de préparation et les rouler dans la farine assaisonnée.

2 Chauffer l'huile dans une grande poêle et faire dorer les boulettes de viande. Retirer de la poêle et les égoutter sur du papier absorbant. Retirer l'excédent de graisse et de jus de la poêle.

3 Sauce : dans la même poêle, mélanger la purée de tomates, le bouillon, le vin, le basilic, l'ail, du sel et du poivre. Porter à ébullition.

4 Baisser le feu et remettre les boulettes de viande dans la poêle. Laisser mijoter 10 à 15 minutes.

5 Pendant que la viande et la sauce mijotent, cuire les pâtes à l'eau bouillante salée jusqu'à ce qu'elles soient *al dente*. Les égoutter et les servir accompagnées des boulettes de viande nappées de sauce.

VALEURS NUTRITIVES PAR PORTION : *protéines 60 g, lipides 35 g, glucides 115 g, fibres alimentaires 10 g, cholestérol 170 mg, 4 110 kJ (980 kcal)*

POUR ACCOMPAGNER...

SALADE DE BETTERAVES, CHÈVRE ET PISTACHES Cuire 1 kg de mini-betteraves à l'eau, à la vapeur ou au micro-ondes. Laisser refroidir légèrement avant de les couper en quatre. Garnir un saladier de feuilles de roquette, disposer les quartiers de betteraves dessus avec 1 oignon rouge finement émincé, 100 g de fromage de chèvre émietté et 100 g de pistaches grillées grossièrement hachées. Faire la sauce avec 3 cuil. à soupe de vinaigre de framboise, 1 cuil. à café de moutarde, 1 cuil. à café de miel et 80 ml d'huile. Battre le tout et en arroser la salade. Servir immédiatement.

FARINE ASSAISONNÉE
La farine est dite assaisonnée lorsqu'elle est additionnée de sel, et parfois de poivre, d'épices ou d'herbes variées. On l'utilise pour y rouler les viandes ou les légumes avant de les saisir. Ainsi farinés, ils offrent une surface régulière et bien dorée, qui contribue à l'épaississement de la sauce. La farine relève également la saveur d'un plat.

CI-DESSUS : **Boulettes de viande aux fusilli**

MACARONI

Les macaroni, ou *maccheroni*, sont de courtes pâtes tubulaires. Elles sont de longueur et d'épaisseur variables – jusqu'à 4 cm de long – mais toujours creuses. Leur nom varie en fonction de leur taille et de la région. Parmi les innombrables légendes entourant l'origine des macaroni, un fait est sûr : on les appelle ainsi au moins depuis 1041, date à laquelle le mot *maccherone* désignait une personne un peu bête.

PENNE AU PROSCIUTTO

Préparation : 15 minutes
Cuisson : 25 minutes
Pour 4 à 6 personnes

★

1 cuil. à soupe d'huile d'olive

6 fines tranches de prosciutto, hachées

1 oignon, finement haché

1 cuil. à soupe de romarin frais haché

825 g de tomates en boîte, grossièrement hachées

500 g de penne ou de macaroni

50 g de parmesan, fraîchement râpé

1 Chauffer l'huile dans une poêle à fond épais. Faire dorer l'oignon et le prosciutto 5 minutes à feu doux, en remuant de temps en temps.

2 Ajouter le romarin, la tomate, du sel et du poivre. Laisser mijoter 10 minutes.

3 Pendant que la sauce mijote, cuire les pâtes à l'eau bouillante salée jusqu'à ce qu'elles soient *al dente*. Les égoutter et les répartir dans les assiettes. Napper de sauce et garnir de parmesan.

NOTE : le romarin, très utilisé dans la cuisine méditerranéenne, donne un goût très spécifique à ce plat.

VALEURS NUTRITIVES PAR PORTION (6) : *protéines 20 g, lipides 9 g, glucides 65 g, fibres alimentaires 6 g, cholestérol 20 mg, 1 725 kJ (410 kcal)*

CI-DESSUS : Penne au prosciutto

AGNEAU PARSI AU CUMIN ET AUX TAGLIATELLE

Préparation : 40 minutes
Cuisson : 1 heure 15
Pour 4 personnes

✭

20 g de beurre

1 gros oignon, finement haché

2 gousses d'ail, écrasées

1 cuil. à café de gingembre frais finement haché

3/4 de cuil. à café de piment en flocons, de curcuma, de garam massala et de cumin moulu

600 g d'agneau haché

2 grosses tomates bien mûres, hachées

1/2 cuil. à café de sucre

1 cuil. à soupe de jus de citron

3 cuil. à soupe de coriandre fraîche finement hachée

1 petit piment rouge, finement haché (facultatif)

350 g de tagliatelle

1 cuil. à soupe d'huile végétale

3 œufs durs, hachés

1 Chauffer le beurre dans une poêle et faire revenir l'oignon, l'ail et le gingembre jusqu'à ce que l'oignon soit tendre mais pas doré. Incorporer les flocons de piment, le curcuma, le garam massala et le cumin.

2 Ajouter la viande hachée, augmenter le feu et faire cuire jusqu'à ce que la viande soit bien dorée, en remuant de temps en temps. Incorporer les tomates, le sucre, une bonne pincée de sel et 250 ml d'eau. Baisser le feu et laisser mijoter 50 à 60 minutes à couvert, jusqu'à ce que la sauce épaississe et brunisse. Augmenter le feu et ajouter le jus de citron, 2 cuil. à soupe de coriandre hachée et le piment rouge. Vérifier l'assaisonnement et prolonger la cuisson de 2 à 3 minutes à découvert.

3 Cuire les pâtes à l'eau bouillante salée jusqu'à ce qu'elles soient *al dente*. Les égoutter, les remettre dans la casserole et incorporer l'huile. Transférer dans un plat de service chauffé et verser la préparation à l'agneau dessus. Garnir d'œuf dur haché et du reste de coriandre.

VALEURS NUTRITIVES PAR PORTION : *protéines 45 g, lipides 35 g, glucides 65 g, fibres alimentaires 7 g, cholestérol 275 mg, 3 270 kJ (780 kcal)*

GARAM MASSALA

Le garam massala est un mélange d'épices moulues très utilisé dans la cuisine indienne. Il se conserve 3 mois à l'abri de la chaleur et de la lumière, dans un récipient hermétique. Il existe de nombreuses versions différentes, mais toutes contiennent de la cardamome, des clous de girofle, de la muscade et de la cannelle. À cela, on peut ajouter du cumin, de la coriandre ou des grains de poivre noir. Au Cachemire, on y intègre aussi du cumin noir.

CI-DESSUS : Agneau parsi au cumin et aux tagliatelle

BOULETTES DE VIANDE STROGANOFF

Préparation : 40 minutes
Cuisson : 20 à 25 minutes
Pour 4 personnes

☆

500 g de macaroni

750 g de bifteck maigre haché

2 gousses d'ail, écrasées

2 à 3 cuil. à soupe de farine

1 cuil. à café de paprika doux

2 cuil. à soupe d'huile

50 g de beurre

1 gros oignon, finement émincé

250 g de petits champignons de Paris, coupés
   en deux

2 cuil. à soupe de concentré de tomates (double)

2 à 3 cuil. à café de moutarde de Dijon

60 ml de vin blanc

125 ml de bouillon de bœuf

185 g de crème fraîche

3 cuil. à soupe de persil frais finement haché

*CI-DESSUS : Boulettes
de viande Stroganoff*

1 Cuire les pâtes à l'eau bouillante salée jusqu'à ce qu'elles soient *al dente*. Les égoutter et les réserver au chaud.

2 Mélanger la viande hachée, l'ail, du sel et du poivre concassé. Bien malaxer avec les mains. Façonner des boulettes avec 2 cuil. à café pleines de préparation. Sur un plan de travail propre, mélanger la farine, le paprika et du poivre noir fraîchement moulu. Rouler les boulettes de viande dans ce mélange.

3 Chauffer l'huile et la moitié du beurre dans une poêle. Lorsque le beurre grésille, saisir la viande à feu moyen, jusqu'à ce qu'elle dore. Retirer de la poêle et égoutter sur du papier absorbant.

4 Faire fondre le reste du beurre dans la poêle et faire revenir l'oignon. Incorporer les champignons et les cuire jusqu'à ce qu'ils soient tendres. Verser le mélange de concentré de tomates, de moutarde, de vin et de bouillon. Remettre les boulettes de viande et réchauffer doucement le tout. Porter à ébullition puis baisser le feu et laisser mijoter 5 minutes, en remuant de temps en temps. Assaisonner et incorporer la crème fraîche. Saupoudrer de persil et servir avec les pâtes.

VALEURS NUTRITIVES PAR PORTION : *protéines 60 g, lipides 50 g, glucides 100 g, fibres alimentaires 10 g, cholestérol 205 mg, 4 615 kJ (1 095 kcal)*

AIL
L'ail est une plante liliacée à bulbe et la plus corsée de la famille des *allium*, qui comprend entre autres les oignons et les poireaux. Tout juste récolté, son goût est âpre et puissant, mais il a tendance à s'adoucir en séchant. L'ail est très riche en huile, ce qui détermine la force de sa saveur : plus le bulbe est frais, plus il y a d'huile et plus fort est le goût. Utilisé avec discrétion, l'ail relève les saveurs un peu fades et, cuit longuement, donne du corps à certains plats. Il possède également des propriétés thérapeutiques et stimule le suc gastrique ; il a donc une fonction à la fois aromatisante et digestive.

PÂTES À L'AGNEAU ET AUX LÉGUMES

Préparation : 20 minutes
Cuisson : 20 minutes
Pour 4 personnes

★

2 cuil. à soupe d'huile

1 gros oignon, haché

2 gousses d'ail, écrasées

500 g d'agneau haché

125 g de petites têtes de champignons, coupées en deux

1 poivron rouge, épépiné et haché

150 g de fèves pelées

440 g de tomates en boîte, grossièrement hachées

2 cuil. à soupe de concentré de tomates (double)

500 g de penne

125 g de feta

2 cuil. à soupe de basilic frais haché

1 Chauffer l'huile à feu moyen dans une casserole à fond épais. Faire revenir l'oignon et l'ail 2 minutes en remuant jusqu'à ce qu'ils soient dorés. Ajouter la viande hachée et la saisir 4 minutes à feu vif jusqu'à ce qu'elle soit dorée et que le jus se soit évaporé. Écraser les grumeaux à la fourchette en cours de cuisson.

2 Ajouter les champignons, le poivron, les fèves, les tomate avec leur jus et le concentré de tomates. Porter à ébullition puis baisser le feu et laisser mijoter 10 minutes à couvert, jusqu'à ce que les légumes soient tendres. Remuer de temps en temps.

3 Pendant que la sauce mijote, cuire les pâtes à l'eau bouillante salée jusqu'à ce qu'elles soient *al dente*. Les égoutter et les répartir dans les assiettes. Verser la viande et la sauce dessus, émietter le fromage et parsemer de basilic.

NOTE : cette sauce peut se préparer 2 jours à l'avance. La conserver au réfrigérateur, couverte d'un film plastique. La réchauffer et cuire les pâtes juste avant de servir. La sauce ne se congèle pas.

VALEURS NUTRITIVES PAR PORTION : *protéines 50 g, lipides 30 g, glucides 100 g, fibres alimentaires 15 g, cholestérol 100 mg, 3 730 kJ (890 kcal)*

CI-DESSUS : Pâtes à l'agneau et aux légumes

77

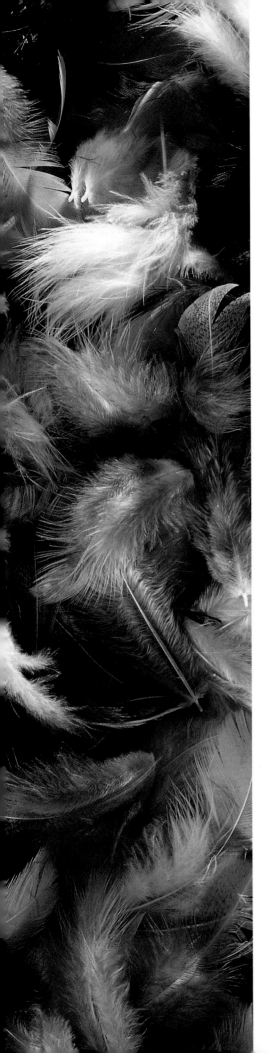

PÂTES
ET POULET

Le poulet n'a jamais été l'accompagnement traditionnel des pâtes, mais avec du recul, on peut se demander pourquoi. Agrémenté de fines herbes, d'épices, de tomates ou de champignons, le poulet s'harmonise très bien avec les pâtes, en particulier comme farce de tortellini et de ravioli. Ses multiples emplois se déclinent au fil des recettes : sous forme de boulettes de viande, de lasagne et de sauce bolognaise, le poulet offre une alternative aux plats utilisant traditionnellement de la viande.

FEUILLES DE LAURIER

Le laurier est le symbole de la gloire et de la victoire. Les couronnes de laurier récompensent les exploits depuis l'époque où les Grecs les destinaient aux athlètes triomphants, aux poètes et aux hommes d'État. Les feuilles s'utilisent également en cuisine depuis la nuit des temps, bien qu'elles soient traditionnellement associées aux mets sucrés. Aujourd'hui, elles servent à parfumer les marinades et à relever le goût des sauces blanches, des soupes et des ragoûts.

SPAGHETTI AUX BOULETTES DE POULET

Préparation : 45 minutes + temps de réfrigération
Cuisson : 1 heure 30
Pour 4 à 6 personnes

★

500 g de poulet haché

60 g de parmesan, fraîchement râpé

160 g de mie de pain, émiettée

2 gousses d'ail, écrasées

1 œuf

1 cuil. à soupe de persil plat frais haché

1 cuil. à soupe de sauge fraîche hachée

3 cuil. à soupe d'huile végétale

500 g de spaghetti

2 cuil. à soupe d'origan frais haché, pour la garniture

Sauce tomate

1 cuil. à soupe d'huile d'olive

1 oignon, finement haché

2 kg de tomates bien mûres, hachées

2 feuilles de laurier

30 g de basilic frais

1 cuil. à café de poivre noir grossièrement moulu

1 Dans un saladier, mélanger le poulet, le parmesan, la mie de pain, l'ail, l'œuf et les fines herbes. Assaisonner de sel et de poivre fraîchement moulu. Former des boulettes et les faire raffermir environ 30 minutes au réfrigérateur.

2 Chauffer l'huile dans une sauteuse et faire dorer les boulettes de poulet, en plusieurs fois. Les retourner souvent en secouant légèrement la sauteuse. Égoutter sur du papier absorbant.

3 Sauce tomate : chauffer l'huile dans une grande casserole et faire revenir l'oignon 1 à 2 minutes. Ajouter les tomates et le laurier, couvrir et porter à ébullition en remuant de temps en temps. Ramener à feu doux, couvrir partiellement et laisser mijoter 50 à 60 minutes.

5 Pendant que la sauce mijote, cuire les pâtes à l'eau bouillante salée jusqu'à ce qu'elles soient *al dente*. Les égoutter et les remettre dans la casserole. Ajouter une partie de la sauce et bien mélanger. Servir les pâtes dans les assiettes et garnir de sauce et de boulettes de poulet. Parsemer d'origan haché et éventuellement d'un peu de parmesan.

VALEURS NUTRITIVES PAR PORTION (**6**) : *protéines 40 g, lipides 20 g, glucides 85 g, fibres alimentaires 10 g, cholestérol 95 mg, 2 915 kJ (670 kcal)*

CI-DESSUS : Spaghetti aux boulettes de poulet

TORTELLINI AU POULET ET À LA SAUCE TOMATE

Préparation : 1 heure + temps de repos
Cuisson : 30 minutes
Pour 4 personnes

★★

Pâte

250 g de farine

3 œufs

1 cuil. à soupe d'huile d'olive

Farce

20 g de beurre

90 g de blanc de poulet, coupé en dés

2 tranches de pancetta, hachées

50 g de parmesan, fraîchement râpé

1/2 cuil. à café de muscade

1 œuf, légèrement battu

Sauce tomate

80 ml d'huile d'olive

1,5 kg de tomates bien mûres, pelées et
    hachées

1 poignée d'origan frais haché

50 g de parmesan, fraîchement râpé

100 g de bocconcini, en fines rondelles,
    pour la garniture

1 Pâte : tamiser la farine et 1 pincée de sel dans un saladier ; faire un puits au centre. Dans un bol, battre les œufs, l'huile et 1 cuil. à soupe d'eau. Verser ce mélange peu à peu sur la farine et former une pâte ferme. Façonner une boule en ajoutant un peu d'eau si nécessaire.

2 Pétrir la pâte 5 minutes sur un plan de travail fariné, jusqu'à ce qu'elle soit homogène et élastique. La mettre dans un récipient huilé, couvrir de film plastique et laisser reposer 30 minutes.

3 Farce : chauffer le beurre dans une poêle et faire dorer les dés de poulet en remuant. Égoutter et laisser légèrement refroidir. Passer le poulet et la pancetta au mixeur jusqu'à obtention d'un fin hachis. Transférer dans un saladier et ajouter le parmesan, la muscade, l'œuf, du sel et du poivre. Réserver.

4 Étendre la pâte très finement sur un plan de travail fariné. À l'aide d'un emporte-pièce fariné, découper des ronds de 5 cm et déposer 1/2 cuil. à café de farce au centre. Badigeonner les bords avec un peu d'eau. Replier le rond en deux afin de former un

demi-cercle et presser les bords. Enrouler chaque demi-cercle autour d'un doigt afin de former un anneau, et souder fermement les extrémités.

5 Sauce tomate : dans une poêle, faire cuire l'huile, la tomate et l'origan 10 minutes à feu vif. Incorporer le parmesan et réserver.

6 Cuire les tortellini 6 minutes à l'eau bouillante salée, en deux fois, jusqu'à ce qu'ils soient *al dente*. Les égoutter et les remettre dans la casserole. Réchauffer la sauce tomate, la verser sur les tortellini et bien mélanger. Répartir les tortellini dans les assiettes, garnir de bocconcini et laisser fondre le fromage avant de servir.

VALEURS NUTRITIVES PAR PORTION : *protéines 40 g,
lipides 55 g, glucides 55 g, fibres alimentaires 5 g,
cholestérol 300 mg, 3 660 kJ (875 kcal)*

TORTELLINI ET CAPPELLETTI

Il est bien difficile de faire la différence entre les tortellini et les cappelletti. Les tortellini sont des demi-cercles de pâte farcie, enroulés autour d'un doigt de sorte que les deux extrémités se chevauchent. Les cappelletti ressemblent à de petits chapeaux avec des extrémités pincées. On utilise l'une ou l'autre version.

*CI-DESSUS : Tortellini
au poulet et à la sauce
tomate*

LASAGNE AU POULET ET AUX ÉPINARDS

Préparation : 30 minutes
Cuisson : 1 heure 10
Pour 8 personnes

★

500 g d'épinards

1 kg de poulet haché

1 gousse d'ail, écrasée

3 tranches de bacon, hachées

425 g de tomates en boîte, grossièrement hachées

125 g de concentré de tomates (double)

125 ml de sauce tomate

125 ml de bouillon de volaille

12 lasagne précuites

125 g de gruyère, râpé

Béchamel au fromage

60 g de beurre

40 g de farine

600 ml de lait

125 g de gruyère, râpé

1 Préchauffer le four à 180 °C. Éliminer les tiges des épinards et cuire les feuilles 2 minutes à l'eau bouillante, jusqu'à ce qu'elles soient tendres. Retirer et plonger immédiatement dans un bol d'eau glacée. Égoutter.

2 Chauffer un peu d'huile dans une poêle à fond épais. Ajouter le poulet, l'ail et le bacon ; faire dorer 5 minutes à feu moyen. Incorporer les tomates, le concentré de tomates, la sauce et le bouillon ; porter à ébullition. Baisser le feu et laisser mijoter 10 minutes, partiellement couvert, jusqu'à épaississement. Saler et poivrer.

3 Béchamel au fromage : faire fondre le beurre dans une casserole. Ajouter la farine et remuer 1 minute à feu doux, jusqu'à ce qu'elle soit dorée. Retirer du feu et incorporer peu à peu le lait. Remettre sur le feu (moyen) et remuer constamment pendant 4 minutes, jusqu'à ébullition et épaississement. Retirer du feu et incorporer le fromage.

4 Beurrer un plat à gratin profond, d'une capacité de 3 l. Étaler un quart de la préparation au poulet au fond. Déposer dessus 4 lasagne ; étendre un tiers de béchamel, puis une autre couche de poulet. Étaler tous les épinards, disposer une couche de lasagne, une couche de béchamel et le reste du poulet. Couvrir du reste de béchamel et parsemer de fromage râpé. Enfourner 50 minutes, jusqu'à ce que le dessus soit doré.

VALEURS NUTRITIVES PAR PORTION : *protéines 50 g, lipides 45 g, glucides 35 g, fibres alimentaires 5 g, cholestérol 230 mg, 3 145 kJ (750 kcal)*

CI-DESSUS : Lasagne
au poulet et aux épinards

CITRONS

Le zeste, la pulpe et le jus du citron s'utilisent aussi bien dans les plats salés que dans les desserts. Le citron est peut-être le plus acide de tous les agrumes, et son parfum est très puissant. Le citron sauvage, à la peau épaisse et irrégulière, est prisé pour son goût particulièrement acidulé, qui reste intact en présence d'autres arômes. Les nombreuses variétés de citron à peau lisse sont plus douces et se prêtent très bien au décor et à la garniture des plats.

POULET AU CITRON ET ORECCHIETTE

Préparation : 10 minutes
Cuisson : 20 minutes
Pour 4 personnes

★

375 g d'orecchiette

1 cuil. à soupe d'huile

60 g de beurre

4 petits blancs de poulet

80 ml de jus de citron

20 g de persil frais finement haché + un peu pour la garniture

Rondelles de citron, pour la garniture

1 Cuire les pâtes à l'eau bouillante salée jusqu'à ce qu'elles soient *al dente*. Égoutter.

2 Pendant que les pâtes cuisent, chauffer l'huile et la moitié du beurre dans une grande casserole à fond épais. Faire revenir le poulet 2 minutes de chaque côté ; réserver. Ajouter le jus de citron, le persil et le reste du beurre. Bien mélanger et remettre les blancs de poulet dans la casserole. Faire cuire 3 à 4 minutes à feu doux, en les retournant une fois, jusqu'à ce qu'ils soient cuits. Saler et poivrer.

3 Servir le poulet sur un lit de pâtes et napper de sauce. Garnir de rondelles de citron et de persil haché.

VALEURS NUTRITIVES PAR PORTION : *protéines 40 g, lipides 20 g, glucides 25 g, fibres alimentaires 0 g, cholestérol 120 mg, 1 880 kJ (450 kcal)*

POUR ACCOMPAGNER...

SALADE DE BACON, LAITUE ET TOMATE Faire rissoler 4 tranches de bacon jusqu'à ce qu'elles soient craquantes. Laisser refroidir sur du papier absorbant avant de les hacher grossièrement. Dans un saladier, mettre les feuilles d'une salade romaine, 200 g de tomates cerises coupées en deux et 1 avocat coupé en morceaux. Remuer délicatement. Pour l'assaisonnement, faire une sauce avec 125 g de yaourt nature, 1 cuil. à soupe de jus de citron et 1 cuil. à café de miel.

CI-DESSUS : Poulet au citron et orecchiette

PÂTES AU POULET À L'ORIENTALE

Préparation : 25 minutes
Cuisson : 10 minutes
Pour 4 personnes

☆

1 poulet grillé

1 oignon

1 carotte

150 g de tagliatelle

1 cuil. à soupe d'huile

1 gousse d'ail, écrasée

2 cuil. à café de curry en poudre

2 cuil. à café de piment concassé en bocal

1 gros poivron rouge, finement émincé

150 g de pois mange-tout, coupés en deux

3 oignons nouveaux, émincés

2 cuil. à café d'huile de sésame

60 ml de sauce de soja

1 Détacher la viande de poulet des os et la couper en fines lamelles. Émincer finement l'oignon et couper la carotte en julienne.

2 Cuire les pâtes à l'eau bouillante salée jusqu'à ce qu'elles soient *al dente*. Bien égoutter.

3 Chauffer l'huile dans un wok ou une poêle à fond épais, et bien en enduire la base et les bords. Ajouter l'oignon, la carotte, l'ail, le curry et le piment. Remuer jusqu'à ce que les arômes s'exhalent et que l'oignon soit tendre. Ajouter les pâtes et le reste des ingrédients. Faire sauter 5 minutes à feu moyen. Saler.

VALEURS NUTRITIVES PAR PORTION : *protéines 40 g, lipides 25 g, glucides 40 g, fibres alimentaires 5 g, cholestérol 105 mg, 2 355 kJ (560 kcal)*

CI-CONTRE : Pâtes au poulet à l'orientale

SPAGHETTI SAUCE BOLOGNAISE AU POULET

Préparation : 20 minutes
Cuisson : 15 minutes
Pour 4 personnes

★

2 cuil. à soupe d'huile d'olive

2 poireaux, finement émincés

1 poivron rouge, coupé en dés

2 gousses d'ail, écrasées

500 g de poulet haché

500 g de sauce tomate pour pâtes

1 cuil. à soupe de thym frais haché

1 cuil. à soupe de romarin frais haché

2 cuil. à soupe d'olives noires hachées

400 g de spaghetti

125 g de feta, émiettée

1 Chauffer l'huile dans une grande casserole à fond épais. Ajouter le poireau, le poivron et l'ail et faire dorer 2 minutes à feu moyen ou vif.

2 Ajouter le poulet et le saisir 3 minutes à feu vif, jusqu'à ce que le jus se soit évaporé. Remuer de temps en temps et écraser les grumeaux à la fourchette.

3 Ajouter la sauce tomate, le thym et le romarin ; porter à ébullition. Baisser le feu et laisser mijoter 5 minutes, jusqu'à ce que la sauce ait réduit et épaissi. Ajouter les olives et bien mélanger. Assaisonner.

4 Cuire les pâtes à l'eau bouillante salée jusqu'à ce qu'elles soient *al dente*. Les égoutter et les répartir dans des assiettes individuelles ou dans un grand plat profond. Verser la bolognaise au poulet dessus (la sauce peut aussi être mélangée aux pâtes). Parsemer de feta et servir immédiatement.

NOTE : la sauce bolognaise au poulet peut se préparer 2 jours à l'avance. La conserver au réfrigérateur ou la congeler jusqu'à 4 semaines. Réchauffer la sauce et cuire les spaghetti juste avant de servir. Toutes les variétés de pâtes, fraîches ou sèches, conviennent. On peut remplacer la feta par du parmesan ou du pecorino fraîchement râpé.

VALEURS NUTRITIVES PAR PORTION : *protéines 45 g, lipides 35 g, glucides 85 g, fibres alimentaires 10 g, cholestérol 120 mg, 3 540 kJ (845 kcal)*

ROMARIN

Le romarin, très utilisé dans la cuisine européenne, parfume les viandes, en particulier grillées. On doit l'incorporer en fin de cuisson, ses huiles essentielles – qui contiennent l'arôme – s'évaporant à la cuisson. Cette plante vivace est très facile à cultiver car elle supporte presque toutes les conditions. Ses feuilles séchées donnent beaucoup de goût aux plats qu'elles accompagnent.

CI-DESSUS : **Spaghetti sauce bolognaise au poulet**

RÉCHAUFFER LES PÂTES
La plupart des plats de pâtes
en sauce peuvent se réchauffer. Les plats contenant une
grande quantité de sauce ou
beaucoup d'huile, comme le
pesto, peuvent être réchauffés à feu vif dans une casserole ou passés au four
moyen dans un plat beurré,
couvert d'aluminium. Pour
réchauffer les pâtes cuites
sans sauce, les mettre dans
une passoire et les arroser
d'eau bouillante, ou les
immerger 30 secondes dans
une casserole d'eau bouillante. L'utilisation du micro-
ondes est idéale.

*CI-DESSUS : Fettucine
sauce au poulet
et aux champignons*

FETTUCINE SAUCE AU POULET ET AUX CHAMPIGNONS

Préparation : 20 minutes
Cuisson : 20 minutes
Pour 4 personnes

★

400 g de fettucine

2 gros blancs de poulet

1 cuil. à soupe d'huile d'olive

30 g de beurre

2 tranches de bacon, hachées

2 gousses d'ail, écrasées

250 g de champignons de Paris, émincés

80 ml de vin blanc

170 ml de crème liquide

4 oignons nouveaux, hachés

1 cuil. à soupe de farine

2 cuil. à soupe d'eau

35 g de parmesan fraîchement râpé, pour la
     garniture

1 Cuire les pâtes à l'eau bouillante salée jusqu'à ce
qu'elles soient *al dente*. Les égoutter et les remettre
dans la casserole.

2 Parer le poulet et le couper en fines lanières.
Chauffer l'huile et le beurre dans une poêle à fond
épais et faire revenir le poulet 3 minutes à feu
moyen. Ajouter le bacon, l'ail et les champignons
et faire cuire 2 minutes en remuant de temps en
temps.

3 Verser le vin et prolonger la cuisson jusqu'à ce
que le jus ait réduit de moitié. Incorporer la crème
et l'oignon nouveau ; porter à ébullition. Délayer
la farine dans l'eau, l'ajouter dans la casserole et
remuer jusqu'à ébullition et épaississement. Baisser
le feu et laisser mijoter 2 minutes. Saler et poivrer.

4 Verser la sauce sur les pâtes et remuer le tout à
feu doux. Garnir de parmesan. Servir immédiatement, accompagné d'une salade verte.

VALEURS NUTRITIVES PAR PORTION : *protéines 40 g,
lipides 35 g, glucides 75 g, fibres alimentaires 5 g,
cholestérol 135 mg, 3 355 kJ (800 kcal)*

PÂTES AU POULET ET AU PESTO

Préparation : 20 minutes
Cuisson : 20 minutes
Pour 4 personnes

☆

250 g de fusilli ou de penne

1 petit poulet cuit

125 g de noix

4 tranches de bacon

250 g de tomates cerises, coupées en deux

60 g d'olives, émincées

125 g de pesto en bocal

30 g de basilic frais, finement ciselé

Copeaux de parmesan, pour la garniture

1 Cuire les pâtes à l'eau bouillante salée jusqu'à ce qu'elles soient *al dente* ; les égoutter.
2 Pendant que les pâtes cuisent, ôter la peau du poulet. Détacher la viande des os et la couper en morceaux. La mettre dans un grand saladier.
3 Passer les noix 2 à 3 minutes au gril chaud ; les laisser refroidir et les hacher grossièrement.

4 Retirer la couenne du bacon et le faire rissoler 3 à 4 minutes, jusqu'à ce qu'il soit craquant. Laisser refroidir et hacher en petits morceaux. Mettre les noix, le bacon, les tomates cerises et les olives dans le saladier.
5 Ajouter les pâtes, le pesto et le basilic. Bien remuer le tout et servir à température ambiante, avec des copeaux de parmesan.

VALEURS NUTRITIVES PAR PORTION : *protéines 55 g, lipides 45 g, glucides 25 g, fibres alimentaires 5 g, cholestérol 190 mg, 2 960 kJ (705 kcal)*

POUR ACCOMPAGNER...

TOMATES GRILLÉES AU CHÈVRE ET AUX FINES HERBES Badigeonner d'huile des moitiés de tomates Roma ; les saupoudrer de sel, de sucre et de poivre et les passer 30 minutes au four (à 180 °C), jusqu'à ce qu'elles soient tendres et légèrement desséchées. Mélanger du chèvre avec des fines herbes fraîches et en garnir les tomates cuites. Passer au gril jusqu'à ce que le fromage commence à mollir et à dorer.

CI-DESSOUS : Pâtes au poulet et au pesto

doré mais pas complètement cuit ; égoutter sur du papier absorbant. Ajouter l'oignon, la carotte et le bacon. Remuer 10 minutes à feu moyen. Ajouter la courgette et la soupe ; porter à ébullition et laisser mijoter 5 minutes. Retirer du feu.

3 Mélanger les pâtes, le poulet, la sauce à la tomate et la crème fraîche. Saler et poivrer. Étaler le tout dans un plat à gratin et parsemer de fromage. Enfourner 20 minutes, jusqu'à ce que la surface soit dorée.

VALEURS NUTRITIVES PAR PORTION : *protéines 45 g, lipides 30 g, glucides 45 g, fibres alimentaires 5 g, cholestérol 115 mg, 2 665 kJ (635 kcal)*

LASAGNETTE AUX CHAMPIGNONS ET AU POULET

Préparation : 15 minutes
Cuisson : 20 minutes
Pour 4 personnes

★

60 ml de lait

1/2 cuil. à café d'estragon sec ou 2 cuil. à café d'estragon frais haché

400 g de lasagnette

25 g de beurre

2 gousses d'ail

200 g de blanc de poulet, émincé

100 g de champignons de Paris, finement émincés

Muscade moulue

500 ml de crème liquide

Quelques brins d'estragon frais, pour la garniture

GRATIN DE MACARONI AU POULET

Préparation : 20 minutes
Cuisson : 55 minutes
Pour 6 personnes

★

4 blancs de poulet

300 g de macaroni

60 ml d'huile d'olive

1 oignon, haché

1 carotte, coupée en petits dés

3 tranches de bacon, hachées

2 courgettes, hachées

440 g de soupe de tomates en boîte

90 g de crème fraîche

185 g de gruyère, râpé

1 Préparer le poulet. Préchauffer le four à 180 °C. Cuire les pâtes à l'eau bouillante salée jusqu'à ce qu'elles soient *al dente* ; égoutter.

2 Émincer le poulet en longues lanières, puis en cubes. Chauffer l'huile dans une casserole à fond épais. Saisir le poulet à feu vif, jusqu'à ce qu'il soit

CI-DESSUS : Gratin de macaroni au poulet
CI-CONTRE : Lasagnette aux champignons et au poulet

1 Dans une petite casserole, porter le lait et l'estragon à ébullition. Retirer du feu, passer et réserver le lait.

2 Cuire les pâtes à l'eau bouillante salée jusqu'à ce qu'elles soient *al dente*. Les égoutter et les remettre dans la casserole.

3 Parallèlement à la cuisson des pâtes, faire fondre le beurre dans une poêle pour y faire revenir les gousses d'ail entières, le poulet et les champignons, jusqu'à ce que le poulet soit cuit et doré. Éliminer l'ail et ajouter la muscade, du sel et du poivre. Remuer 10 secondes avant d'incorporer la crème liquide et le lait. Porter à ébullition, baisser le feu et laisser mijoter jusqu'à épaississement. Verser la sauce sur les pâtes et décorer d'estragon frais.

VALEURS NUTRITIVES PAR PORTION : *protéines 25 g, lipides 60 g, glucides 75 g, fibres alimentaires 5 g, cholestérol 215 mg, 4 005 kJ (955 kcal)*

FOIES DE VOLAILLE AUX PENNE

Préparation : 15 minutes
Cuisson : 15 minutes
Pour 4 personnes

★★

350 g de foies de volaille (poulet)

500 g de penne

50 g de beurre

1 oignon, coupé en dés

2 gousses d'ail, écrasées

2 cuil. à café de zeste d'orange finement râpé

2 feuilles de laurier

125 ml de vin rouge

2 cuil. à soupe de concentré de tomates (double)

2 cuil. à soupe de crème fraîche

1 Laver les foies et ôter les membranes. Les couper chacun en six morceaux.

2 Cuire les pâtes à l'eau bouillante salée jusqu'à ce qu'elles soient *al dente*. Les égoutter et les réserver au chaud.

3 Pendant que les pâtes cuisent, chauffer le beurre dans une poêle et faire revenir l'oignon. Ajouter l'ail, les foies, le zeste d'orange et les feuilles de laurier ; remuer pendant 3 minutes. Retirer les foies à l'aide d'une écumoire. Incorporer le vin rouge, le concentré de tomates et la crème fraîche. Laisser mijoter jusqu'à réduction et épaississement.

4 Remettre les foies dans la poêle et bien les réchauffer. Saler et poivrer. Verser la sauce aux foies sur les pâtes.

VALEURS NUTRITIVES PAR PORTION : *protéines 35 g, lipides 20 g, glucides 90 g, fibres alimentaires 10 g, cholestérol 460 mg, 3 010 kJ (720 kcal)*

POUR ACCOMPAGNER...

BROCOLI AUX GRAINES DE CUMIN
Faire cuire des bouquets de brocoli 2 minutes à l'eau ou à la vapeur. Égoutter soigneusement et les incorporer à un mélange d'huile d'olive, d'ail écrasé et de graines de cumin grillées et légèrement écrasées. Disposer le tout sur une plaque de four et passer au four chaud jusqu'à ce que le brocoli dore sur les bords.

TOMATES CERISES À L'ANETH
Faire revenir des tomates cerises dans un peu de beurre jusqu'à ce que la peau commence à se fendre ; saler, poivrer et parsemer d'aneth haché. Bien remuer et servir immédiatement.

CI-DESSUS : Foies de volaille aux penne

RAVIOLI AU POULET ET SAUCE TOMATE FRAÎCHE

Préparation : 40 minutes
Cuisson : 40 minutes
Pour 4 personnes

★★

1 cuil. à soupe d'huile

1 gros oignon, haché

2 gousses d'ail, écrasées

90 g de concentré de tomates (double)

60 ml de vin rouge

170 ml de bouillon de volaille

2 tomates bien mûres, hachées

1 cuil. à soupe de basilic frais haché

Ravioli

200 g de poulet haché

1 cuil. à soupe de basilic frais haché

25 g de parmesan, râpé

3 oignons nouveaux, finement hachés

CI-DESSOUS : Ravioli au poulet et à la sauce tomate fraîche

50 g de ricotta fraîche

250 g de pâte pour ravioli chinois en paquet

1 Chauffer l'huile dans une casserole et faire revenir l'oignon et l'ail 2 à 3 minutes. Ajouter le concentré de tomate, le vin rouge, le bouillon de volaille et les tomates hachées ; laisser mijoter 20 minutes. Incorporer le basilic et assaisonner.

2 Ravioli : mélanger le poulet, le basilic, le parmesan, l'oignon nouveau et la ricotta ; saler et poivrer. Disposer 24 ronds de pâte sur un plan de travail et les badigeonner d'un peu d'eau. Déposer 1 cuil. à café de farce au centre de chaque rond. Couvrir d'un autre rond de pâte et presser les bords pour les souder.

3 Cuire les ravioli 2 à 3 minutes à l'eau bouillante salée (en plusieurs fois), jusqu'à ce qu'ils soient tendres. Les égoutter et les servir avec la sauce.

VALEURS NUTRITIVES PAR PORTION : *protéines 20 g, lipides 25 g, glucides 50 g, fibres alimentaires 5 g, cholestérol 75 mg, 2 210 kJ (530 kcal)*

FETTUCINE AU POULET ET AU COGNAC

Préparation : 40 minutes
Cuisson : 40 minutes
Pour 4 à 6 personnes

★

10 g de cèpes séchés (porcini)

2 cuil. à soupe d'huile d'olive

2 gousses d'ail, écrasées

200 g de champignons de Paris, émincés

125 g de prosciutto, haché

375 g de fettucine

60 ml de cognac

250 ml de crème liquide

1 poulet cuit, émincé

150 g de petits pois surgelés

20 g de persil frais finement haché

1 Faire tremper les cèpes séchés dans un bol d'eau bouillante. Laisser reposer 10 minutes, les égoutter, les presser et les hacher.

2 Chauffer l'huile dans une grande casserole à fond épais. Faire revenir l'ail 1 minute à feu doux, sans cesser de remuer. Ajouter les deux variétés de champignons et le prosciutto, et prolonger la cuisson de 5 minutes à feu doux, en remuant fréquemment.

3 Pendant ce temps, cuire les pâtes à l'eau bouillante salée jusqu'à ce qu'elles soient *al dente*. Les égoutter et les remettre dans la casserole.

4 Verser le cognac et la crème liquide sur les champignons. Remuer 2 minutes à feu doux. Ajouter le poulet, les petits pois et le persil. Faire cuire 4 à 5 minutes en remuant, jusqu'à ce que le tout soit bien chaud. Verser la sauce au poulet sur les pâtes et bien mélanger.

NOTE : découper les tranches de prosciutto séparément, pour éviter qu'elles ne collent les unes aux autres (on peut les remplacer par du bacon ou du jambon fumé). À défaut de cèpes, utiliser 30 g de champignons noirs séchés.

VALEURS NUTRITIVES PAR PORTION : *protéines 40 g, lipides 35 g, glucides 45 g, fibres alimentaires 5 g, cholestérol 130 mg, 2 900 kJ (690 kcal)*

POUR ACCOMPAGNER...

PANZANELLA Rompre du pain de campagne pas trop frais en morceaux et enduire ceux-ci d'ail écrasé et d'huile. Dans un saladier, les mélanger à du concombre, de la tomate, de l'oignon rouge et des feuilles de basilic frais. Arroser d'huile d'olive et de vinaigre de vin rouge et bien assaisonner. Le pain doit être humide mais pas trop spongieux. On peut également ajouter des anchois ou des œufs durs.

HARICOTS AU BEURRE PERSILLÉ Faire cuire des haricots verts à l'eau bouillante salée jusqu'à ce qu'ils soient tendres mais encore vert vif. Les égoutter et les mettre dans un saladier avec quelques morceaux de beurre persillé. Assaisonner et bien mélanger.

CI-DESSUS : **Fettucine au poulet et au cognac**

PÂTES
ET FRUITS
DE MER

Rien de surprenant à ce que les pâtes et les fruits de mer aillent si bien ensemble. Les Italiens, en effet, récoltent les fruits de la Méditerranée depuis l'aube de la civilisation. Les pâtes par ailleurs ont fait la réputation de leur succulente cuisine.

Comment donc ne pas s'attendre à un mariage harmonieux ?

CALMARS

Les calmars, ou calamars, font partie de la famille des céphalopodes qui comprend également les poulpes et les seiches. Tout comme les poulpes, ils ont dix tentacules, dont deux plus longs terminés par des ventouses. L'étui corporel est allongé et dépourvu de véritable squelette. Le corps et les tentacules sont comestibles ; la chair est ferme, légèrement sucrée. Les calmars se consomment entiers, farcis ou mijotés, ou encore détaillés en lamelles ou en anneaux que l'on peut frire. Une cuisson prolongée les rend caoutchouteux et fades.

CI-DESSUS : Spaghetti marinara

SPAGHETTI MARINARA

Préparation : 40 minutes
Cuisson : 50 minutes
Pour 6 personnes

★

12 moules fraîches

Sauce tomate

2 cuil. à soupe d'huile d'olive

1 oignon, finement haché

1 carotte, émincée

1 piment rouge, épépiné et haché

2 gousses d'ail, écrasées

425 g de tomates en boîte, grossièrement hachées

125 ml de vin blanc

1 cuil. à café de sucre

1 pincée de poivre de Cayenne

60 ml de vin blanc

60 ml de fumet de poisson

1 gousse d'ail, écrasée

375 g de spaghetti

30 g de beurre

125 g de petits tubes de calmar, émincés

125 g de filet de poisson blanc, coupé en dés

200 g de crevettes crues, décortiquées et veine ôtée

30 g de persil frais, haché

200 g de palourdes en boîte, égouttées

1 Gratter et nettoyer les moules. Éliminer celles qui sont ouvertes ou abîmées.

2 Sauce tomate : chauffer l'huile dans une casserole et faire revenir l'oignon et la carotte 10 minutes à feu moyen, jusqu'à ce qu'ils soient légèrement dorés. Ajouter le piment, l'ail, la tomate, le vin blanc, le sucre et le poivre de Cayenne ; laisser mijoter 30 minutes en remuant de temps en temps.

3 Pendant ce temps, chauffer 60 ml de vin blanc avec le fumet de poisson et l'ail dans une grande casserole. Ajouter les moules, couvrir et secouer la casserole 3 à 5 minutes à feu vif. Au bout de 3 minutes, commencer à retirer les moules ouvertes et les réserver. Au bout de 5 minutes, éliminer les moules restées fermées et réserver le jus de cuisson.

4 Cuire les pâtes à l'eau bouillante salée jusqu'à ce qu'elles soient *al dente*. Les égoutter et les réserver au chaud. Pendant ce temps, faire fondre le beurre dans une poêle, ajouter les calmars, le poisson et les crevettes et faire sauter le tout 2 minutes. Réserver. Ajouter le jus de cuisson réservé, les moules, les calmars, le poisson, les crevettes, le persil et les palourdes dans la sauce tomate, et réchauffer doucement le tout. Verser la sauce sur les pâtes, mélanger délicatement et servir immédiatement.

VALEURS NUTRITIVES PAR PORTION : *protéines 30 g, lipides 15 g, glucides 50 g, fibres alimentaires 5 g, cholestérol 225 mg, 2 000 kJ (480 kcal)*

FARFALLE AU THON ET AUX CHAMPIGNONS

Préparation : 15 minutes
Cuisson : 15 minutes
Pour 4 personnes

★

500 g de farfalle

60 g de beurre

1 cuil. à soupe d'huile d'olive

1 oignon, haché

1 gousse d'ail, écrasée

125 g de champignons de Paris, émincés

250 ml de crème liquide

450 g de thon en boîte, égoutté et émietté

1 cuil. à soupe de jus de citron

1 cuil. à soupe de persil frais haché

1 Cuire les pâtes à l'eau bouillante salée jusqu'à ce qu'elles soient *al dente*. Les égoutter et les remettre au chaud dans la casserole.

2 Pendant que les pâtes cuisent, chauffer le beurre et l'huile dans une grande poêle. Faire revenir l'oignon et l'ail en remuant à feu doux jusqu'à ce que l'oignon soit tendre. Ajouter les champignons et prolonger la cuisson de 2 minutes. Incorporer la crème liquide et porter à ébullition. Baisser le feu et laisser mijoter jusqu'à ce que la sauce commence à épaissir.

3 Ajouter le thon émietté, le jus de citron, le persil, du sel et du poivre, et bien mélanger. Réchauffer à feu doux, en remuant constamment. Verser la sauce sur les farfalle et mélanger délicatement le tout.

NOTE : on peut remplacer le thon par du saumon en boîte, égoutté et émietté.

VALEURS NUTRITIVES PAR PORTION : *protéines 45 g, lipides 50 g, glucides 90 g, fibres alimentaires 10 g, cholestérol 145 mg, 4 100 kJ (980 kcal)*

THON

Le thon est un poisson de surface très vigoureux; sa chair est dense et musclée. Il s'adapte tout particulièrement aux plats mijotés et aux cuissons longues, mais on peut tout aussi bien le consommer légèrement revenu à la poêle ou cru, comme dans les sashimis japonais. La chair crue offre une jolie couleur rose sombre et se coupe en tranches épaisses sans se briser.

CI-DESSUS : Farfalle au thon et aux champignons

CREVETTES À LA CRÈME ET AUX FETTUCINE

Préparation : 30 minutes
Cuisson : 15 minutes
Pour 4 personnes

★

500 g de fettucine

500 g de crevettes crues

30 g de beurre

1 cuil. à soupe d'huile d'olive

6 oignons nouveaux, hachés

1 gousse d'ail, écrasée

250 ml de crème liquide

2 cuil. à soupe de persil frais haché,
    pour la garniture

*CI-DESSOUS : Crevettes
à la crème
et aux fettucine*

1 Cuire les pâtes à l'eau bouillante salée jusqu'à ce qu'elles soient *al dente*. Les égoutter et les remettre dans la casserole.

2 Pendant que les fettucine cuisent, décortiquer et ôter la veine des crevettes. Chauffer le beurre et l'huile dans une poêle et faire revenir l'oignon et l'ail 1 minute à feu doux. Ajouter les crevettes et les cuire 2 à 3 minutes, jusqu'à ce qu'elles changent de couleur. Retirer les crevettes de la poêle et les réserver. Mettre la crème dans la poêle et porter à ébullition. Baisser le feu et laisser mijoter jusqu'à ce que la sauce commence à épaissir. Remettre les crevettes dans la poêle, saler, poivrer et prolonger la cuisson d'1 minute.

3 Verser les crevettes et la sauce sur les pâtes chaudes et remuer délicatement. Servir avec du persil haché.

NOTE : pour varier, ajouter 1 poivron rouge émincé et 1 poireau très finement émincé à l'étape 1. Remplacer les crevettes par des coquilles Saint-Jacques ou un mélange des deux.

VALEURS NUTRITIVES PAR PORTION : *protéines 35 g, lipides 40 g, glucides 90 g, fibres alimentaires 7 g, cholestérol 320 mg, 3 660 kJ (875 kcal)*

POUR ACCOMPAGNER...

SALADE DE CRESSON, SAUMON ET CAMEMBERT Retirer les tiges du cresson (500 g environ) et en garnir un grand plat. Couvrir de 10 tranches de saumon fumé, 200 g de camembert en fines tranches, 2 cuil. à soupe de câpres et 1 oignon rouge finement émincé. Confectionner une sauce avec 2 cuil. à soupe de jus de citron frais, 1 cuil. à café de miel et 90 ml d'huile d'olive. En arroser la salade et saupoudrer de poivre noir concassé et de ciboulette ciselée.

SALADE DE CHAMPIGNONS MARINÉS Préparer et couper en deux 500 g de petits champignons de Paris. Les mettre dans un saladier avec 4 oignons nouveaux finement hachés, 1 poivron rouge coupé en petits dés et 2 cuil. à soupe de persil plat haché. Faire la sauce en mélangeant 3 gousses d'ail écrasées, 3 cuil. à soupe de vinaigre de vin blanc, 2 cuil. à café de moutarde et 80 ml d'huile d'olive. Verser la sauce sur les champignons et bien mélanger. Couvrir et réfrigérer 3 heures avant de servir.

CROQUETTES DE CRABE À LA SALSA ÉPICÉE

Préparation : 40 minutes + 30 minutes
de réfrigération
Cuisson : 35 minutes
Pour 6 personnes

★

Salsa épicée

2 grosses tomates bien mûres, coupées
en petits morceaux

1 oignon, finement haché

2 gousses d'ail, écrasées

1 cuil. à café d'origan sec

2 cuil. à soupe de sauce de piment douce

100 g de pâtes « cheveux d'ange », brisées
en courts tronçons

600 g de chair de crabe

2 cuil. à soupe de persil frais finement haché

1 petit poivron rouge, finement haché

3 cuil. à soupe de parmesan fraîchement râpé

30 g de farine

2 oignons nouveaux, finement hachés

2 œufs, légèrement battus

2 à 3 cuil. à soupe d'huile, pour la friture

1 Salsa épicée : mélanger tous les ingrédients dans
un bol et laisser reposer 1 heure à température
ambiante.
2 Cuire les pâtes à l'eau bouillante salée jusqu'à ce
qu'elles soient *al dente* ; égoutter.
3 Presser la chair de crabe pour ôter tout excédent
d'eau et la mettre dans un saladier avec les pâtes, le
persil, le poivron, le parmesan, la farine, l'oignon
et du poivre. Ajouter les œufs battus et bien
mélanger.
4 Former 12 petites galettes épaisses, couvrir et
laisser reposer 30 minutes au réfrigérateur.
5 Chauffer l'huile dans une grande casserole à
fond épais et faire rissoler les croquettes à feu
moyen ou vif, en plusieurs fois, jusqu'à ce qu'elles
soient bien dorées. Servir immédiatement avec la
salsa.

VALEURS NUTRITIVES PAR PORTION : *protéines 20 g,
lipides 10 g, glucides 25 g, fibres alimentaires 3 g,
cholestérol 150 mg, 1 200 kJ (290 kcal)*

POUR ACCOMPAGNER...

**SALADE DE HARICOTS NOIRS À LA
CORIANDRE** Peler et épépiner 3 grosses
tomates bien mûres et hacher finement la
pulpe. Les mettre dans un saladier avec le jus
d'1 citron vert, quelques fines rondelles de
concombre et une bonne poignée de feuilles
de coriandre fraîches. Ajouter 1 boîte de
haricots noirs égouttés et 1 cuil. à soupe
d'huile d'olive. Bien assaisonner.

COURGETTES ET TOMATES À L'AIL Faire
revenir des petits dés de courgette dans de
l'huile d'olive avec 1 gousse d'ail écrasée,
jusqu'à ce qu'ils soient bien dorés sur toutes
leurs faces. Ajouter de la tomate fraîche
hachée ; saler et poivrer. Servir tant que les
courgettes sont craquantes.

CRABES

De la famille des crustacés,
le crabe est relativement
pauvre en chair. Les petits
crabes de littoral s'utilisent
surtout pour parfumer les
bouillons et les plats mijotés.
S'ils sont pêchés alors que
leur nouvelle carapace est
encore molle, on peut les
consommer entiers, cara-
pace et pinces comprises.
Certains, comme le crabe
d'Alaska, sont munis
d'énormes pinces très riches
en chair. La chair du crabe
est douce et délicate.

*CI-DESSUS : **Croquettes de
crabe à la salsa épicée***

SAUMON

Le saumon est recherché pour sa délicate saveur, sa jolie couleur rose et sa chair fine. Il se conserve bien et peut être séché, fumé ou mis en conserve. Le saumon est un poisson migratoire qui vit dans la mer mais fraie dans l'eau douce. Comme il ne se nourrit pas dans les eaux de rivière, sa chair est très maigre au moment où il retourne à la mer. Il y a des exceptions : certains saumons vivent dans des lacs d'eau douce, et remontent leurs affluents pour frayer. La chair de ces poissons est considérée comme de qualité inférieure, autant pour son goût que pour sa texture, mais les élevages d'aujourd'hui et le contrôle de la production assurent une constante amélioration de la qualité du saumon.

SAUMON ET PÂTES SAUCE MORNAY

Préparation : 15 minutes
Cuisson : 10 à 15 minutes
Pour 4 personnes

★

400 g de conchiglie

30 g de beurre

6 oignons nouveaux, hachés

2 gousses d'ail, écrasées

1 cuil. à soupe de farine

250 ml de lait

250 g de crème fraîche

1 cuil. à soupe de jus de citron

425 g de saumon en boîte, égoutté et émietté

30 g de persil frais, haché

1 Cuire les pâtes à l'eau bouillante salée jusqu'à ce qu'elles soient *al dente*. Les égoutter et les remettre au chaud dans la casserole.

2 Pendant que les pâtes cuisent, chauffer le beurre dans une casserole et faire revenir l'oignon et l'ail 3 minutes à feu doux, en remuant. Ajouter la farine et remuer pendant 1 minute. Dans un bol, mélanger le lait, la crème fraîche et le jus de citron. Ajouter peu à peu ce mélange aux oignons, sans cesser de remuer. Continuer à remuer pendant 3 minutes à feu moyen, jusqu'à ébullition et épaississement.

3 Ajouter le saumon et le persil et remuer le tout 1 minute. Verser la sauce sur les pâtes et bien mélanger. Saler et poivrer avant de servir.

NOTE : pour varier, on peut remplacer le saumon par une boîte de thon égoutté et émietté, ou encore ajouter 1 cuil. à café de moutarde à la sauce.

VALEURS NUTRITIVES PAR PORTION : *protéines 40 g, lipides 40 g, glucides 80 g, fibres alimentaires 5 g, cholestérol 190 mg, 3 550 kJ (850 kcal)*

CI-DESSUS : Saumon et pâtes sauce Mornay

SPAGHETTI AUX CALMARS PIMENTÉS

Préparation : 20 minutes
Cuisson : 20 minutes
Pour 4 personnes

★ ★

500 g de calmars, nettoyés

500 g de spaghetti

2 cuil. à soupe d'huile d'olive

1 poireau, haché

2 gousses d'ail, écrasées

1 à 2 cuil. à café de piment haché

1/2 cuil. à café de poivre de Cayenne

425 g de tomates en boîte, grossièrement hachées

125 ml de fumet de poisson (voir Note en marge)

1 cuil. à soupe de basilic frais haché

2 cuil. à café de sauge fraîche hachée

1 cuil. à café de marjolaine fraîche hachée

1 Écarter les tentacules du corps des calamars. Avec les doigts, retirer la «plume» interne et éliminer la peau. À l'aide d'un couteau tranchant, fendre les tubes sur un côté afin de les ouvrir. Mettre la chair à plat et inciser une face d'un quadrillage en losanges. Couper chaque calmar en quatre.

2 Cuire les pâtes à l'eau bouillante salée jusqu'à ce qu'elles soient *al dente*. Les égoutter et les réserver au chaud.

3 Pendant que les spaghetti cuisent, chauffer l'huile dans une grande poêle et faire revenir le poireau pendant 2 minutes. Ajouter l'ail et remuer 1 minute à feu doux. Incorporer le piment et le poivre de Cayenne. Ajouter les tomates, le fumet de poisson et les herbes aromatiques ; porter à ébullition. Baisser le feu et laisser mijoter 5 minutes.

4 Mettre les calmars dans la poêle et prolonger la cuisson de 5 à 10 minutes, jusqu'à ce qu'ils soient tendres. Servir sur un lit de spaghetti.

VALEURS NUTRITIVES PAR PORTION : *protéines 35 g, lipides 15 g, glucides 90 g, fibres alimentaires 10 g, cholestérol 250 mg, 2 670 kJ (640 kcal)*

FUMET DE POISSON

On peut l'acheter sous forme de poudre ou en cubes. Mais il est possible de le préparer soi-même et le congeler. Faire fondre 1 cuil. à soupe de beurre dans une grande casserole et faire revenir 2 oignons finement hachés 10 minutes à feu doux, jusqu'à ce qu'ils soient tendres mais pas dorés. Ajouter 2 l d'eau, 1,5 kg d'arêtes, de têtes et de queues de poisson, ainsi qu'un bouquet garni. Laisser mijoter 20 minutes environ, en écumant la mousse superficielle. Passer le fumet au tamis fin avant de le réfrigérer. Utiliser du poisson à chair blanche car les poissons à chair riche et colorée rendraient le fumet trop gras.

CI-DESSUS : Spaghetti aux calmars pimentés

3 Ajouter les crevettes et prolonger la cuisson de 5 minutes, jusqu'à ce que les crevettes soient dorées. Incorporer la salsa et la crème liquide et porter à ébullition. Baisser le feu et laisser mijoter 3 à 5 minutes, jusqu'à ce que la sauce commence à épaissir. Répartir les pâtes dans quatre assiettes et garnir de sauce et de persil.

VALEURS NUTRITIVES PAR PORTION : *protéines 55 g, lipides 40 g, glucides 95 g, fibres alimentaires 8 g, cholestérol 385 mg, 4 105 kJ (975 kcal)*

TAGLIATELLE AUX CREVETTES ET AUX FEUILLES DE CITRONNIER

Préparation : 1 heure 30 + 1 heure de séchage
Cuisson : 12 à 15 minutes
Pour 4 personnes

✶ ✶ ✶

Tagliatelle

250 g de farine, tamisée + un peu pour fariner

15 g de persil, broyé ou très finement haché

3 cuil. à café d'huile aromatisée

3 cuil. à café d'huile de lime

1 cuil. à café de sel

3 œufs, battus

Sauce

20 g de beurre

1 oignon, haché

1 cuil. à café de gingembre frais râpé

125 ml de sauce de poisson

90 ml de sauce de piment douce

Jus et zeste d'1 citron vert

6 feuilles de citronnier kaffir, hachées

440 ml de lait de coco

1 kg de gambas décortiquées, veine ôtée
   et queue intacte

125 ml de crème liquide

1 Tagliatelle : passer la farine, le persil, les huiles, le sel et les œufs 2 à 3 minutes au mixeur, jusqu'à obtention d'une pâte souple et malléable (elle ne formera pas de boule). Transférer sur une planche à découper farinée et la diviser en trois ou quatre portions à l'aide d'un couteau fariné. Couvrir d'un torchon humide.
2 Régler les cylindres de la machine à pâtes à l'écartement maximal. Fariner légèrement une portion de pâte et la faire glisser dans la machine, en la recueillant sur une surface farinée. Replier la

CREVETTES À LA MEXICAINE

Préparation : 20 minutes
Cuisson : 15 minutes
Pour 4 personnes

✶

500 g de rigatoni

1 cuil. à soupe d'huile

2 gousses d'ail, écrasées

2 piments rouges, finement hachés

3 oignons nouveaux, émincés

750 g de crevettes crues, décortiquées, veine ôtée

300 g de salsa (sauce mexicaine épicée) en bocal

375 ml de crème liquide

2 cuil. à soupe de persil frais haché,
   pour la garniture

1 Cuire les pâtes à l'eau bouillante salée jusqu'à ce qu'elles soient *al dente* ; égoutter.
2 Chauffer l'huile et faire revenir l'ail, le piment et l'oignon nouveau 2 minutes à feu moyen jusqu'à ce que l'ail soit tendre et doré.

*CI-DESSUS : Crevettes
à la mexicaine*

pâte en trois, la tourner de 90° et la repasser dans la machine, après l'avoir farinée pour éviter qu'elle ne colle aux cylindres. Ce procédé permet de pétrir la pâte ; il doit être répété une dizaine de fois. Ensuite, en réduisant d'un cran l'écartement des rouleaux, passer la pâte afin de l'amincir (elle ne doit plus être pliée). Chaque fois que vous faites glisser la pâte, rapprocher les rouleaux d'un cran, jusqu'à ce que vous atteigniez le troisième cran avant l'écartement minimal. On peut éventuellement couper la pâte en deux au niveau du 3ᵉ ou 4ᵉ cran, car trop longue elle est difficile à manipuler.

3 Égaliser le bord des bandes de pâte et les découper en tagliatelle avec le jeu de lames approprié. Les suspendre sur des manches de cuillère en bois reposant entre deux dossiers de chaise, et les laisser sécher ainsi 10 à 15 minutes (veiller à ne pas les faire sécher plus longtemps ni les exposer à un courant d'air). Les disposer en nids sur un torchon fariné et les saupoudrer de farine. Laisser sécher au moins 1 heure.

4 Dans une grande casserole d'eau, ajouter 1 cuil. à café d'huile de citronnier, d'huile d'olive et de sel. Porter à ébullition, plonger les tagliatelle et les cuire *al dente*. Égoutter et réserver au chaud.

5 Sauce : faire fondre le beurre dans une casserole à fond épais et faire revenir l'oignon à feu moyen jusqu'à ce qu'il soit tendre. Ajouter le gingembre, la sauce de poisson, la sauce de piment, le jus et le zeste de citron vert ainsi que les feuilles de citronnier. Cuire 1 à 2 minutes avant d'incorporer le lait de coco. Laisser mijoter 10 minutes à feu doux.

6 Ajouter les crevettes et la crème. Prolonger la cuisson de 3 à 4 minutes, en veillant à ne pas trop cuire les crevettes.

7 Avant de servir, répartir les pâtes dans les assiettes réchauffées et verser la sauce dessus.

NOTE : pour confectionner soi-même de l'huile aromatisée, passer 30 g de feuilles de basilic et 15 g de persil au mixeur. Ajouter ce mélange à 15 ml d'huile d'olive vierge extra et chauffer 2 minutes à feu très doux. Laisser refroidir et passer l'huile. Dans la recette ci-dessus, on peut remplacer l'huile de lime par 3 cuil. à café d'huile d'olive et 2 cuil. à café de zeste de citron vert finement râpé.

VALEURS NUTRITIVES PAR PORTION : *protéines 70 g, lipids 50 g, glucides 70 g, fibres alimentaires 4 g, cholestérol 555 mg, 4 245 kJ (1010 kcal)*

FEUILLES DE CITRONNIER KAFFIR

Le citronnier kaffir donne un fruit vert foncé à la peau rugueuse, et des feuilles ressemblant à deux petites feuilles mises bout à bout. L'écorce et le jus du fruit ont un goût et un parfum très forts, utilisé dans les soupes et les currys asiatiques. Les feuilles fraîches, que l'on ne peut remplacer par des feuilles de citron vert, s'emploient entières pour parfumer les currys, ou finement hachées dans les salades. L'écorce du fruit, très âcre, est râpée sur les salades. Les feuilles de citronnier s'achètent dans les épiceries asiatiques ; elles se congèlent bien dans des sacs hermétiques. Les feuilles sèches sont également disponibles mais ne s'utilisent que dans les plats cuisinés.

CI-DESSUS : **Tagliatelle aux crevettes et aux feuilles de citronnier**

CAVIAR ROUGE

Les œufs de certains poissons de la famille de l'esturgeon forment ce que l'on appelle le caviar. Il en existe plusieurs qualités, suivant le poisson dont il est extrait, et sa couleur varie du noir au rose saumon, en passant par le brun, le gris et le doré. Le caviar «rouge», ou œufs de saumon, est en fait orange pâle. Les œufs doivent être luisants et fermes, pas trop salés et sans goût de poisson.

CI-DESSOUS : Fettucine au caviar rouge

FETTUCINE AU CAVIAR ROUGE

Préparation : 15 minutes
Cuisson : 15 minutes
Pour 4 personnes

★

2 œufs durs

4 oignons nouveaux

150 g de crème fraîche légère

50 g d'œufs de saumon

2 cuil. à soupe d'aneth frais haché

1 cuil. à soupe de jus de citron

500 g de fettucine

1 Écailler les œufs et les hacher en petits morceaux. Éliminer la partie verte des oignons nouveaux et hacher finement la pulpe blanche.
2 Dans un bol, mélanger la crème fraîche, l'œuf,

l'oignon, le caviar, l'aneth, le jus de citron et du poivre. Réserver.
3 Cuire les pâtes à l'eau bouillante salée jusqu'à ce qu'elles soient *al dente*. Les égoutter et les remettre au chaud dans la casserole.
4 Verser la préparation au caviar sur les pâtes et bien mélanger. Garnir d'un brin d'aneth.
NOTE : utiliser de préférence de gros œufs de saumon, et non pas la variété de tout petits œufs vendue en supermarché.

VALEURS NUTRITIVES PAR PORTION : *protéines 20 g, lipides 15 g, glucides 90 g, fibres alimentaires 5 g, cholestérol 165 mg, 2 950 kJ (700 kcal)*

PÂTES AUX FRUITS DE MER PARFUMÉES

Préparation : 30 minutes
Cuisson : 20 minutes
Pour 4 personnes

★

500 g de conchiglie

2 à 3 cuil. à soupe d'huile d'olive légère

4 oignons nouveaux, finement émincés

1 petit piment, finement haché

500 g de crevettes crues décortiquées, veine ôtée et queue intacte

250 g de noix de Saint-Jacques, coupées en deux

15 g de coriandre fraîche hachée

60 ml de jus de citron vert

2 cuil. à soupe de sauce de piment douce

1 cuil. à soupe de sauce de poisson

2 cuil. à soupe d'huile de sésame

Zeste de citron vert râpé, pour la garniture

1 Cuire les pâtes à l'eau bouillante salée jusqu'à ce qu'elles soient *al dente*.
2 Pendant que les pâtes cuisent, chauffer l'huile dans une casserole et ajouter les oignons nouveaux, le piment, les crevettes et les noix de Saint-Jacques. Remuer constamment à feu moyen jusqu'à ce que les crevettes rosissent et que les noix de Saint-Jacques soient tout juste cuites. Retirer immédiatement du feu. Incorporer la coriandre, le jus de citron vert, la sauce de piment et la sauce de poisson.
3 Égoutter les pâtes et les remettre dans la casserole. Les enduire d'huile de sésame, ajouter la préparation aux fruits de mer et mélanger délicatement. Garnir les pâtes de zeste de citron vert.

VALEURS NUTRITIVES PAR PORTION : *protéines 45 g, lipides 40 g, glucides 90 g, fibres alimentaires 5 g, cholestérol 260 mg, 3 885 kJ (925 kcal)*

FRUITS DE MER ÉPICÉS À LA SAUCE TOMATE

Préparation : 25 minutes
Cuisson : 30 minutes
Pour 4 personnes

★

8 moules fraîches

1 cuil. à café d'huile d'olive

1 gros oignon, haché

3 gousses d'ail, finement hachées

2 petits piments rouges, épépinés et
    finement hachés

820 g de tomates en boîte

2 cuil. à soupe de concentré de tomates

1/2 cuil. à café de poivre noir concassé

125 ml de bouillon de légumes

2 cuil. à soupe de Pernod

650 g de mélange « marinara » (voir Note)

2 cuil. à soupe de persil plat haché

1 cuil. à soupe d'aneth frais haché

350 g de bucatini

1 Gratter et nettoyer les moules.
2 Chauffer l'huile dans une grande casserole et faire revenir l'oignon, l'ail et le piment 1 à 2 minutes. Incorporer les tomates, le concentré de tomates, le poivre, le bouillon et le Pernod. Baisser le feu et laisser mijoter 8 à 10 minutes. Retirer la sauce du feu et la laisser refroidir légèrement avant de la passer au mixeur.
3 Remettre la sauce dans la casserole, ajouter le mélange « marinara » et laisser mijoter 4 minutes.

Ajouter les moules et les fines herbes et prolonger la cuisson de 1 à 2 minutes jusqu'à ce que les moules s'ouvrent. Éliminer toutes celles qui sont restées fermées.
4 Pendant ce temps, cuire les pâtes à l'eau bouillante salée jusqu'à ce qu'elles soient *al dente* ; les égoutter soigneusement. Les répartir dans 4 assiettes et verser la sauce dessus.
NOTE : le mélange « marinara » est une combinaison de fruits de mer crus disponibles dans les poissonneries. Il se compose généralement de noix de Saint-Jacques, de crevettes, de moules et de rondelles de calmar. On peut toutefois utiliser une seule sorte de fruits de mer, comme les crevettes ou les calmars.

VALEURS NUTRITIVES PAR PORTION : *protéines 45 g, lipides 5 g, glucides 80 g, fibres alimentaires 10 g, cholestérol 265 mg, 2 380 kJ (570 kcal)*

CI-DESSUS : *Pâtes aux fruits de mer parfumées*
CI-DESSOUS : *Fruits de mer épicés à la sauce tomate*

2 Pendant que les pâtes cuisent, chauffer 2 cuil. à soupe d'huile d'olive dans une casserole à fond épais et faire revenir l'ail et le piment 1 minute à feu doux. Ajouter les tomates hachées avec leur jus et le sucre. Remuer doucement à feu doux pendant 5 minutes, jusqu'à ce que la tomate soit chaude.

3 Ajouter le saumon et le basilic, saler et poivrer. Mélanger les pâtes et la sauce avant de servir.

VALEURS NUTRITIVES PAR PORTION : *protéines 25 g, lipides 10 g, glucides 60 g, fibres alimentaires 5 g, cholestérol 55 mg, 1 930 kJ (460 kcal)*

SPAGHETTINI AU SAUMON ET À L'AIL

Préparation : 10 minutes
Cuisson : 20 minutes
Pour 4 à 6 personnes

☆

4 petits filets de saumon frais (de 100 g chacun environ)

4 à 5 cuil. à soupe d'huile d'olive vierge extra

8 à 10 gousses d'ail, pelées

300 g de spaghettini secs

50 g de fenouil, finement émincé

1 1/2 cuil. à café de zeste de citron vert finement râpé

2 cuil. à soupe de jus de citron vert

4 bouquets de feuilles de fenouil, pour la garniture

1 Préchauffer le four à 220 °C et huiler un plat à four en céramique. Badigeonner les filets de saumon de 2 cuil. à soupe d'huile d'olive, saler légèrement et les disposer en une seule couche dans le plat.

2 Émincer les gousses d'ail dans le sens de la longueur et les répartir sur les filets de saumon. Badigeonner légèrement d'huile d'olive et enfourner 10 à 15 minutes, jusqu'à ce que le saumon soit cuit.

3 Pendant ce temps, cuire les pâtes à l'eau bouillante salée jusqu'à ce qu'elles soient *al dente*. Les égoutter et les enduire d'huile d'olive. Incorporer le fenouil et le zeste de citron vert et répartir dans les assiettes préalablement chauffées.

4 Garnir chaque assiette d'un filet de saumon et verser dessus le jus de cuisson. Arroser le tout de jus de citron vert et garnir de feuilles de fenouil. Accompagner ce plat d'une salade de tomates.

VALEURS NUTRITIVES PAR PORTION (**6**) : *protéines 30 g, lipides 30 g, glucides 55 g, fibres alimentaires 5 g, cholestérol 70 mg, 2 640 kJ (630 kcal)*

PAPPARDELLE

Les pappardelle sont de longues nouilles plates, semblables aux fettucine mais beaucoup plus larges (30 mm environ). Elles sont idéales pour les sauces fortes, riches ou épaisses et accompagnent à merveille le gibier et les abats. Elles présentent parfois un ou deux bords dentelés, ce qui les fait ressembler à des lasagnette, bien que celles-ci soient deux fois moins larges. On peut d'ailleurs les substituer les unes aux autres dans la plupart des recettes.

CI-DESSUS : Pappardelle au saumon

PAPPARDELLE AU SAUMON

Préparation : 15 minutes
Cuisson : 25 minutes
Pour 6 personnes

☆

500 g de pappardelle

2 gousses d'ail, finement hachées

1 cuil. à café de piment frais haché

500 g de tomates bien mûres, hachées

1 cuil. à café de sucre roux

425 g de saumon rose en boîte, égoutté et émietté

30 g de basilic frais, haché

1 Cuire les pappardelle à l'eau bouillante salée jusqu'à ce qu'elles soient *al dente*. Les égoutter et les remettre au chaud dans la casserole.

TAGLIATELLE AUX POULPES

Préparation : 30 minutes
Cuisson : 25 minutes
Pour 4 personnes

★

500 g de tagliatelle mixtes

1 kg de mini-poulpes

2 cuil. à soupe d'huile d'olive

1 oignon, émincé

1 gousse d'ail, écrasée

425 g de purée de tomates (passata)

125 ml de vin blanc sec

1 cuil. à soupe de sauce de piment en bocal

1 cuil. à soupe de basilic frais haché

1 Cuire les pâtes à l'eau bouillante salée jusqu'à ce qu'elles soient *al dente*. Les égoutter et les remettre au chaud dans la casserole.

2 Nettoyer les poulpes à l'aide d'un petit couteau tranchant : les vider en coupant la tête entièrement ou en l'incisant suffisamment pour retirer les intestins. Faire ressortir le bec en insérant l'index à l'intérieur du corps ; l'éliminer. Laver soigneusement les poulpes vidés et les essuyer avec du papier absorbant. Les couper éventuellement en deux et réserver.

3 Pendant que les pâtes cuisent, chauffer l'huile dans une grande poêle et faire revenir l'oignon et l'ail à feu doux, jusqu'à ce que l'oignon soit tendre. Ajouter la purée de tomates, le vin, la sauce de piment, le basilic, du sel et du poivre. Porter à ébullition, baisser le feu et laisser mijoter 10 minutes.

4 Mettre les poulpes dans la poêle et prolonger la cuisson de 5 à 10 minutes, jusqu'à ce qu'ils soient tendres. Servir sur les pâtes.

VALEURS NUTRITIVES PAR PORTION : *protéines 50 g, lipides 15 g, glucides 95 g, fibres alimentaires 10 g, cholestérol 0 mg, 3 130 kJ (750 kcal)*

CI-DESSUS : **Tagliatelle aux poulpes**

PÂTES À LA MORUE ET AU SÉSAME

Préparation : 25 minutes
Cuisson : 10 minutes
Pour 4 personnes

★

320 g de morue fumée ou autre gros poisson
  frais et fumé, comme le haddock
125 ml de lait
400 g de casereccie à la tomate
1 carotte
4 cuil. à soupe d'huile d'arachide
1 petit oignon, émincé
150 g de pousses de soja
1 1/2 cuil. à café de sauce de soja
1 cuil. à café d'huile de sésame
1 cuil. à soupe de graines de sésame grillées

1 Mettre le poisson dans une casserole avec le lait, ajouter suffisamment d'eau pour couvrir et faire pocher 5 minutes, jusqu'à ce qu'il soit tendre. Rincer à l'eau froide pour le refroidir et ôter l'écume du lait. Émietter le poisson en gros morceaux en éliminant la peau et les arêtes. Réserver.
2 Cuire les pâtes à l'eau bouillante salée jusqu'à ce qu'elles soient *al dente* ; égoutter.
3 Émincer la carotte en fines rondelles obliques. Chauffer 3 cuil. à soupe d'huile d'arachide dans une grande poêle ou un wok et faire revenir la carotte et l'oignon jusqu'à ce qu'ils soient juste cuits. Incorporer les pousses de soja, la sauce de soja et l'huile de sésame. Saler et poivrer.
4 Mettre les pâtes, les graines de sésame, le poisson préparé et le reste d'huile d'arachide dans la poêle. Remuer délicatement et servir immédiatement.

VALEURS NUTRITIVES PAR PORTION : *protéines 30 g, lipides 25 g, glucides 75 g, fibres alimentaires 8 g, cholestérol 45 mg, 2 725 kJ (650 kcal)*

FRITTATA À LA TRUITE, AU FENOUIL ET AUX FETTUCINE

Préparation : 20 minutes
Cuisson : 1 heure
Pour 4 à 6 personnes

★

250 g de truite fumée entière
200 g de fettucine sèches
250 ml de lait
125 ml de crème liquide
4 œufs
1 pincée de muscade
40 g de fenouil finement émincé + des graines
  de fenouil pour la garniture
4 oignons nouveaux, émincés
85 g de fromage, râpé

1 Préchauffer le four à 180 °C. Huiler une poêle résistant au four ou un moule à tarte. Éliminer la peau et les arêtes de la truite.
2 Cuire les pâtes à l'eau bouillante salée jusqu'à ce qu'elles soient *al dente* ; égoutter.
3 Dans un saladier, mélanger le lait, la crème liquide, les œufs et la muscade ; bien battre. Saler et poivrer. Ajouter la truite, les fettucine, le fenouil et l'oignon nouveau ; bien mélanger. Verser la préparation dans le moule, parsemer de fromage râpé et enfourner 1 heure environ. Garnir de 2 à 3 bouquets de graines de fenouil avant de servir.

VALEURS NUTRITIVES PAR PORTION : *protéines 25 g, lipides 20 g, glucides 25 g, fibres alimentaires 2 g, cholestérol 195 mg, 1 615 kJ (385 kcal)*

POUR ACCOMPAGNER...

TABOULÉ Faire tremper 130 g de boulgour dans 185 ml d'eau, pendant 15 minutes, jusqu'à ce que toute l'eau soit absorbée. Hacher finement les feuilles de 2 bouquets (300 g) de persil plat et mélanger avec 25 g de menthe fraîche hachée, 3 tomates mûres hachées et 4 oignons nouveaux finement hachés. Confectionner une sauce avec 3 gousses d'ail écrasées, 80 ml de jus de citron et 60 ml d'huile d'olive. Verser la sauce sur le taboulé et bien mélanger.

FENOUIL
Le fenouil se reconnaît à sa saveur anisée et à son croquant caractéristique. Cru et émincé, il s'utilise dans les salades et en antipasto. Braisé, il accompagne très bien les fruits de mer et le porc. Choisissez des bulbes fermes et bien formés, dotés de nombreuses tiges. Les tiges internes blanches s'utilisent aussi bien que les feuilles ; hachées, celles-ci donnent du goût aux salades et aux poissons et parfument les sauces à base de fruits de mer. Les graines de fenouil séchées jouent un rôle important dans les mélanges d'épices et s'utilisent pour aromatiser toutes sortes de mets, du pain au salami.

PAGE CI-CONTRE : Pâtes à la morue et au sésame (en haut), Frittata à la truite, au fenouil et aux fettucine.

COQUILLES SAINT-JACQUES

La coquille Saint-Jacques est un mollusque fort apprécié pour ses qualités culinaires. On peut pocher, sauter ou cuire au four les noix; ou bien les griller légèrement dans leur coquille avec un peu d'assaisonnement. Les coquilles Saint-Jacques s'accommodent très bien de lait, de beurre et de crème fraîche, mais également de vin blanc. Le temps de cuisson doit être bref afin d'éviter que la chair ne devienne caoutchouteuse.

CI-DESSUS : Ravioli crémeux aux fruits de mer

RAVIOLI CRÉMEUX AUX FRUITS DE MER

Préparation : I heure + 30 minutes de repos
Cuisson : 30 minutes
Pour 4 personnes

★

Pâte

250 g de farine

3 œufs + I jaune supplémentaire

I cuil. à soupe d'huile d'olive

Farce

50 g de beurre, ramolli

3 gousses d'ail, finement hachées

2 cuil. à soupe de persil plat finement haché

100 g de noix de Saint-Jacques, nettoyées et
    finement hachées

100 g de crevettes crues décortiquées,
    finement hachées

Sauce

75 g de beurre

3 cuil. à soupe de farine

375 ml de lait

300 ml de crème liquide

125 ml de vin blanc

50 g de parmesan, râpé

2 cuil. à soupe de persil plat haché

I Pâte : tamiser la farine et 1 pincée de sel dans une terrine ; creuser un puits au centre. Battre les œufs, l'huile et 1 cuil. à soupe d'eau dans un bol, puis verser ce mélange peu à peu sur la farine et former une boule ferme.

2 Pétrir la pâte 5 minutes sur un plan de travail fariné, jusqu'à ce qu'elle soit homogène et souple. Transférer dans un saladier légèrement huilé, couvrir de film plastique et laisser reposer 30 minutes.

3 Farce : mélanger le beurre, l'ail, le persil, les noix de Saint-Jacques et les crevettes. Réserver.

4 Étendre un quart de la pâte à la fois, jusqu'à ce

qu'elle soit très fine (chaque bande de pâte doit faire environ 10 cm de large une fois étalée). Déposer 1 cuil. à café de farce tous les 5 cm, le long d'un côté de chaque bande. Battre le jaune d'œuf avec 3 cuil. à soupe d'eau. Passer de l'œuf sur un côté de la bande et entre les tas de farce. Replier la pâte de façon qu'elle recouvre la farce. Répéter avec le reste de pâte et de farce. Presser les bords afin de les souder.

5 À l'aide d'un couteau ou d'une roulette de pâtissier, découper des carrés entre chaque tas de farce. Les faire cuire en plusieurs fois 6 minutes à l'eau bouillante salée (pendant ce temps, préparer la sauce). Bien égoutter et remettre au chaud dans la casserole.

6 Sauce : faire fondre le beurre dans une casserole, ajouter la farine et remuer 2 minutes à feu doux. Retirer du feu et incorporer peu à peu le mélange de lait, crème et vin. Faire cuire à feu doux jusqu'à ce que la sauce commence à épaissir, en remuant constamment pour éviter la formation de grumeaux. Porter à ébullition et laisser mijoter 5 minutes à petit feu. Ajouter le parmesan et le persil et bien mélanger. Retirer du feu, verser sur les ravioli et bien mélanger.

NOTE : on laisse reposer la pâte 30 minutes afin que le gluten de la farine se libère. Sinon, la pâte risque d'être trop dure.

VALEURS NUTRITIVES PAR PORTION : *protéines 30 g, lipides 70 g, glucides 60 g, fibres alimentaires 5 g, cholestérol 430 mg, 4 255 kJ (1 020 kcal)*

MOULES À LA SAUCE TOMATE

Préparation : 20 minutes
Cuisson : 20 minutes
Pour 4 personnes

★

500 g de penne ou de rigatoni

1 cuil. à soupe d'huile d'olive

1 petit oignon, finement haché

1 gousse d'ail, hachée

1 belle carotte, coupée en petits dés

1 branche de céleri, coupée en petits dés

3 cuil. à soupe de persil frais haché

800 ml de sauce tomate pour pâtes

125 ml de vin blanc

375 g de moules crues marinées

60 ml de crème liquide (facultatif)

1 Cuire les pâtes à l'eau bouillante salée jusqu'à ce qu'elles soient *al dente*. Les égoutter et les remettre dans la casserole.

2 Chauffer l'huile dans une casserole et faire revenir l'oignon, l'ail, la carotte et le céleri. Ajouter le persil, la sauce tomate et le vin. Laisser mijoter 15 minutes, en remuant de temps en temps.

3 Égoutter les moules, les incorporer à la sauce avec la crème liquide ; bien remuer. Verser la sauce sur les pâtes et bien mélanger.

NOTE : à défaut de sauce tomate toute prête, utiliser des tomates en boîte grossièrement hachées.

VALEURS NUTRITIVES PAR PORTION : *protéines 35 g, lipides 25 g, glucides 100 g, fibres alimentaires 10 g, cholestérol 105 mg, 3 280 kJ (780 kcal)*

CI-DESSUS : Moules à la sauce tomate

SPAGHETTI

Les spaghetti sont arrivés en Italie via la Sicile, où ils avaient été introduits par les Arabes après leur invasion en 827. Grands voyageurs et habiles commerçants, ils avaient besoin de pâtes qui se conservent et se transportent facilement. Connus alors sous le nom d'*itriyah*, ou ficelle en langue perse, les pâtes prirent le nom de *tria*, puis de *trii*, une forme de spaghetti encore connue en Sicile et dans certaines parties du sud de l'Italie.

CI-DESSOUS : Spaghetti crémeux aux moules

SPAGHETTI CRÉMEUX AUX MOULES

Préparation : 20 minutes
Cuisson : 10 à 15 minutes
Pour 4 personnes

★

500 g de spaghetti

1,5 kg de moules fraîches

2 cuil. à soupe d'huile d'olive

2 gousses d'ail, écrasées

125 ml de vin blanc

250 ml de crème liquide

2 cuil. à soupe de basilic frais haché

1 Cuire les pâtes à l'eau bouillante salée jusqu'à ce qu'elles soient *al dente;* les égoutter.
2 Pendant que les pâtes cuisent, nettoyer et gratter les moules en éliminant celles qui sont ouvertes; réserver. Chauffer l'huile dans une grande casserole et faire revenir l'ail 30 secondes à feu doux.

3 Ajouter le vin et les moules. Laisser mijoter 5 minutes à couvert. Retirer les moules en éliminant celles qui sont fermées ; réserver.
4 Ajouter la crème liquide, le basilic, du sel et du poivre. Prolonger la cuisson de 2 minutes, en remuant de temps en temps. Servir la sauce et les moules sur les spaghetti.

VALEURS NUTRITIVES PAR PORTION : *protéines 80 g, lipides 40 g, glucides 90 g, fibres alimentaires 7 g, cholestérol 445 mg, 4 510 kJ (1 075 kcal)*

POUR ACCOMPAGNER...

SALADE DE LÉGUMES AU BRIE Faire cuire au four 300 g de chacun des ingrédients suivants: pommes de terre, panais, patates douces, mini-carottes et oignons, jusqu'à ce qu'ils soient tendres. Pendant que les légumes sont encore chauds, les napper d'une sauce composée de 2 cuil. à soupe de jus d'orange, 1 cuil. à café de crème de raifort et 2 cuil. à soupe d'huile. Servir chaud, garni de 200 g de brie coupé en fines tranches et de poivre noir concassé.

TOMATES SÉCHÉES

Ces tomates séchées au soleil sont disponibles en paquet ou en bocal. Elles agrémentent les pâtes et les salades et servent à garnir les pizzas. Leur saveur est intense et douce à la fois. Certaines sont conservées dans de l'huile de colza et doivent être égouttées avant utilisation ; d'autres se vendent telles quelles et doivent être trempées 5 minutes dans de l'eau bouillante. Les tomates séchées se marient très bien au fromage, à la salade verte, aux olives, aux fruits de mer, à la volaille et à la viande.

FETTUCINE AU SAUMON FUMÉ

Préparation : 10 minutes
Cuisson : 10 à 15 minutes
Pour 4 personnes

★

100 g de saumon fumé

35 g de tomates séchées au soleil

1 cuil. à soupe d'huile d'olive

1 gousse d'ail, écrasée

250 ml de crème liquide

2 cuil. à soupe de ciboulette fraîche ciselée + un
    peu pour garnir

1/4 de cuil. à café de moutarde en poudre

2 cuil. à café de jus de citron

375 g de fettucine

2 cuil. à soupe de parmesan fraîchement râpé,
    pour la garniture

1 Couper le saumon et les tomates séchées en morceaux.

2 Chauffer l'huile dans une poêle, ajouter l'ail et remuer 30 secondes à feu doux. Ajouter la crème liquide, la ciboulette, la moutarde en poudre, du sel et du poivre. Porter à ébullition, baisser le feu et laisser mijoter jusqu'à ce que la sauce commence à épaissir, sans cesser de remuer.

3 Mettre le saumon et le jus de citron dans la casserole ; bien mélanger et réchauffer doucement.

4 Pendant que la sauce mijote, cuire les pâtes à l'eau bouillante salée jusqu'à ce qu'elles soient *al dente*. Les égoutter et les remettre au chaud dans la casserole. Verser la sauce sur les pâtes et servir immédiatement, garni de tomates séchées, de parmesan et de ciboulette.

VALEURS NUTRITIVES PAR PORTION : *protéines 20 g, lipides 30 g, glucides 70 g, fibres alimentaires 5 g, cholestérol 90 mg, 2 685 kJ (640 kcal)*

CI-DESSUS : Fettucine au saumon fumé

PALOURDES

Longtemps considérées comme le parent pauvre de la famille des mollusques, les palourdes sont très appréciées pour leur chair savoureuse et délicatement parfumée. Achetées vivantes, on peut les manger crues ou légèrement cuites. Débarrassées de leur coquille, on les conserve en boîte ou en bocal pour agrémenter les sauces et les ragoûts. On les trouve également cuites dans leur coquille, ce qui constitue un excellent substitut aux palourdes fraîches. Le jus dans lequel elles sont conservées forme un court-bouillon légèrement parfumé, à utiliser dans les soupes et les sauces.

CI-DESSUS : Spaghetti vongole

SPAGHETTI VONGOLE
(SPAGHETTI AUX PALOURDES)

Préparation : 25 minutes + temps de trempage
Cuisson : 20 à 35 minutes
Pour 4 personnes

★

1 kg de petites palourdes (ou clams) fraîches
    dans leurs coquilles ou 750 g de palourdes
    en saumure
1 cuil. à soupe de jus de citron
80 ml d'huile d'olive
3 gousses d'ail, écrasées
850 g de tomates en boîte, grossièrement
    hachées
250 g de spaghetti
4 cuil. à soupe de persil frais haché

1 Dans le cas de palourdes fraîches, les nettoyer soigneusement (voir Note). Les mettre dans une grande casserole avec le jus de citron. Couvrir et passer 7 à 8 minutes à feu moyen en secouant la casserole, jusqu'à ce que les coquilles s'ouvrent. Éliminer celles qui sont restées fermées. Séparer la chair de la coquille et la réserver, en éliminant les coquilles vides. Dans le cas de palourdes marinées, les rincer soigneusement et les réserver.

2 Chauffer l'huile dans une grande casserole et faire revenir l'ail 5 minutes à feu doux. Ajouter les tomates et bien remuer. Porter à ébullition et laisser mijoter 20 minutes à couvert. Ajouter du poivre noir fraîchement moulu et les palourdes et remuer jusqu'à ce que celles-ci soient bien chaudes.

3 Pendant que la sauce mijote, cuire les pâtes à l'eau bouillante salée jusqu'à ce qu'elles soient *al dente*. Les égoutter et les remettre au chaud dans la casserole. Incorporer délicatement la sauce et le persil haché. Bien mélanger et servir immédiatement dans un plat chauffé. On peut également garnir ce plat de câpres et de zeste de citron.

NOTE : pour bien nettoyer les palourdes, mélanger 2 cuil. à soupe de sel et autant de farine avec suffisamment d'eau pour former une pâte lisse. La verser dans une grande bassine d'eau froide et laisser tremper les palourdes toute la nuit dans ce mélange. Égoutter et gratter les coquilles, puis les rincer soigneusement et les égoutter à nouveau.

VALEURS NUTRITIVES PAR PORTION : *protéines 35 g, lipides 25 g, glucides 55 g, fibres alimentaires 7 g, cholestérol 355 mg, 2 420 kJ (580 kcal)*

SPAGHETTI ET MOULES À LA TOMATE

Préparation : 15 minutes
Cuisson : 30 minutes
Pour 4 personnes

★

1,5 kg de moules fraîches

2 cuil. à soupe d'huile d'olive

1 oignon, finement émincé

2 gousses d'ail, écrasées

425 g de tomates en boîte, grossièrement hachées

250 ml de vin blanc

1 cuil. à soupe de basilic frais haché

2 cuil. à soupe de persil frais haché

500 g de spaghetti

1 Nettoyer et gratter les moules en éliminant celles qui sont ouvertes.

2 Chauffer l'huile dans une grande casserole et faire revenir l'oignon et l'ail à feu doux. Lorsque l'oignon est tendre, ajouter les tomates, le vin blanc, le basilic, le persil, du sel et du poivre. Porter à ébullition puis baisser le feu et laisser mijoter 15 à 20 minutes, jusqu'à ce que la sauce commence à épaissir.

3 Mettre les moules dans le récipient et les cuire 5 minutes à couvert, en remuant le récipient. Éliminer toutes celles qui ne se sont pas ouvertes.

4 Pendant que la sauce mijote, cuire les pâtes à l'eau bouillante salée jusqu'à ce qu'elles soient *al dente*. Les égoutter. Servir les moules et la sauce sur les spaghetti.

VALEURS NUTRITIVES PAR PORTION : *protéines 50 g, lipides 15 g, glucides 95 g, fibres alimentaires 10 g, cholestérol 190 mg, 3 050 kJ (730 kcal)*

POUR ACCOMPAGNER…

SALADE DE POMMES DE TERRE, ŒUF ET BACON Faire cuire 1 kg de petites pommes de terre à l'eau, à la vapeur ou au micro-ondes. Faire rissoler 4 tranches de bacon et les égoutter sur du papier absorbant. Écailler 6 œufs durs et les couper en quatre ; les mélanger avec les pommes de terre chaude, 4 oignons nouveaux émincés et 2 cuil. à soupe de menthe et de ciboulette hachées. Incorporer 250 g de yaourt nature et garnir de bacon.

GREMOLATA

S'il semble inapproprié de servir du fromage râpé sur des pâtes aux fruits de mer, on peut toutefois les garnir d'un mélange composé du zeste râpé d'un demi-citron, d'une gousse d'ail finement hachée et d'une bonne poignée de persil frais haché. Modifier éventuellement les proportions selon votre goût. Ce mélange, appelé *gremolata* ou *gremolada*, s'utilise traditionnellement pour accompagner l'osso buco.

CI-DESSUS : Spaghetti et moules à la tomate

PÂTES
ET LÉGUMES

En cuisine, la fraîcheur des ingrédients est primordiale. Si les Italiens utilisent abondamment les produits manufacturés comme les tomates en boîte et l'huile d'olive, ils savent également rehausser leurs plats des meilleurs produits de leurs jardins. Les fines herbes fraîches, achetées par bottes entières, s'harmonisent avec les tomates, les poivrons et les artichauts mûris sous le soleil méditerranéen. Mélangés à un plat de pâtes, ces légumes sont aussi beaux et savoureux que bons pour la santé.

COURGETTES

Les courgettes sont une variété de courge estivale. Vertes ou jaunes, elles se récoltent 4 à 6 jours après la floraison. Trop vieilles ou trop grosses, elles deviennent amères. Les courgettes ne demandent que très peu de préparation et un temps de cuisson très court. On peut les cuire à la vapeur, à l'eau bouillante, à la poêle ou au four; elles sont également délicieuses frites ou farcies.

CI-DESSUS : Fettucine aux courgettes et au basilic frit

FETTUCINE AUX COURGETTES ET AU BASILIC FRIT

Préparation : 15 minutes
Cuisson : 15 minutes
Pour 6 personnes

⭐

250 ml d'huile d'olive

1 poignée de feuilles de basilic frais

500 g de fettucine ou de tagliatelle

60 g de beurre

2 gousses d'ail, écrasées

500 g de courgettes, râpées

75 g de parmesan, fraîchement râpé

1 Pour frire les feuilles de basilic, chauffer l'huile dans une petite casserole, ajouter 2 feuilles à la fois et les faire cuire 1 minute, jusqu'à ce qu'elles soient craquantes. Retirer à l'aide d'une écumoire et égoutter sur du papier absorbant. Continuer avec le reste du basilic.
2 Cuire les pâtes à l'eau bouillante salée jusqu'à ce qu'elles soient *al dente*. Les égoutter et les remettre dans la casserole.
3 Pendant que les pâtes cuisent, chauffer le beurre dans une casserole profonde à fond épais, à feu doux, jusqu'à ce qu'il grésille. Ajouter l'ail et le

faire revenir 1 minute. Ajouter les courgettes et les faire cuire 1 à 2 minutes, en remuant de temps en temps. Verser les légumes sur les pâtes. Ajouter le parmesan et bien mélanger. Servir garni de feuilles de basilic craquantes.
NOTE : les feuilles de basilic peuvent se préparer 2 heures à l'avance. Les conserver dans un récipient hermétique après refroidissement.

VALEURS NUTRITIVES PAR PORTION : *protéines 15 g, lipides 55 g, glucides 60 g, fibres alimentaires 5 g, cholestérol 35 mg, 3 245 kJ (775 kcal)*

SPAGHETTI AUX OLIVES ET À LA MOZZARELLA

Préparation : 20 minutes
Cuisson : 15 minutes
Pour 4 personnes

⭐

500 g de spaghetti

50 g de beurre

2 gousses d'ail, écrasées

70 g d'olives noires, coupées en deux

3 cuil. à soupe d'huile d'olive

20 g de persil frais haché

150 g de mozzarella, coupée en petits cubes

1 Cuire les pâtes à l'eau bouillante salée jusqu'à ce qu'elles soient *al dente*. Les égoutter et les remettre au chaud dans la casserole.

2 Pendant que les spaghetti cuisent, chauffer le beurre dans une petite casserole jusqu'à ce qu'il roussisse. Ajouter l'ail et le faire revenir 1 minute à feu doux.

3 Verser l'ail sur les pâtes avec les olives, l'huile d'olive, le persil et la mozzarella. Bien mélanger le tout.

VALEURS NUTRITIVES PAR PORTION : *protéines 25 g, lipides 35 g, glucides 90 g, fibres alimentaires 5 g, cholestérol 55 mg, 3 320 kJ (770 kcal)*

FARFALLE AUX CŒURS D'ARTICHAUT ET AUX OLIVES

Préparation : 20 minutes
Cuisson : 20 minutes
Pour 4 à 6 personnes

★

500 g de farfalle
400 g de cœurs d'artichaut marinés
3 cuil. à soupe d'huile d'olive
3 gousses d'ail, écrasées
95 g d'olives noires, hachées
2 cuil. à soupe de ciboulette hachée
200 g de ricotta fraîche

1 Cuire les pâtes à l'eau bouillante salée jusqu'à ce qu'elles soient *al dente*. Les égoutter et les remettre au chaud dans la casserole.

2 Pendant que les pâtes cuisent, égoutter et trancher finement les cœurs d'artichaut. Chauffer l'huile dans une grande poêle et faire revenir l'ail à feu doux, sans le faire roussir.

3 Ajouter les cœurs d'artichaut et les olives ; bien remuer. Incorporer la ciboulette et la ricotta, en écrasant celle-ci à l'aide d'une cuillère. Prolonger la cuisson jusqu'à ce que la ricotta soit bien chaude.

4 Mélanger la sauce avec les pâtes, assaisonner et servir immédiatement.

NOTE : ce plat est particulièrement délicieux avec des cœurs d'artichaut frais. Utiliser 5 cœurs d'artichaut et suivre les instructions.

VALEURS NUTRITIVES PAR PORTION : *protéines 15 g, lipides 15 g, glucides 60 g, fibres alimentaires 5 g, cholestérol 15 mg, 1 840 kJ (440 kcal)*

CI-DESSUS : Spaghetti aux olives et à la mozzarella (à gauche), Farfalle aux cœurs d'artichaut et aux olives.

117

TAGLIATELLE ET SAUCE AUX TOMATES SÉCHÉES

Préparation : 20 minutes
Cuisson : 20 minutes
Pour 4 personnes

★

500 g de tagliatelle
2 cuil. à soupe d'huile d'olive
1 oignon, haché
80 g de tomates séchées au soleil,
    finement émincées
2 gousses d'ail, écrasées
425 g de tomates en boîte, grossièrement
    hachées
125 g d'olives noires, dénoyautées
20 g de basilic frais haché
Parmesan fraîchement râpé, pour la garniture

1 Cuire les pâtes à l'eau bouillante salée jusqu'à ce qu'elles soient *al dente*. Les égoutter et les remettre au chaud dans la casserole.
2 Pendant ce temps, chauffer l'huile dans une grande poêle et faire revenir l'oignon 3 minutes, en remuant de temps en temps. Ajouter les tomates séchées et l'ail et prolonger la cuisson de 1 minute.
3 Ajouter les tomates en boîte, les olives et le basilic ; poivrer. Porter à ébullition puis baisser le feu et laisser mijoter 10 minutes.
4 Verser la sauce sur les pâtes et bien mélanger. Servir immédiatement, garni de parmesan.
NOTE : les tomates séchées s'achètent en paquet ou en bocal, marinées à l'huile d'olive ou de colza. Les tomates marinées doivent être égouttées avant utilisation, tandis que les tomates sèches doivent être trempées 5 minutes dans de l'eau bouillante.

VALEURS NUTRITIVES PAR PORTION : *protéines 20 g, lipides 15 g, glucides 95 g, fibres alimentaires 10 g, cholestérol 5 mg, 2 415 kJ (575 kcal)*

LINGUINE CRÉMEUSES AUX ASPERGES

Préparation : 15 minutes
Cuisson : 15 minutes
Pour 4 personnes

★

200 g de ricotta fraîche
250 ml de crème liquide
75 g de parmesan fraîchement râpé
Muscade fraîchement moulue, à votre goût
500 g de linguine
500 g d'asperges fraîches, détaillées en courts
    tronçons
45 g d'amandes effilées grillées,
    pour la garniture

1 Mettre la ricotta dans un saladier et battre jusqu'à obtention d'une préparation lisse. Incorporer la crème liquide, le parmesan et la muscade ; saler et poivrer.
2 Cuire les pâtes à l'eau bouillante salée jusqu'à ce qu'elles soient à peine tendres. Plonger les asperges dans la casserole et prolonger la cuisson de 3 minutes.
3 Égoutter les pâtes et les asperges, en réservant 2 cuil. à soupe d'eau de cuisson. Remettre les pâtes et les asperges dans la casserole.
4 Incorporer l'eau de cuisson réservée à la ricotta, et bien mélanger. Verser le mélange sur les pâtes et remuer délicatement. Garnir d'amandes grillées.
NOTE : pour griller les amandes effilées, les passer 2 minutes au gril modérément chaud. Les remuer de temps en temps en évitant de les laisser brûler.

VALEURS NUTRITIVES PAR PORTION : *protéines 35 g, lipides 45 g, glucides 90 g, fibres alimentaires 10 g, cholestérol 125 mg, 3 850 kJ (920 kcal)*

OLIVES NOIRES
Les olives cueillies jeunes sont vertes et dures ; elles mûrissent et noircissent sur l'arbre. Les olives se conservent dans de l'huile, parfois parfumée aux fines herbes, ou en saumure. Présentes dans maints plats méditerranéens, elles agrémentent parfaitement les salades ou les farces, parfument le pain et décorent les plats de pâtes ou de riz. Les olives doivent être consommées le plus vite possible et il est conseillé de les acheter de très bonne qualité. Les olives grecques et italiennes sont considérées comme les meilleures.

PAGE CI-CONTRE :
Tagliatelle et sauce aux tomates séchées (en haut), Linguine crémeuses aux asperges.

PÂTES AUX OLIVES ET À L'AUBERGINE

Préparation : 20 minutes
Cuisson : 20 minutes
Pour 4 personnes

★

500 g de fettucine ou de tagliatelle

175 g d'olives vertes

1 belle aubergine

2 cuil. à soupe d'huile d'olive

2 gousses d'ail, écrasées

125 ml de jus de citron

2 cuil. à soupe de persil frais haché

50 g de parmesan, fraîchement râpé

1 Cuire les pâtes à l'eau bouillante salée jusqu'à ce qu'elles soient *al dente*. Les égoutter et les remettre au chaud dans la casserole.
2 Pendant que les pâtes cuisent, émincer les olives et couper l'aubergine en petits dés.
3 Chauffer l'huile dans une poêle à fond épais et faire revenir l'ail 30 secondes en remuant. Ajouter l'aubergine et la faire cuire 6 minutes à feu moyen, en remuant, jusqu'à ce qu'elle soit tendre. Ajouter les olives, le jus de citron, du sel et du poivre. Verser la sauce sur les pâtes et bien mélanger. Saupoudrer de persil et de parmesan râpé.
NOTE : pour ôter l'amertume de l'aubergine, la faire dégorger 30 minutes au sel, après l'avoir détaillée en petits dés. Bien rincer avant utilisation.

VALEURS NUTRITIVES PAR PORTION : *protéines 20 g, lipides 15 g, glucides 95 g, fibres alimentaires 10 g, cholestérol 10 mg, 2 585 kJ (615 kcal)*

POUR ACCOMPAGNER...

SALADE DE LÉGUMES CHAUDS Faire cuire 200 g de mini-carottes, de pois mangetout, de courge jaune, de courgette et de pommes de terre nouvelles à l'eau ou à la vapeur, jusqu'à ce qu'ils soient tendres (éviter de trop les cuire afin qu'ils conservent leurs couleurs vives). Confectionner une sauce avec 2 gousses d'ail hachées, 2 cuil. à soupe d'aneth et de ciboulette, 1 cuil. à soupe de jus de citron vert, 1 cuil. à soupe de moutarde et 80 ml d'huile d'olive.

CI-DESSOUS : Pâtes aux olives et à l'aubergine

SPAGHETTI SAUCE TOMATE FRAÎCHE

Préparation : 15 minutes + 2 h de réfrigération
Cuisson : 10 à 15 minutes
Pour 4 personnes

★

4 tomates mûres bien fermes

8 olives vertes farcies

2 cuil. à soupe de câpres

4 oignons nouveaux, finement hachés

2 gousses d'ail, écrasées

1/2 cuil. à café d'origan séché

20 g de persil frais, haché

80 ml d'huile d'olive

375 g de spaghetti ou de spaghettini

1 Détailler les tomates en petits cubes. Hacher les olives et les câpres. Dans un saladier, mélanger tous les ingrédients sauf les pâtes et bien remuer. Couvrir et réfrigérer 2 heures minimum.
2 Cuire les pâtes à l'eau bouillante salée jusqu'à ce qu'elles soient *al dente*. Les égoutter et les remettre dans la casserole. Verser la sauce froide dessus et bien mélanger.
NOTE : pour varier, ajouter 30 g de basilic frais haché à la sauce.

VALEURS NUTRITIVES PAR PORTION : *protéines 15 g, lipides 20 g, glucides 70 g, fibres alimentaires 10 g, cholestérol 0 mg, 2 190 kJ (525 kcal)*

LINGUINE AUX LÉGUMES

Préparation : 30 minutes
Cuisson : 50 minutes
Pour 4 personnes

★

4 gros poivrons rouges

500 g de tomates mûres bien fermes

3 gros oignons rouges, pelés

1 tête d'ail

125 ml de vinaigre balsamique

60 ml d'huile d'olive

2 cuil. à café de gros sel

2 cuil. à café de poivre noir fraîchement moulu

500 g de linguine

100 g de parmesan frais, en copeaux

100 g d'olives noires

1 Préchauffer le four à 180 °C. Partager les poivrons en deux et ôter les graines et les membranes. Couper les tomates et les oignons en deux ; séparer et peler les gousses d'ail.
2 Disposer les légumes en une seule couche dans un grand plat à gratin. Les arroser de vinaigre et d'huile et les saupoudrer de sel et de poivre.
3 Enfourner 50 minutes et laisser refroidir 5 minutes avant de les passer au mixeur. Mixer 3 minutes, jusqu'à obtention d'une purée lisse. Vérifier l'assaisonnement.
4 Quand les légumes sont presque cuits, cuire les pâtes à l'eau bouillante salée jusqu'à ce qu'elles soient *al dente* ; les égoutter.
5 Servir la sauce aux légumes sur les linguine et garnir de parmesan, d'olives et de poivre noir.

VALEURS NUTRITIVES PAR PORTION : *protéines 30 g, lipides 30 g, glucides 100 g, fibres alimentaires 10 g, cholestérol 25 mg, 3 320 kJ (790 kcal)*

CI-DESSUS : Spaghetti sauce tomate fraîche

TOMATES ROMA

Appréciées pour la densité de leur pulpe, ces tomates ovales sont idéales pour la cuisine. Également connues sous le nom d'olivettes, elles se distinguent par leur couleur vive et uniforme et leur peau épaisse et ferme, facilitant l'épluchage. Elles se conservent et se sèchent parfaitement.

CI-DESSUS : Légumes grillés aux pâtes

LÉGUMES GRILLÉS AUX PÂTES

Préparation : 30 minutes
Cuisson : 20 minutes
Pour 4 personnes

★

500 g de fettucine ou de tagliatelle parfumées à la tomate

1 poivron rouge

1 poivron jaune

250 g de tomates Roma, coupées en épaisses rondelles

2 belles courgettes, émincées

80 ml d'huile d'olive

3 gousses d'ail, écrasées

10 feuilles de basilic, grossièrement hachées

4 bocconcini (boules de mozzarella), émincés

1 Cuire les pâtes à l'eau bouillante salée jusqu'à ce qu'elles soient *al dente*. Les égoutter et les remettre au chaud dans la casserole. Détailler les poivrons en gros morceaux plats ; ôter les graines et les membranes. Les passer 8 minutes au gril chaud, côté peau en haut, jusqu'à ce que la peau noircisse et cloque. Retirer du gril et couvrir d'un torchon humide. Lorsqu'ils sont refroidis, les peler et les hacher.

2 Saupoudrer les tomates de sel. Badigeonner les courgettes d'1 cuil. à soupe d'huile. Passer les légumes 10 minutes au gril chaud, jusqu'à ce qu'ils soient tendres, en les retournant une fois.

3 Mélanger les légumes aux pâtes ; incorporer l'ail, le basilic, le reste d'huile et les bocconcini. Saler, poivrer et servir immédiatement.

NOTE : à défaut de pâtes parfumées, utiliser des pâtes nature. Ajouter un petit peu de piment haché pour une saveur plus épicée.

VALEURS NUTRITIVES PAR PORTION : *protéines 25 g, lipides 30 g, glucides 95 g, fibres alimentaires 10 g, cholestérol 20 mg, 3 060 kJ (730 kcal)*

LASAGNE VÉGÉTARIENNES

Préparation : 40 minutes
Cuisson : 1 heure 15
Pour 6 personnes

★

3 gros poivrons rouges

2 belles aubergines

2 cuil. à soupe d'huile

1 gros oignon, haché

3 gousses d'ail, écrasées

1 cuil. à café de fines herbes séchées

1 cuil. à café d'origan séché

500 g de champignons, émincés

440 g de tomates en boîte, grossièrement
    hachées

440 g de haricots rouges, égouttés

1 cuil. à soupe de sauce de piment douce

250 g de lasagne en paquet

500 g d'épinards, hachés

30 g de basilic frais

90 g de tomates séchées, émincées

3 cuil. à soupe de parmesan râpé

3 cuil. à soupe de gruyère râpé

Béchamel au fromage

60 g de beurre

3 cuil. à soupe de farine

500 ml de lait

600 g de ricotta

1 Préchauffer le four à 180 °C. Huiler un plat à
gratin de 35 x 28 cm environ.

2 Partager les poivrons en gros morceaux plats et
ôter les graines et les membranes. Les passer
8 minutes au gril chaud, côté peau en haut, jusqu'à
ce que la peau cloque et noircisse. Les couvrir d'un
torchon humide et, lorsqu'ils sont refroidis, les
peler et les détailler en longues lanières. Réserver.

3 Émincer les aubergines en rondelles d'1 cm
d'épaisseur et les faire cuire 1 minute à l'eau
bouillante. Les égoutter et les essuyer avec du
papier absorbant. Réserver.

4 Chauffer l'huile dans une grande poêle à fond
épais et faire revenir l'oignon, l'ail et les fines
herbes pendant 5 minutes, jusqu'à ce que l'oignon
soit tendre. Ajouter les champignons et prolonger
la cuisson d'1 minute.

5 Ajouter les tomates, les haricots, la sauce de
piment, du sel et du poivre. Porter à ébullition
puis baisser le feu et laisser mijoter 15 minutes,
jusqu'à épaississement. Retirer du feu et réserver.

6 Béchamel au fromage : chauffer le beurre dans
une casserole et incorporer la farine à feu moyen, en
remuant pendant 1 minute. Retirer du feu et verser
le lait peu à peu sans cesser de remuer. Remettre sur
le feu et remuer constamment jusqu'à ébullition et
épaississement. Laisser frémir 1 minute puis incorporer la ricotta en tournant bien.

7 Si nécessaire, tremper rapidement les lasagne
dans de l'eau chaude pour les amollir et en disposer 4 au fond du plat. Alterner des couches avec la
moitié de l'aubergine, des épinards, du basilic, des
poivrons grillés, de la sauce aux champignons et
des tomates séchées. Couvrir d'une nouvelle
couche de lasagne et tasser légèrement. Répéter les
couches avec le reste de légumes en terminant par
une couche de lasagne. Garnir le tout de béchamel
au fromage et parsemer de parmesan et de gruyère
râpés. Enfourner 45 minutes, jusqu'à ce que les
lasagne soient tendres.

VALEURS NUTRITIVES PAR PORTION : *protéines 35 g,
lipides 35 g, glucides 65 g, fibres alimentaires 15 g,
cholestérol 95 mg, 2 965 kJ (710 kcal)*

CI-DESSUS : *Lasagne
végétariennes*

PERSIL PLAT

Cette variété de persil possède un arôme beaucoup plus intense que celui du persil frisé. Toutefois, il peut s'utiliser en grande quantité afin d'épaissir les plats ou d'adoucir d'autres ingrédients. Le goût des tiges est très délicat et peut s'employer à la place des feuilles pour une saveur plus douce.

CI-DESSUS : Spaghetti napolitaine

SPAGHETTI NAPOLITAINE

Préparation : 20 minutes
Cuisson : 1 heure
Pour 6 personnes

★

2 cuil. à soupe d'huile d'olive

1 oignon, finement haché

1 carotte, coupée en dés

1 branche de céleri, coupée en dés

500 g de tomates bien mûres

125 ml de vin blanc

2 cuil. à café de sucre

500 g de spaghetti

1 cuil. à soupe de persil frais haché

1 cuil. à soupe d'origan frais haché

1 Chauffer l'huile dans une casserole à fond épais et faire revenir l'oignon, la carotte et le céleri 10 minutes à feu doux, en remuant de temps en temps et en veillant à ne pas laisser les légumes dorer.

2 Hacher les tomates et les ajouter aux légumes avec le vin et le sucre. Porter la sauce à ébullition puis baisser le feu, couvrir et laisser mijoter 45 minutes, en remuant de temps en temps. Saler et poivrer. Si la sauce devient trop épaisse, ajouter un peu d'eau (1 verre maximum).

3 Environ 15 minutes avant le moment de servir, cuire les pâtes à l'eau bouillante salée jusqu'à ce qu'elles soient *al dente*. Les égoutter et les remettre dans la casserole. Verser deux tiers de la sauce sur les pâtes, ajouter le persil et l'origan et remuer délicatement. Servir dans les assiettes individuelles ou dans le plat de service et accompagner d'un bol de sauce restante.

VALEURS NUTRITIVES PAR PORTION : *protéines 10 g, lipides 7 g, glucides 65 g, fibres alimentaires 7 g, cholestérol 0 mg, 1 595 kJ (380 kcal)*

SPAGHETTI AUX OLIVES ET AUX CÂPRES

Préparation : 20 minutes
Cuisson : 20 minutes
Pour 4 personnes

☆

170 ml d'huile d'olive vierge extra

125 g de mie de pain, émiettée

3 gousses d'ail, finement hachées

45 g d'anchois en boîte, égouttés et finement hachés (facultatif)

300 g d'olives noires, finement hachées

6 tomates Roma, pelées et hachées

2 cuil. à soupe de petites câpres

500 g de spaghetti ou de spaghettini

1 Chauffer 2 cuil. à soupe d'huile d'olive dans une poêle et faire rissoler la mie de pain, sans cesser de remuer, jusqu'à ce qu'elle soit bien dorée et croustillante. Retirer de la poêle et laisser refroidir complètement.

2 Chauffer le reste de l'huile dans la poêle et faire revenir l'ail, les anchois et les olives 30 secondes à feu moyen. Ajouter les tomates et les câpres et prolonger la cuisson de 3 minutes.

3 Cuire les pâtes à l'eau bouillante salée jusqu'à ce qu'elles soient *al dente*. Les égoutter et les remettre dans la casserole. Verser la sauce et la mie de pain sur les pâtes et bien mélanger. Servir immédiatement avec les fines herbes de votre choix.

VALEURS NUTRITIVES PAR PORTION : *protéines 25 g, lipides 45 g, glucides 11, 5 g, fibres alimentaires 15 g, cholestérol 10 mg, 4 065 kJ (970 kcal)*

CI-DESSUS : Spaghetti aux olives et aux câpres

4 Pendant que les pâtes cuisent, chauffer l'huile dans une poêle à fond épais et faire rissoler le bacon et l'oignon nouveau 5 minutes à feu moyen, en remuant de temps en temps. Ajouter le basilic, la crème liquide, du sel et du poivre ; laisser mijoter 5 minutes. Ajouter les tomates et prolonger la cuisson de 2 à 3 minutes. Verser la sauce sur les pâtes et servir.

VALEURS NUTRITIVES PAR PORTION : *protéines 15 g, lipides 25 g, glucides 65 g, fibres alimentaires 6 g, cholestérol 80 mg, 2 325 kJ (555 kcal)*

FARFALLE AUX CHAMPIGNONS

Préparation : 20 minutes
Cuisson : 15 minutes
Pour 4 personnes

☆

500 g de farfalle

50 g de beurre

2 gousses d'ail, finement émincées

500 g de petits champignons de Paris, finement émincés

2 cuil. à soupe de xérès sec

60 ml de bouillon de volaille

90 g de crème fraîche épaisse

2 cuil. à soupe de thym frais

2 cuil. à soupe de ciboulette fraîche hachée

2 cuil. à soupe de persil frais haché

Parmesan fraîchement râpé, pour la garniture

1 Cuire les pâtes à l'eau bouillante salée jusqu'à ce qu'elles soient *al dente.* Les égoutter et les remettre au chaud dans la casserole.
2 Pendant que les pâtes cuisent, faire fondre le beurre dans une grande poêle et faire revenir l'ail 1 minute à feu moyen.
3 Ajouter les champignons et, quand tout le beurre est absorbé, verser le xérès, le bouillon et la crème fraîche. Bien remuer et porter à ébullition. Baisser le feu et laisser mijoter 4 minutes.
4 Verser la sauce aux champignons et les fines herbes sur les pâtes et bien mélanger le tout. Garnir de parmesan râpé et de poivre noir concassé.

VALEURS NUTRITIVES PAR PORTION : *protéines 20 g, lipides 25 g, glucides 90 g, fibres alimentaires 10 g, cholestérol 65 mg, 2 790 kJ (665 kcal)*

PENNE À LA SAUCE TOMATE ONCTUEUSE

Préparation : 25 minutes
Cuisson : 20 minutes
Pour 6 personnes

☆

2 tranches de bacon (facultatif)

4 grosses tomates bien mûres

500 g de penne

1 cuil. à soupe d'huile d'olive

2 oignons nouveaux, hachés

2 cuil. à soupe de basilic frais haché

300 ml de crème liquide

1 Ôter la couenne du bacon et couper la chair en petits morceaux. Inciser d'une croix la base de chaque tomate et les plonger 1 à 2 minutes dans l'eau bouillante avant de les mettre dans de l'eau froide. Les peler à partir de la croix.
2 Couper les tomates en deux et les épépiner à l'aide d'une petite cuillère. Hacher la pulpe.
3 Cuire les pâtes à l'eau bouillante salée jusqu'à ce qu'elles soient *al dente.* Les égoutter et les réserver au chaud.

CI-DESSUS : Penne à la sauce tomate onctueuse

RIGATONI À LA SAUCE AU POTIRON

Préparation : 15 minutes
Cuisson : 25 minutes
Pour 6 personnes

☆

500 g de rigatoni ou gros penne

1 kg de potiron

2 poireaux

30 g de beurre

1/2 cuil. à café de muscade moulue

300 ml de crème liquide

3 cuil. à soupe de pignons grillés

1 Cuire les pâtes à l'eau bouillante salée jusqu'à ce qu'elles soient *al dente*. Les égoutter et les remettre dans la casserole.

2 Peler le potiron, éliminer les graines et couper la pulpe en petits cubes. Laver soigneusement les poireaux et les émincer très finement. Chauffer le beurre dans une grande casserole à feu doux. Mettre les poireaux, couvrir et faire cuire 5 minutes en remuant de temps en temps.

3 Ajouter le potiron et la muscade, couvrir et prolonger la cuisson de 8 minutes. Verser la crème et 3 cuil. à soupe d'eau ; porter à ébullition. Laisser mijoter 8 minutes en remuant de temps en temps, jusqu'à ce que le potiron soit tendre.

4 Répartir les pâtes dans les assiettes et les napper de sauce. Parsemer de pignons et servir immédiatement.

NOTE : outre le potiron, les courges butternut ou jap donnent une saveur sucrée à cette sauce. Pour griller les pignons, les chauffer à feu doux dans une poêle antiadhésive, en remuant jusqu'à ce qu'ils soient dorés. Ou bien les éparpiller sur une plaque de four et les passer au gril. Veiller à ne pas les laisser brûler.

VALEURS NUTRITIVES PAR PORTION : *protéines 15 g, lipides 35 g, glucides 70 g, fibres alimentaires 7 g, cholestérol 85 mg, 2 710 kJ (645 kcal)*

CI-DESSOUS : *Rigatoni à la sauce au potiron*

LINGUINE AU POIVRON ROUGE

Préparation : 20 minutes
Cuisson : 30 minutes
Pour 6 personnes

☆

3 poivrons rouges

3 cuil. à soupe d'huile d'olive

1 gros oignon, émincé

2 gousses d'ail, écrasées

1 pincée de piment en poudre ou en flocons

125 ml de crème liquide

2 cuil. à soupe d'origan frais haché

500 g de linguine ou de spaghetti (nature ou aux épinards)

1 Couper les poivrons en gros morceaux plats et éliminer les graines et les membranes. Les passer 8 minutes au gril chaud, côté peau en haut, jusqu'à ce que la peau cloque et noircisse. Retirer du gril, couvrir d'un torchon humide et, lorsqu'ils sont refroidis, les peler et les détailler en fines lanières.

2 Chauffer l'huile dans une grande casserole à fond épais et faire revenir l'oignon 8 minutes à feu doux, en remuant fréquemment. Ajouter les poivrons, l'ail, le piment et la crème et prolonger la cuisson de 2 minutes en remuant de temps en temps. Assaisonner d'origan, de poivre et de sel.

3 Environ 15 minutes avant que la sauce soit prête, cuire les pâtes à l'eau bouillante salée jusqu'à ce qu'elles soient *al dente*. Les égoutter et les remettre dans la casserole. Verser la sauce sur les pâtes et bien mélanger le tout.

NOTE : si nécessaire, on peut substituer à l'origan frais de l'origan sec, à condition de n'employer qu'un tiers de la quantité indiquée. Pour un goût de poivron plus intense, omettre la crème fraîche.

VALEURS NUTRITIVES PAR PORTION : *protéines 10 g, lipides 20 g, glucides 65 g, fibres alimentaires 5 g, cholestérol 30 mg, 2 050 kJ (490 kcal)*

FUSILLI À LA SAUCE VERTE

Préparation : 10 minutes
Cuisson : 15 minutes
Pour 6 personnes

☆

500 g de fusilli

1 oignon

2 courgettes

5 à 6 feuilles de bettes

2 anchois (facultatif)

2 cuil. à soupe d'huile d'olive

1 cuil. à soupe de câpres

50 g de beurre

60 ml de vin blanc

1 Cuire les pâtes à l'eau bouillante salée jusqu'à ce qu'elles soient *al dente*. Les égoutter et les remettre au chaud dans la casserole.

2 Pendant que les pâtes cuisent, hacher l'oignon très finement et râper les courgettes. Éliminer les tiges des bettes et hacher les feuilles en petits morceaux. Hacher grossièrement les anchois. Chauffer l'huile et le beurre dans une grande casserole à fond épais et faire revenir l'oignon et les courgettes 3 minutes à feu moyen, en remuant constamment avec une cuillère en bois.

3 Ajouter les anchois, les câpres, le vin, du sel et du poivre ; continuer à remuer pendant 2 minutes. Ajouter les bettes et prolonger la cuisson de 1 à 2 minutes, jusqu'à ce qu'elles soient tendres. Verser la sauce sur les pâtes et bien mélanger le tout.

NOTE : on peut remplacer les bettes par 500 g d'épinards. Les équeuter et les couper en petits morceaux.

VALEURS NUTRITIVES PAR PORTION : *protéines 10 g, lipides 15 g, glucides 60 g, fibres alimentaires 10 g, cholestérol 20 mg, 1 815 kJ (430 kcal)*

BETTES
Les bettes, également appelées blettes ou cardons, ont la particularité de donner deux sortes de légumes, selon qu'on utilise les tiges ou les feuilles. Les tiges blanches, ou côtes, ont une saveur douce ; elles doivent être rincées et débarrassées de leur membrane fibreuse externe avant d'être cuites ou blanchies à l'eau bouillante. Les feuilles de bettes sont plus dures et moins sucrées que celles des épinards, mais elles s'adaptent bien aux farces et sont suffisamment solides pour envelopper des ingrédients destinés à être braisés.

PAGE CI-CONTRE : Linguine au poivron rouge (en haut), Fusilli à la sauce verte.

CHAPELURE FRAÎCHE

La chapelure fraîche se confectionne très facilement au mixeur. Ôter les croûtes de quelques tranches de pain de mie, couper la mie en petits morceaux et mixer jusqu'à ce qu'elle soit émiettée. Pour des miettes plus fines et régulières, râper tout simplement du pain congelé et l'utiliser immédiatement. Ne pas utiliser de pain vieux de plus de deux jours, car la mie pourrait conférer un léger goût de rassis au plat qu'elle accompagne.

CI-DESSUS : Spaghetti aux herbes et à la tomate

SPAGHETTI AUX HERBES ET À LA TOMATE

Préparation : 20 minutes
Cuisson : 15 minutes
Pour 4 personnes

★

20 g de chapelure fraîche

500 g de spaghetti

3 cuil. à soupe d'huile d'olive

2 gousses d'ail, coupées en petits dés

30 g de fines herbes fraîches hachées
   (basilic, coriandre, persil)

4 tomates, hachées

30 g de noix, hachées

25 g de parmesan, râpé + un peu pour
   la garniture

1 Mettre le gril à température moyenne et passer la chapelure fraîche quelques secondes dessous, jusqu'à ce qu'elle soit légèrement dorée.

2 Cuire les pâtes à l'eau bouillante salée jusqu'à ce qu'elles soient *al dente* ; les égoutter.

3 Chauffer 2 cuil. à soupe d'huile d'olive dans une grande poêle et faire revenir l'ail jusqu'à ce qu'il soit tendre.

4 Ajouter le reste d'huile et les fines herbes, les tomates, les noix et le parmesan. Mettre les pâtes dans la poêle et faire sauter le tout 1 à 2 minutes. Garnir de chapelure et de parmesan.

VALEURS NUTRITIVES PAR PORTION : *protéines 20 g, lipides 25 g, glucides 95 g, fibres alimentaires 9 g, cholestérol 6 mg, 2 825 kJ (620 kcal)*

POUR ACCOMPAGNER...

SALADE WALDORF Dans un saladier, réunir 3 pommes rouges épépinées et hachées, 100 g de noix grillées, 2 branches de céleri émincées et 200 g de raisins noirs. Retirer la peau et les os d'un poulet cuit, découper la chair en lanières et l'ajouter à la salade. Confectionner une sauce avec 250 g de mayonnaise, 60 g de yaourt nature et 1 cuil. à café de curry en poudre. Mélanger la sauce à la salade juste avant de servir.

FETTUCINE PRIMAVERA

Préparation : 35 minutes
Cuisson : 15 minutes
Pour 6 personnes

★

500 g de fettucine
150 g d'asperges vertes fraîches
150 g de fèves surgelées ou fraîches
30 g de beurre
1 branche de céleri, émincée
150 g de petits pois
300 ml de crème liquide
50 g de parmesan, fraîchement râpé

1 Cuire les pâtes à l'eau bouillante salée jusqu'à ce qu'elles soient *al dente*. Les égoutter et les remettre dans la casserole.

2 Pendant que les pâtes cuisent, détailler les asperges en petits morceaux et les faire cuire 2 minutes à l'eau bouillante salée. Les retirer à l'aide d'une écumoire et les plonger dans un bol d'eau glacée.

3 Plonger les fèves dans la casserole d'eau encore bouillante. Les retirer aussitôt et les laisser refroidir dans de l'eau froide. Les égoutter et les peler. Dans le cas de fèves fraîches, les faire cuire 2 à 5 minutes, jusqu'à ce qu'elles soient tendres. Si les fèves sont jeunes, on peut les consommer avec la peau, sinon elles doivent être pelées.

4 Chauffer le beurre dans une poêle à fond épais et faire revenir le céleri 2 minutes en remuant. Ajouter les petits pois et la crème, et prolonger la cuisson de 3 minutes, à feu doux. Ajouter les asperges, les fèves, le parmesan, du sel et du poivre. Porter la sauce à ébullition et laisser mijoter 1 minute. Verser la sauce sur les pâtes chaudes et bien mélanger.

NOTE : cette recette classique peut se réaliser avec tous les légumes printaniers, comme le poireau, la courgette, les haricots verts ou les pois mange-tout.

VALEURS NUTRITIVES PAR PORTION : *protéines 20 g, lipides 10 g, glucides 95 g, fibres alimentaires 10 g, cholestérol 5 mg, 2 295 kJ (545 kcal)*

POUR ACCOMPAGNER...

SALADE DE BETTERAVES ET DE NECTA-RINES Cuire 2 bottes de mini-betteraves à l'eau, à la vapeur ou au micro-ondes. Égoutter et laisser refroidir avant de les partager en quatre. Couper 4 nectarines fraîches en gros morceaux. Mélanger les betteraves et les nectarines avec 2 cuil. à soupe de feuilles de cerfeuil frais et confectionner une sauce avec 1 cuil. à soupe de moutarde en grains, 2 cuil. à soupe de vinaigre de framboise, 2 cuil. à soupe de miel, 3 cuil. à soupe de yaourt nature et 3 cuil. à soupe d'huile. Napper la salade de sauce juste avant de servir.

BROCOLI CHAUD AUX AMANDES Cuire des bouquets de brocoli et les faire refroidir dans de l'eau glacée. Les parsemer d'amandes effilées grillées et les arroser d'une sauce composée de beurre fondu, d'ail écrasé et de jus de citron.

CI-DESSUS : Fettucine primavera

POIS CHICHES

Les pois chiches sont originaires du bassin méditerranéen et sont aujourd'hui très appréciés en Espagne, au sud de l'Italie et en Afrique du Nord. Leur petit goût de noisette se marie très bien avec toutes sortes de parfums et leur texture craquante convient parfaitement aux salades. La farine de pois chiches, ou besan, s'utilise pour des préparations salées aussi bien que sucrées. Les pois chiches secs doivent être trempés toute une nuit avant utilisation. Les pois chiches en boîte remplacent très bien les pois chiches frais.

PENNE AU POTIRON ET À LA CANNELLE

Préparation : 25 minutes
Cuisson : 30 minutes
Pour 4 personnes

★

350 g de potiron

500 g de penne

25 g de beurre

1 oignon, finement haché

2 gousses d'ail, écrasées

1 cuil. à café de cannelle moulue

250 ml de crème liquide

1 cuil. à soupe de miel

35 g de parmesan, fraîchement râpé

Ciboulette hachée, pour la garniture

1 Peler le potiron, retirer les graines et couper la pulpe en petits cubes. Le faire cuire à l'eau, à la vapeur ou au micro-ondes jusqu'à ce qu'il soit tendre. Bien égoutter.

2 Cuire les pâtes à l'eau bouillante salée jusqu'à ce qu'elles soient *al dente*. Les égoutter et les remettre au chaud dans la casserole.

3 Pendant que les pâtes cuisent, faire fondre le beurre dans une poêle et faire revenir l'oignon à feu moyen jusqu'à ce qu'il soit doré. Ajouter l'ail et la cannelle et prolonger la cuisson d'1 minute.

4 Verser la crème dans la poêle, ajouter le potiron et le miel et laisser mijoter 5 minutes, jusqu'à ce que la sauce réduise et épaississe légèrement (elle doit être bien chaude).

5 Ajouter le parmesan et remuer jusqu'à ce qu'il soit fondu ; saler et poivrer. Verser la sauce sur les penne et bien mélanger le tout. Garnir de ciboulette fraîche hachée.

NOTE : on peut servir ce plat avec des copeaux de parmesan ; pour cela, émincer celui-ci à l'aide d'un éplucheur

VALEURS NUTRITIVES PAR PORTION : *protéines 20 g, lipides 35 g, glucides 105 g, fibres alimentaires 10 g, cholestérol 110 mg, 3 465 kJ (830 kcal)*

CONCHIGLIE AUX POIS CHICHES

Préparation : 15 minutes
Cuisson : 20 minutes
Pour 4 personnes

★

500 g de conchiglie

2 cuil. à soupe d'huile d'olive vierge extra

1 oignon rouge, finement émincé

2 à 3 gousses d'ail, écrasées

425 g de pois chiches en boîte

75 g de tomates séchées, égouttées et finement émincées

1 cuil. à café de zeste de citron râpé

1 cuil. à café de piment rouge frais haché

2 cuil. à soupe de jus de citron

1 cuil. à soupe de feuilles d'origan fraîches hachées

1 cuil. à soupe de persil frais finement haché

Copeaux de parmesan, pour la garniture

1 Cuire les pâtes à l'eau bouillante salée jusqu'à ce qu'elles soient *al dente*. Les égoutter et les remettre au chaud dans la casserole.

2 Pendant que les pâtes cuisent, chauffer l'huile dans une poêle et faire blondir l'oignon.

3 Ajouter l'ail et le faire revenir 1 minute. Ajouter les pois chiches rincés et égouttés, les tomates séchées, le zeste de citron et le piment ; réchauffer le tout à feu vif. Incorporer le jus de citron ainsi que les fines herbes.

4 Verser la préparation aux pois chiches sur les pâtes ; saler, poivrer et servir immédiatement, avec des copeaux de parmesan.

VALEURS NUTRITIVES PAR PORTION : *protéines 40 g, lipides 20 g, glucides 145 g, fibres alimentaires 25 g, cholestérol 2 mg, 3 725 kJ (890 kcal)*

PAGE CI-CONTRE : Penne au potiron et à la cannelle (en haut), Conchiglie aux pois chiches.

OLIVES
La saveur aigre et légèrement amère de ces petits fruits noirs, verts ou bruns s'harmonise délicieusement avec tous les plats méditerranéens, mais également avec une myriade de mets divers.

OLIVES

L'olivier, originaire d'Afrique et d'Asie Mineure, croît dans le bassin méditerranéen depuis plus de six mille ans. Il lui faut cinq ans pour donner des fruits, mais sa durée de vie excède généralement un siècle. Symbole de longévité, il est capable de supporter les plus rudes climats. Le rameau d'olivier symbolise la paix. Les olives noires et vertes proviennent du même arbre, les vertes n'étant simplement pas encore arrivées à maturité. Pour la conservation : tremper 1 kg d'olives noires fraîches dans une bassine d'eau froide pendant 6 semaines, en veillant à remplacer l'eau tous les 2 jours. Au bout de 6 semaines, égoutter les olives dans une grande passoire et les couvrir complètement de gros sel. Laisser reposer 2 jours. Rincer et laisser complètement sécher. Mettre les olives dans des bocaux stérilisés avec des morceaux d'écorce de citron confite, d'ail, de feuilles de coriandre et de bouquets de thym citronné. Couvrir d'un mélange composé d'une même quantité d'huile et de vinaigre de vin blanc. Fermer les couvercles et laisser reposer 2 semaines. Elles se conservent ainsi 6 mois à l'abri de la chaleur et de la lumière.

OLIVES NOIRES SAUTÉES

Faire tremper une nuit 500 g d'olives noires fripées dans de l'eau chaude. Rincer et égoutter. Chauffer 3 cuil. à soupe d'huile dans une grande poêle, faire revenir 1 oignon émincé pendant 2 minutes à feu moyen. Ajouter les olives et les faire cuire 10 minutes. Retirer les olives et l'oignon à l'aide d'une écumoire et les égoutter dans une passoire. Incorporer quelques bouquets d'origan et bien mélanger le tout. Transférer dans des bocaux stérilisés et réfrigérer au maximum 3 semaines.

VALEURS NUTRITIVES POUR 100 G : *protéines 0 g, lipides 25 g, glucides 1 g, fibres alimentaires 0 g, cholestérol 0 mg, 770 kJ (185 kcal)*

OLIVES AU PIMENT ET À L'AIL

Rincer et égoutter 500 g d'olives Kalamata en saumure. Pratiquer une fente sur le côté

de chaque olive. Mettre les olives dans un bocal stérilisé avec de fines lamelles de zeste d'orange, 1 cuil. à café de piment en flocons, 4 petits piments rouges coupés en deux, 2 gousses d'ail finement émincées et 4 bouquets de romarin. Mélanger 2 cuil. à soupe de jus de citron avec 250 ml d'huile d'olive et verser cette sauce sur les olives. Si nécessaire, ajouter de l'huile d'olive pour couvrir le tout. Fermer le bocal et laisser mariner 2 semaines à l'abri de la chaleur et de la lumière.

VALEURS NUTRITIVES PAR PORTION : *protéines 0 g, lipides 40 g, glucides 1 g, fibres alimentaires 0 g, cholestérol 0 mg, 1 380 kJ (330 kcal)*

TAPENADE D'OLIVES ET DE TOMATES

Faire tremper 3 filets d'anchois dans du lait, pendant 10 minutes ; rincer et égoutter.

Passer les anchois, 150 g d'olives noires niçoises, 2 gousses d'ail, 2 cuil. à soupe de câpres hachées et le zeste d'1 citron au mixeur, pendant quelques secondes. Transférer dans un grand bol, ajouter 80 g de tomates séchées hachées, 2 cuil. à soupe de jus de citron, 1 cuil. à soupe de persil haché et 2 cuil. à soupe d'huile d'olive vierge extra. Servir sur des tranches de pain grillées au feu de bois.

VALEURS NUTRITIVES PAR PORTION : *protéines 2 g, lipides 15 g, glucides 2 g, fibres alimentaires 1 g, cholestérol 3 mg, 620 kJ (145 kcal)*

DE GAUCHE À DROITE : **Olives fraîches en conserve, Olives noires sautées, Olives au piment et à l'ail, Tapenade d'olives et de tomates.**

SPAGHETTI SIRACUSANI

Préparation : 15 minutes
Cuisson : 1 heure
Pour 6 personnes

★

1 gros poivron vert

2 cuil. à soupe d'huile d'olive

2 gousses d'ail, écrasées

850 g de tomates en boîte, grossièrement
    hachées

2 courgettes, hachées

2 filets d'anchois, hachés (facultatif)

1 cuil. à soupe de câpres hachées

35 g d'olives noires, coupées en deux

2 cuil. à soupe de basilic frais haché

500 g de spaghetti ou de linguine

50 g de parmesan fraîchement râpé,
    pour la garniture

*CI-DESSOUS : Spaghetti
siracusani*

1 Retirer les membranes et les graines des poivrons. Hacher la pulpe en fines lanières. Chauffer l'huile dans une grande casserole profonde et faire revenir l'ail 30 secondes à feu doux, sans cesser de remuer. Ajouter 125 ml d'eau, le poivron vert, les tomates, les courgettes, les anchois, les câpres et les olives. Faire cuire 20 minutes, en remuant de temps en temps. Incorporer le basilic, du sel et du poivre.

3 Pendant que la sauce mijote, cuire les pâtes à l'eau bouillante salée jusqu'à ce qu'elles soient *al dente* ; les égoutter. Verser la sauce sur les pâtes et parsemer le tout de parmesan.

VALEURS NUTRITIVES PAR PORTION : *protéines 15 g,
lipides 10 g, glucides 65 g, fibres alimentaires 10 g,
cholestérol 10 mg, 1 790 kJ (430 kcal)*

POUR ACCOMPAGNER...

SALADE CHAUDE DE CAROTTES AU GINGEMBRE ET AU SÉSAME Gratter 500 g de mini-carottes, les cuire à la vapeur ou au micro-ondes jusqu'à ce qu'elles soient tendres. Mettre dans un saladier avec 1 cuil. à soupe de miel, 1 pincée de gingembre moulu, 50 g de beurre fondu, 1 cuil. à café de thym-citron et 1 cuil. à soupe de graines de sésame grillées. Mélanger délicatement et servir.

FETTUCINE BOSCAIOLA
(FETTUCINE AUX CHAMPIGNONS ET À LA TOMATE)

Préparation : 20 minutes
Cuisson : 25 minutes
Pour 6 personnes

★

500 g de champignons de Paris

1 gros oignon

2 cuil. à soupe d'huile d'olive

2 gousses d'ail, finement hachées

850 g de tomates en boîte, grossièrement hachées

500 g de fettucine

2 cuil. à soupe de persil frais haché

1 Nettoyer soigneusement les champignons à l'aide de papier absorbant humidifié et les émincer finement, pieds compris.

2 Hacher grossièrement l'oignon. Chauffer l'huile dans une poêle à fond épais et faire blondir l'oignon et l'ail 6 minutes à feu moyen, en remuant de temps en temps. Ajouter les tomates et leur jus, puis les champignons, et porter la sauce à ébullition. Baisser le feu, couvrir et laisser mijoter 15 minutes.

3 Pendant que la sauce mijote, cuire les pâtes à l'eau bouillante salée jusqu'à ce qu'elles soient *al dente*. Les égoutter et les remettre dans la casserole.

4 Incorporer le persil à la sauce ; saler et poivrer généreusement. Verser la sauce sur les pâtes et bien mélanger.

NOTE : pour une sauce plus crémeuse, ajouter 125 ml de crème liquide en même temps que le persil (ne pas la faire bouillir, car elle tournerait).

VALEURS NUTRITIVES PAR PORTION : *protéines 15 g, lipides 10 g, glucides 65 g, fibres alimentaires 10 g, cholestérol 0 mg, 1 640 kJ (390 kcal)*

CHAMPIGNONS DE PARIS

Ces petits champignons blancs de culture sont abondamment utilisés dans nos cuisines. En raison de leur parfum léger, de leur aspect propre et appétissant, ainsi que de la densité de leur chair, ils se prêtent à tous les styles de cuisson. Parfaits pour parfumer les sauces et les farces, ils sont également délicieux crus. Quand ils mûrissent, les chapeaux s'ouvrent, laissant voir leurs lamelles brunes. À ce stade de maturité, leur goût est beaucoup plus prononcé ; ils accompagnent en effet les aliments robustes et donnent de savoureuses sauces une fois sautés à la poêle ou cuits au vin rouge.

CI-DESSUS : Fettucine boscaiola

RIGATONI AU BLEU ET AU BROCOLI

Préparation : 15 minutes
Cuisson : 15 minutes
Pour 4 personnes

★

500 g de rigatoni
500 g de brocoli
1 cuil. à soupe d'huile végétale
1 oignon, émincé
125 ml de vin blanc sec
250 ml de crème liquide
1/2 cuil. à café de paprika fort
150 g de bleu, coupé en petits morceaux
2 cuil. à soupe d'amandes effilées, grillées

1 Cuire les pâtes à l'eau bouillante salée jusqu'à ce qu'elles soient *al dente*. Les égoutter et les remettre au chaud dans la casserole.
2 Partager le brocoli en petits bouquets et cuire ceux-ci à la vapeur ou au micro-ondes pendant 2 à 3 minutes, jusqu'à ce qu'ils soient tendres ; bien égoutter.
3 Chauffer l'huile dans une grande casserole et faire revenir l'oignon. Ajouter le vin et la crème et laisser mijoter 4 à 5 minutes, jusqu'à ce que la sauce ait réduit et légèrement épaissi. Incorporer le paprika et le fromage ; saler et poivrer.
4 Verser la sauce et le brocoli sur les pâtes et délicatement remuer le tout à feu doux jusqu'à ce que le mélange soit bien chaud. Garnir d'amandes effilées grillées.
NOTE : le gorgonzola, un bleu assez fort, se prête très bien à cette recette.

VALEURS NUTRITIVES PAR PORTION : *protéines 30 g, lipides 50 g, glucides 95 g, fibres alimentaires 15 g, cholestérol 120 mg, 4 005 kJ (955 kcal)*

POUR ACCOMPAGNER...

RUBANS DE COURGETTE PANÉS À l'aide d'un éplucheur, couper de belles courgettes en rubans, en les tenant à plat et en passant le couteau à l'horizontale. Enduire légèrement ces rubans d'œuf battu, puis d'un mélange de chapelure, de parmesan finement râpé et de fines herbes hachées. Faire frire les rubans à l'huile chaude, en plusieurs fois, jusqu'à ce qu'ils soient bien dorés. Servir avec une salsa à la tomate.

TAGLIATELLE À LA COURGE ET AUX PIGNONS

Préparation : 25 minutes
Cuisson : 25 minutes
Pour 4 personnes

★

30 g de beurre
1 gros oignon, haché
2 gousses d'ail, écrasées
375 ml de bouillon de légumes
750 g de courge butternut, pelée et coupée en petits morceaux
1 pincée de muscade moulue
1/2 cuil. à café de poivre noir fraîchement moulu
250 ml de crème liquide
500 g de tagliatelle
80 g de pignons, grillés
2 cuil. à soupe de ciboulette hachée
Parmesan fraîchement râpé, pour la garniture

1 Faire fondre le beurre dans une grande casserole et faire blondir l'oignon 3 minutes. Ajouter l'ail et le faire revenir 1 minute. Incorporer le bouillon de légumes et la courge. Porter à ébullition puis baisser légèrement le feu et laisser frémir jusqu'à ce que la courge soit tendre.
2 Baisser le feu au minimum et assaisonner de muscade et de poivre. Incorporer la crème et remuer jusqu'à ce qu'elle soit bien chaude (ne pas la faire bouillir). Passer le tout 30 secondes au mixeur, jusqu'à obtention d'une sauce lisse.
3 Pendant ce temps, cuire les pâtes à l'eau bouillante salée jusqu'à ce qu'elles soient *al dente*. Les égoutter et les remettre dans la casserole.
4 Remettre la sauce dans la casserole et réchauffer doucement. La verser sur les pâtes, parsemer de pignons et bien mélanger le tout. Garnir de ciboulette hachée et proposer du parmesan dans un bol à part (l'illustration montre le plat garni de feuilles de laurier).
NOTE : pour griller les pignons, les remuer à feu doux dans une poêle antiadhésive jusqu'à ce qu'ils soient légèrement dorés.

VALEURS NUTRITIVES PAR PORTION : *protéines 25 g, lipides 50 g, glucides 105 g, fibres alimentaires 10 g, cholestérol 110 mg, 4 115 kJ (980 kcal)*

PIGNONS
Ces petites graines de forme oblongue et de couleur crème sont issues du fruit de certains pins, notamment le pin pignon ou le pin parasol qui, comme son nom l'indique, se déploie en forme de parasol, caractéristique du paysage méditerranéen dont il est originaire. Les pignons sont toujours vendus décortiqués et mondés ; leur goût peut être rehaussé en les faisant griller avant utilisation. On les emploie dans les pâtisseries et mets sucrés ainsi que dans certains plats salés.

PAGE CI-CONTRE : Rigatoni au bleu et au brocoli (en haut), Tagliatelle à la courge et aux pignons.

PENNE ÉPICÉES AUX POIVRONS

Préparation : 30 minutes
Cuisson : 12 minutes
Pour 4 personnes

★

1 gros poivron rouge
1 gros poivron vert
1 gros poivron jaune
500 g de penne
80 ml d'huile d'olive
2 cuil. à soupe de sauce de piment douce
1 cuil. à soupe de vinaigre de vin rouge
20 g de coriandre fraîche hachée
250 g de tomates cerises, coupées en deux
Parmesan fraîchement râpé, pour la garniture

1 Couper les poivrons en gros morceaux plats et ôter les membranes et les graines. Les passer 8 minutes au gril chaud, côté peau en haut, jusqu'à ce que la peau cloque et noircisse. Retirer du gril et laisser refroidir sous un torchon humide, avant de les peler et de les détailler en fines lanières.
2 Pendant ce temps, cuire les pâtes à l'eau bouillante salée jusqu'à ce qu'elles soient *al dente*. Les égoutter et les remettre dans la casserole.
3 Pendant que les pâtes cuisent, battre l'huile, la sauce de piment et le vin rouge dans un bol ; saler et poivrer.
4 Mettre la sauce, la coriandre, les poivrons, les tomates et les pâtes dans un plat de service. Bien mélanger et garnir de parmesan.
NOTE : ce plat peut être servi chaud en plat de résistance, ou à température ambiante en guise de salade. Il accompagne parfaitement la volaille et les viandes grillées.

VALEURS NUTRITIVES PAR PORTION : *protéines 20 g, lipides 25 g, glucides 95 g, fibres alimentaires 10 g, cholestérol 5 mg, 2 795 kJ (665 kcal)*

FETTUCINE AUX POIS MANGE-TOUT ET AUX NOIX

Préparation : 30 minutes
Cuisson : 15 minutes
Pour 4 personnes

★

500 g de fettucine ou de linguine
60 g de noix, hachées
30 g de beurre
1 gros oignon, haché
4 tranches de bacon, hachées, ou lardons (facultatif)
1 gousse d'ail, écrasée
185 ml de vin blanc sec
250 ml de crème liquide
250 g de pois mange-tout, coupés en morceaux

1 Cuire les pâtes à l'eau bouillante salée jusqu'à ce qu'elles soient *al dente*. Les égoutter et les remettre au chaud dans la casserole.
2 Pendant que les pâtes cuisent, disposer les noix sur une plaque de four garnie de papier aluminium. Les passer 2 minutes au gril chaud, jusqu'à ce qu'elles soient légèrement grillées. Les remuer au bout d'1 minute en veillant à ne pas les laisser brûler. Laisser refroidir.
3 Faire fondre le beurre dans une grande casserole et faire revenir l'oignon et le bacon jusqu'à ce que l'oignon soit tendre et le bacon rissolé. Ajouter l'ail et prolonger la cuisson d'1 minute.
4 Incorporer le vin et la crème ; porter à ébullition puis baisser le feu. Laisser mijoter 4 minutes avant d'ajouter les pois mange-tout. Prolonger la cuisson d'1 minute. Verser la sauce et les noix sur les pâtes et bien mélanger. Saler et poivrer à votre goût.
NOTE : il est déconseillé de gagner du temps en omettant de griller les noix : crues, elles peuvent conférer un goût amer et rance aux aliments, en particulier si elles ont été conservées au réfrigérateur.

VALEURS NUTRITIVES PAR PORTION : *protéines 30 g, lipides 45 g, glucides 95 g, fibres alimentaires 10 g, cholestérol 125 mg, 3 930 kJ (940 kcal)*

TOMATES CERISES

Il existe plusieurs variétés de tomates cerises, dont la Red Currant, la Green Grape, la Sweet 100 et la Yellow Pear. Toutes sont parfaites pour les salades et certaines, comme la Sweet 100, supportent une cuisson rapide. Elles sont pauvres en acidité et parfois très sucrées. D'un diamètre de 5 mm environ, la Red Currant est la plus petite et s'achète généralement en grappes.

PAGE CI-CONTRE : Penne épicés aux poivrons (en haut), Fettucine aux pois mange-tout et aux noix.

NOIX

Les noix sont enfermées dans des coquilles dures de forme ronde, formées de deux moitiés réunies. À l'intérieur, la noix consiste en deux lobes dentelés blanc crème à la saveur douce. Les noix hachées s'utilisent dans les sauces de pâtes, les gâteaux aux fruits secs, les salades et les biscuits. On peut conserver des noix non décortiquées 6 mois au réfrigérateur. Les noix décortiquées doivent être achetées dans des sacs ou récipients hermétiques et conservées, après ouverture, dans un bocal de verre hermétique mis au réfrigérateur.

CI-DESSUS : Tagliatelle à la tomate et aux noix

TAGLIATELLE À LA TOMATE ET AUX NOIX

Préparation : 20 minutes
Cuisson : 45 minutes
Pour 6 personnes

★

4 tomates bien mûres

1 carotte

2 cuil. à soupe d'huile

1 oignon, finement haché

1 branche de céleri, finement hachée

2 cuil. à soupe de persil frais haché

1 cuil. à café de vinaigre de vin rouge

60 ml de vin blanc

500 g de tagliatelle ou de fettucine

90 g de noix, grossièrement hachées

35 g de parmesan fraîchement râpé,
   pour la garniture

1 Inciser d'une petite croix la base de chaque tomate. Les plonger 1 à 2 minutes dans de l'eau chaude avant de les faire refroidir dans de l'eau froide. Les peler à partir de la croix et hacher grossièrement la pulpe. Éplucher et râper la carotte.

2 Chauffer 1 cuil. à soupe d'huile dans une grande casserole à fond épais et faire revenir l'oignon et le céleri 5 minutes à feu doux, en remuant régulièrement. Ajouter les tomates, la carotte, le persil et le mélange de vinaigre et de vin. Baisser le feu et laisser mijoter 25 minutes. Saler et poivrer.

3 Environ 15 minutes avant que la sauce soit prête, cuire les pâtes à l'eau bouillante salée jusqu'à ce qu'elles soient *al dente*. Les égoutter et les remettre dans la casserole. Verser la sauce dessus et bien mélanger le tout.

4 Avant que la sauce soit cuite, chauffer le reste de l'huile dans une poêle et faire sauter les noix 5 minutes à feu doux, en remuant. Servir les pâtes nappées de sauce et garnies de noix et de parmesan.

VALEURS NUTRITIVES PAR PORTION : *protéines 15 g, lipides 20 g, glucides 65 g, fibres alimentaires 10 g, cholestérol 5 mg, 2 105 kJ (500 kcal)*

TORTELLINI À L'AUBERGINE

Préparation : 10 minutes
Cuisson : 20 minutes
Pour 4 personnes

★

500 g de tortellini frais au fromage
   et aux épinards

60 ml d'huile

2 gousses d'ail, écrasées

1 poivron rouge, coupé en petits carrés

500 g d'aubergine, coupée en petits cubes

425 g de tomates en boîte, grossièrement
   hachées

250 ml de bouillon de légumes

1 bonne poignée de basilic frais, haché

1 Cuire les pâtes à l'eau bouillante salée jusqu'à ce qu'elles soient *al dente*. Les égoutter et les remettre dans la casserole.

2 Pendant que les pâtes cuisent, chauffer l'huile dans une grande casserole et faire revenir l'ail et le poivron 1 minute à feu moyen, en remuant fréquemment.

3 Ajouter l'aubergine et remuer 5 minutes à feu moyen, jusqu'à ce qu'elle soit légèrement dorée.

4 Ajouter les tomates et leur jus ainsi que le bouillon de légumes. Remuer et porter à ébullition. Ramener à feu doux, couvrir et laisser mijoter 10 minutes, jusqu'à ce que les légumes soient tendres. Incorporer le basilic et les pâtes et bien mélanger le tout.

NOTE : veiller à couper l'aubergine juste avant de l'utiliser, afin qu'elle ne noircisse pas au contact de l'air.

VALEURS NUTRITIVES PAR PORTION : *protéines 20 g, lipides 15 g, glucides 100 g, fibres alimentaires 10 g, cholestérol 0 mg, 2 555 kJ (610 kcal)*

TORTELLINI

Un aubergiste et gastronome invétéré eut un jour la bonne fortune d'être reçu par Vénus. Dévoré par la curiosité, il ne put s'empêcher de l'épier par le trou de sa serrure et aperçut son nombril qu'encadrait la découpe de la serrure. Cette vision le fit se précipiter dans sa cuisine afin de la reproduire, ce qu'il fit – sous le nom de tortellini. Cette légende reflète l'amour que portent les citoyens de Bologne à l'une de leurs plus célèbres variétés de pâtes.

CI-DESSUS : Tortellini
à l'aubergine

PÂTES
ET CRÈME

Pâtes et crème : un mariage culinaire venu tout droit du paradis. Il y a des jours, en effet, où l'on exige le meilleur, des jours où un plat de tagliatelle frais nappé d'une riche et onctueuse sauce agrémentée de parmesan râpé et de poivre noir concassé suffira à flatter votre palais d'un arrière-goût de décadence. C'était traditionnellement les longues pâtes fines que l'on associait aux sauces crémeuses, mais aujourd'hui, les possibilités sont infinies…

FUSILLI SAUCE AUX FÈVES

Préparation : 30 minutes
Cuisson : 25 minutes
Pour 6 personnes

★

300 g de fèves surgelées

4 tranches de bacon

2 poireaux

2 cuil. à soupe d'huile d'olive

300 ml de crème liquide

2 cuil. à café de zeste de citron râpé

500 g de fusilli ou de penne

1 Plonger les fèves dans une casserole d'eau bouillante, puis immédiatement après dans un bol d'eau froide. Les égoutter et les laisser refroidir avant de les peler (voir Note).

2 Ôter la couenne du bacon et le couper en petits morceaux. Laver soigneusement les poireaux et les émincer finement.

3 Chauffer l'huile dans une poêle à fond épais et faire revenir le poireau et le bacon 8 minutes à feu moyen, en remuant de temps en temps jusqu'à ce que le poireau soit doré. Ajouter la crème et le zeste de citron ; porter à ébullition puis baisser le feu et laisser mijoter jusqu'à ce que la sauce épaississe et adhère au dos d'une cuillère. Ajouter les fèves ; saler et poivrer.

4 Pendant que la sauce mijote, cuire les pâtes à l'eau bouillante salée jusqu'à ce qu'elles soient *al dente*. Les égoutter et les remettre dans la casserole.

5 Verser la sauce sur les pâtes et bien mélanger. Servir immédiatement dans les assiettes réchauffées.

NOTE : on peut cuire et peler les fèves à l'avance et les conserver au réfrigérateur, dans un récipient fermé, jusqu'au moment de les utiliser. Pour les peler, fendre ou déchirer une extrémité et presser la fève pour la faire sortir. Si on laisse la peau externe, cela altérera la texture et le parfum délicat de ce plat ; l'effort en vaut donc la peine.

On peut également employer des fèves fraîches. Si elles sont très jeunes, on peut les garder intactes, avec la peau. Sinon, il convient de les peler avant utilisation. Les faire cuire 15 minutes puis les ajouter au plat.

VALEURS NUTRITIVES PAR PORTION : *protéines 20 g, lipides 30 g, glucides 60 g, fibres alimentaires 10 g, cholestérol 85 mg, 2 575 kJ (615 kcal)*

POUR ACCOMPAGNER…

SALADE CHAUDE PRINTANIÈRE Blanchir légèrement quelques mini-carottes, du brocoli, des pois mange-tout, des haricots verts, de la courge et de jeunes épis de maïs à l'eau bouillante, jusqu'à ce qu'ils soient juste tendres. Les égoutter et les enduire d'un mélange de fines herbes hachées, de beurre fondu et de moutarde douce.

SALADE GRECQUE Dans un saladier, réunir 1 oignon rouge finement émincé, 3 poivrons (vert, rouge et jaune) hachés, 200 g de tomates cerises coupées en deux, 50 g d'olives noires marinées, 2 petits concombres libanais tranchés et 200 g de feta émiettée en gros morceaux. Arroser le tout d'une sauce composée de 2 gousses d'ail écrasées, 1 cuil. à soupe de vinaigre de vin rouge et 3 cuil. à soupe d'huile d'olive.

CI-DESSUS : Fusilli sauce aux fèves

TAGLIATELLE AUX FOIES DE VOLAILLE ET À LA CRÈME

Préparation : 20 minutes
Cuisson : 15 minutes
Pour 4 personnes

★

375 g de tagliatelle

300 g de foies de volaille

2 cuil. à soupe d'huile d'olive

1 oignon, finement haché

1 gousse d'ail, écrasée

250 ml de crème liquide

1 cuil. à soupe de ciboulette fraîche ciselée

1 cuil. à café de moutarde à l'ancienne

2 œufs, battus

Parmesan fraîchement râpé et ciboulette
ciselée, pour la garniture

1 Cuire les pâtes à l'eau bouillante salée jusqu'à ce qu'elles soient *al dente*. Les égoutter et les remettre au chaud dans la casserole.

2 Pendant que les pâtes cuisent, parer les foies et les émincer. Chauffer l'huile dans une grande poêle et faire revenir l'oignon et l'ail à feu doux, en remuant jusqu'à ce que l'oignon soit tendre.

3 Ajouter les foies et les faire cuire 2 à 3 minutes à petit feu. Retirer du feu et incorporer la crème, la ciboulette, la moutarde, du sel et du poivre. Remettre sur le feu et porter à ébullition. Ajouter les œufs battus et remuer rapidement pour mélanger le tout. Retirer du feu.

4 Verser la sauce sur les pâtes et bien mélanger. Garnir de parmesan et de ciboulette.

VALEURS NUTRITIVES PAR PORTION : *protéines 35 g, lipides 50 g, glucides 70 g, fibres alimentaires 5 g, cholestérol 575 mg, 3 675 kJ (880 kcal)*

MOUTARDE

La moutarde est un condiment réalisé à partir de graines de moutarde, broyées ou non, mélangées à du vinaigre ou du vin, de l'acide citrique, du sel et divers aromates et épices. Les graines proviennent de plusieurs variétés de plante et présentent différentes saveurs, couleurs et tailles. La moutarde en poudre est un mélange composé de graines de moutarde broyées et de farine, souvent parfumé de curcuma et autres épices.

CI-DESSUS : Tagliatelle aux foies de volaille et à la crème

POIVRE NOIR

Les grains de poivre noir sont les fruits d'une plante tropicale, le *Piper nigrum*. Jeunes, ils sont verts et tendres, puis rouges ou jaunes une fois parvenus à maturité. Les grains noirs sont recueillis quand ils sont mûrs, puis séchés au soleil, ce qui leur donne cet aspect dur, noir et fripé. Le poivre noir est le plus fort en goût et en arôme. Les grains de poivre perdant de leur piquant une fois moulus, il est conseillé de les conserver entiers et de les moudre juste avant utilisation.

PENNE AU POULET ET AUX CHAMPIGNONS

Préparation : 30 minutes
Cuisson : 25 minutes
Pour 4 personnes

★

30 g de beurre
1 cuil. à soupe d'huile d'olive
1 oignon, émincé
1 gousse d'ail, écrasée
60 g de prosciutto (jambon italien), haché
250 g de blanc de poulet, émincé
125 g de champignons, émincés
1 tomate, pelée, coupée en deux puis émincée
1 cuil. à soupe de concentré de tomates
125 ml de vin blanc
250 ml de crème liquide
500 g de penne
Parmesan fraîchement râpé, pour la garniture

1 Chauffer le beurre et l'huile dans une grande poêle et faire revenir l'oignon et l'ail à feu doux, en remuant jusqu'à ce que l'oignon soit tendre. Ajouter le prosciutto et le faire rissoler.
2 Ajouter le poulet et le faire cuire 3 minutes à feu moyen. Incorporer les champignons et prolonger la cuisson de 2 minutes. Ajouter la tomate et le concentré de tomates et bien remuer. Verser le vin et porter à ébullition. Baisser le feu et laisser mijoter jusqu'à ce que le jus ait réduit de moitié.
3 Incorporer la crème, du sel et du poivre ; porter à ébullition. Baisser le feu et laisser mijoter la sauce jusqu'à ce qu'elle commence à épaissir.
4 Pendant que la sauce mijote, cuire les pâtes à l'eau bouillante salée jusqu'à ce qu'elles soient *al dente*. Les égoutter et les remettre dans la casserole. Verser la sauce dessus et bien mélanger. Servir immédiatement, garni de parmesan.
NOTE : on peut aussi remplacer le blanc de poulet émincé par de la viande de volaille hachée.

VALEURS NUTRITIVES PAR PORTION : *protéines 35 g, lipides 45 g, glucides 95 g, fibres alimentaires 10 g, cholestérol 145 mg, 3 980 kJ (950 kcal)*

RIGATONI À LA SAUCISSE ET AU PARMESAN

Préparation : 15 minutes
Cuisson : 15 minutes
Pour 4 personnes

★

2 cuil. à soupe d'huile d'olive
1 oignon, émincé
1 gousse d'ail, écrasée
500 g de saucisse de porc italienne, coupée en morceaux
60 g de champignons, émincés
125 ml de vin blanc sec
500 g de rigatoni
250 ml de crème
2 œufs
50 g de parmesan, fraîchement râpé
2 cuil. à soupe de persil frais haché

1 Chauffer l'huile dans une grande poêle et faire revenir l'oignon et l'ail à feu doux, jusqu'à ce que l'oignon soit tendre. Ajouter la saucisse et les champignons et les faire revenir jusqu'à ce que la saucisse soit cuite. Incorporer le vin et porter à ébullition. Baisser le feu puis laisser mijoter jusqu'à ce que le jus ait réduit de moitié.
2 Pendant que la sauce mijote, cuire les pâtes à l'eau bouillante salée jusqu'à ce qu'elles soient *al dente*. Les égoutter et les remettre dans la casserole.
3 Dans un récipient, battre la crème, les œufs, la moitié du parmesan et le persil ; saler et poivrer. Verser ce mélange sur les rigatoni avec la saucisse ; bien mélanger. Garnir du reste de parmesan.
NOTE : on peut congeler le vin restant pour l'utiliser dans des recettes comme celle-ci. À défaut de saucisse italienne, employer du salami.

VALEURS NUTRITIVES PAR PORTION : *protéines 40 g, lipides 85 g, glucides 90 g, fibres alimentaires 5 g, cholestérol 295 mg, 5 585 kJ (1 335 kcal)*

PAGE CI-CONTRE :
Penne au poulet et aux champignons (en haut), Rigatoni à la saucisse et au parmesan.

BUCATINI AU GORGONZOLA

Préparation : 10 minutes
Cuisson : 20 minutes
Pour 6 personnes

★

375 g de bucatini ou de spaghetti

200 g de gorgonzola

20 g de beurre

1 branche de céleri, hachée

300 ml de crème liquide

250 g de ricotta fraîche, battue jusqu'à
ce qu'elle soit lisse

1 Cuire les pâtes à l'eau bouillante salée jusqu'à ce qu'elles soient *al dente*. Les égoutter et les remettre dans la casserole.
2 Pendant que les pâtes cuisent, détailler le gorgonzola en petits cubes.
3 Chauffer le beurre dans une casserole et faire revenir le céleri 2 minutes en remuant. Ajouter la crème, la ricotta et le gorgonzola ; assaisonner de sel et de poivre noir fraîchement moulu.

4 Porter à ébullition à feu doux en remuant constamment, puis laisser mijoter 1 minute. Verser la sauce sur les pâtes et bien mélanger.

VALEURS NUTRITIVES PAR PORTION : *protéines 20 g, lipides 40 g, glucides 45 g, fibres alimentaires 5 g, cholestérol 135 mg, 2 690 kJ (640 kcal)*

POUR ACCOMPAGNER...

SALADE DE PATATES DOUCES AU YAOURT ET À L'ANETH Faire cuire à l'eau, à la vapeur ou au micro-ondes 1 kg de patates douces pelées et coupées en épaisses rondelles, jusqu'à ce qu'elles soient tendres. Transférer dans un saladier et laisser refroidir légèrement avant d'ajouter 1 oignon rouge finement émincé, 200 g de yaourt nature et une bonne poignée d'aneth frais haché.

SALADE DE TOMATES ET DE FETA Partager des tomates Roma en deux et les passer à four doux (150 °C) jusqu'à ce qu'elles soient tendres. Les disposer dans un plat et les parsemer de feta émiettée, d'anchois émincés et de feuilles d'origan. Arroser d'huile d'olive.

GORGONZOLA

Le gorgonzola est un fromage italien à pâte persillée. Crémeux et doux quand il est jeune, il devient corsé et légèrement friable quand il est affiné. Consommé à table, il accompagne très bien les pommes et les poires, mais se révèle également délicieux avec des légumes cuits ou de la viande. Il fond bien au four et donne un savoureux parfum aux sauces à base de crème fraîche. On peut le remplacer par toutes sortes de bleus crémeux, comme le bleu castello, ou par une part de bleu castello et une part de bleu danois pour un goût plus prononcé.

CI-CONTRE : *Bucatini au gorgonzola*

FETTUCINE SAUCE AUX CHAMPIGNONS ET AUX HARICOTS VERTS

Préparation : 20 minutes
Cuisson : 20 minutes
Pour 4 personnes

★

280 g de fettucine

250 g de haricots verts

2 cuil. à soupe d'huile

1 oignon, haché

2 gousses d'ail, écrasées

250 g de champignons, finement émincés

125 ml de vin blanc

300 ml de crème liquide

125 ml de bouillon de légumes

1 œuf

3 cuil. à soupe de basilic frais haché

100 g de pignons, grillés

35 g de tomates séchées au soleil, coupées en fines lanières

50 g de parmesan, en copeaux

1 Cuire les pâtes à l'eau bouillante salée jusqu'à ce qu'elles soient *al dente*. Les égoutter et les remettre au chaud dans la casserole.

2 Équeuter les haricots et les couper en fines et longues lanières. Chauffer l'huile dans une grande poêle à fond épais et faire revenir l'oignon et l'ail 3 minutes à feu moyen. Ajouter les champignons et remuer le tout pendant 1 minute. Verser le vin, la crème et le bouillon. Porter à ébullition puis baisser le feu et laisser mijoter 10 minutes.

3 Battre légèrement l'œuf dans un bol. Sans cesser de battre, ajouter un peu de jus de cuisson. Verser le mélange peu à peu dans la poêle, en remuant constamment pendant 30 secondes (laisser à feu doux afin d'éviter que le mélange ne bout et ne tourne). Ajouter les haricots, le basilic, les pignons et les tomates ; bien réchauffer le tout. Saler et poivrer. Verser la sauce sur les pâtes et garnir de copeaux de parmesan et des fines herbes de votre choix.

VALEURS NUTRITIVES PAR PORTION : *protéines 25 g, lipides 70 g, glucides 55 g, fibres alimentaires 10 g, cholestérol 165 mg, 3 955 kJ (945 kcal)*

BOUILLON DE LÉGUMES

Un bon bouillon de légumes offre un subtil équilibre de parfums adaptés à la viande et au poisson, ainsi qu'aux sauces pour légumes, aux soupes et aux plats braisés. Pour le réaliser, laisser mijoter 30 minutes des légumes aromatiques et sans fécule – carottes, oignons, poireaux, céleri ou navets – avec un bouquet garni, une gousse d'ail et un peu de sel. Il en résultera un bouillon pâle et limpide au goût délicat. Une façon plus simple consiste à utiliser l'eau de cuisson de légumes tels que les carottes ou les haricots verts.

CI-DESSUS : Fettucine sauce aux champignons et aux haricots verts

CONCHIGLIE AU BROCOLI ET À L'ANCHOIS

Préparation : 15 minutes
Cuisson : 20 minutes
Pour 6 personnes

⭐

500 g de conchiglie

450 g de brocoli

1 cuil. à soupe d'huile

1 oignon, haché

1 gousse d'ail, écrasée

3 filets d'anchois, hachés

300 ml de crème liquide

50 g de parmesan, fraîchement râpé,
  pour la garniture

1 Cuire les pâtes à l'eau bouillante salée jusqu'à ce qu'elles soient *al dente*. Les égoutter et les remettre dans la casserole.
2 Pendant que les pâtes cuisent, partager le brocoli en petits bouquets et faire cuire ceux-ci 1 minute à l'eau bouillante. Égoutter, plonger dans l'eau froide et égoutter de nouveau. Réserver.
3 Chauffer l'huile dans une poêle à fond épais et faire revenir l'oignon, l'ail et les anchois 3 minutes à feu doux, en remuant constamment.
4 Incorporer la crème et, sans cesser de remuer, porter à ébullition. Baisser le feu et laisser mijoter 2 minutes. Ajouter le brocoli et le faire cuire 1 minute ; saler et poivrer. Verser la sauce sur les pâtes et bien mélanger le tout. Garnir de parmesan et servir immédiatement.
NOTE : en mélangeant la sauce et les pâtes, veiller à ce que tous les conchiglie soient bien enduits de sauce. On peut les remplacer par des macaroni ou des farfalle.

VALEURS NUTRITIVES PAR PORTION : *protéines 20 g, lipides 30 g, glucides 60 g, fibres alimentaires 8 g, cholestérol 85 mg, 2 490 kJ (590 kcal)*

FETTUCINE SAUCE AUX CHAMPIGNONS

Préparation : 15 minutes
Cuisson : 25 minutes
Pour 6 personnes

⭐

500 g de fettucine aux épinards ou nature

300 g de petits champignons

3 oignons nouveaux

6 tranches de jambon fumé ou de pancetta (50 g)

40 g de beurre

300 ml de crème liquide

4 cuil. à soupe de persil frais haché

1 Cuire les pâtes à l'eau bouillante salée jusqu'à ce qu'elles soient *al dente*. Les égoutter et les remettre au chaud dans la casserole.
2 Pendant que les pâtes cuisent, émincer finement les champignons. Préparer les oignons nouveaux en éliminant la partie vert foncé et les hacher finement. Couper le jambon fumé (ou la pancetta) en fines lamelles.
3 Chauffer le beurre dans une casserole et faire revenir l'oignon nouveau et le jambon 3 minutes à feu moyen. Ajouter les champignons, couvrir, baisser le feu et laisser mijoter 5 minutes en remuant de temps en temps.
4 Incorporer la crème, la moitié du persil, du sel et du poivre ; prolonger la cuisson de 2 minutes. Verser la sauce sur les pâtes et bien mélanger. Garnir du reste de persil et servir immédiatement.
NOTE : ne pas plonger toutes les pâtes en même temps dans l'eau bouillante ; le faire progressivement en veillant à ce que l'eau continue de bouillir. À défaut de fettucine, employer les pâtes de votre choix.

VALEURS NUTRITIVES PAR PORTION : *protéines 15 g, lipides 30 g, glucides 60 g, fibres alimentaires 6 g, cholestérol 100 mg, 2 430 kJ (580 kcal)*

FILETS D'ANCHOIS

Les filets d'anchois se trouvent très facilement en bocaux ou en petites boîtes, marinés dans de l'huile. Ils doivent être roses et non pas gris, avec des filets bien distincts. Si vous les trouvez un peu trop forts à votre goût, égouttez-les et couvrez-les de lait pendant 30 minutes avant de les essuyer avec du papier absorbant. Pour une saveur encore plus douce, n'utilisez que l'huile. On trouve également des filets d'anchois conservés dans du sel ; leur goût est plus délicat, mais ils doivent être trempés 30 minutes avant utilisation.

PAGE CI-CONTRE :
Conchiglie au brocoli et aux anchois (en haut),
Fettucine aux champignons.

ASPERGES VERTES

La préparation des asperges est l'affaire d'une minute. Commencer par ôter la base filandreuse en la brisant d'un coup sec : en travaillant de la base vers la pointe, courber délicatement la tige qui se cassera à l'endroit où la chair est tendre. Seules les tiges épaisses et rugueuses ont besoin d'être pelées. Pour cela, utiliser un épluche-légumes ou un petit couteau tranchant; les épluchures devraient s'effiler en approchant de la pointe. Une fois ces préparatifs accomplis, les asperges devraient cuire de façon homogène, sans qu'il soit nécessaire de les attacher ensemble. Le temps de cuisson est très important : trop court, les asperges seront dures avec un goût métallique; trop long, la chair devient fibreuse et imbibée d'eau. Des asperges d'une grosseur moyenne cuisent en 3 minutes seulement. Si elles sont un peu épaisses, prolonger la cuisson de 30 à 50 secondes.

CI-DESSUS : *Tagliatelle aux asperges et aux fines herbes*

TAGLIATELLE AUX ASPERGES ET AUX FINES HERBES

Préparation : 15 minutes
Cuisson : 15 minutes
Pour 6 personnes

☆

500 g de tagliatelle

150 g d'asperges vertes

40 g de beurre

1 cuil. à soupe de persil frais haché

1 cuil. à soupe de basilic frais haché

300 ml de crème liquide

50 g de parmesan, fraîchement râpé

1 Cuire les pâtes à l'eau bouillante salée jusqu'à ce qu'elles soient *al dente*. Les égoutter et les remettre dans la casserole.

2 Pendant que les pâtes cuisent, découper les asperges en courts tronçons. Chauffer le beurre dans une casserole et faire revenir les asperges 2 minutes à feu moyen, jusqu'à ce qu'elles soient juste tendres. Ajouter le persil, le basilic, la crème, du sel et du poivre. Faire cuire 2 minutes.

3 Ajouter le parmesan râpé et bien remuer. Verser la sauce sur les pâtes et mélanger délicatement le tout. Servi en entrée, ce plat convient pour huit personnes.

VALEURS NUTRITIVES PAR PORTION : *protéines 15 g, lipides 30 g, glucides 60 g, fibres alimentaires 5 g, cholestérol 100 mg, 2 470 kJ (590 kcal)*

SPAGHETTI CARBONARA
(SPAGHETTI CRÉMEUX AUX ŒUFS ET AU BACON)

Préparation : 10 minutes
Cuisson : 20 minutes
Pour 6 personnes

★

500 g de spaghetti

8 tranches de bacon

4 œufs

50 g de parmesan, fraîchement râpé

300 ml de crème liquide

1 Cuire les pâtes à l'eau bouillante salée jusqu'à ce qu'elles soient *al dente*. Les égoutter et les remettre au chaud dans la casserole.

2 Pendant que les pâtes cuisent, ôter la couenne du bacon et le couper en fines lanières. Le faire rissoler à feu moyen dans une poêle à fond épais. Retirer de la poêle et égoutter sur du papier absorbant.

3 Dans un bol, battre les œufs, le parmesan et la crème. Ajouter le bacon et verser la sauce sur les pâtes chaudes ; mélanger délicatement le tout.

4 Remettre la casserole sur le feu et réchauffer le tout 1/2 minute à 1 minute, à feu très doux, jusqu'à ce que la sauce soit légèrement épaissie. Garnir de poivre fraîchement moulu et des fines herbes de votre choix.

VALEURS NUTRITIVES PAR PORTION : *protéines 25 g, lipides 30 g, glucides 60 g, fibres alimentaires 5 g, cholestérol 225 mg, 2 665 kJ (635 kcal)*

CARBONARA

L'invention et l'origine de cette sauce toute simple restent auréolées de mystère. D'aucuns disent que l'appellation carbonara est relativement récente et serait apparue à Rome pendant la Deuxième Guerre mondiale, alors que les GI américains mélangeaient leur ration de bacon et d'œufs aux spaghetti locaux. Il est toutefois fort probable que l'existence de ce plat remonte à une époque plus ancienne. Peut-être doit-on son nom aux charbonniers, ou *carbonari*, qui en confectionnaient rapidement sur leurs fourneaux, à moins que ce plat ne tire plutôt son appellation des particules de poivre noir parsemant la sauce à la crème et ressemblant à de la poussière de charbon. Quoi qu'il en soit, l'idée d'utiliser de l'œuf pour épaissir et parfumer une sauce simple au bacon et à la crème fraîche est une véritable réussite.

CI-DESSUS : Spaghetti carbonara

RAVIOLI AU MASCARPONE ET À LA PANCETTA

Préparation : 10 minutes
Cuisson : 20 minutes
Pour 4 personnes

✦

500 g de ravioli frais aux épinards

2 cuil. à café d'huile végétale

90 g de pancetta, finement hachée

125 ml de bouillon de volaille

185 g de mascarpone

80 g de tomates séchées au soleil, finement émincées

2 cuil. à soupe de basilic frais finement ciselé

1/2 cuil. à café de poivre noir concassé

1 Cuire les ravioli à l'eau bouillante salée jusqu'à ce qu'ils soient *al dente*.
2 Pendant que les pâtes cuisent, chauffer l'huile dans une poêle et faire revenir la pancetta 2 à 3 minutes. Incorporer le bouillon, le mascarpone et les tomates séchées.
3 Porter à ébullition, baisser le feu et laisser mijoter 5 minutes, jusqu'à ce que la sauce réduise et épaississe. Incorporer le basilic et le poivre.
4 Égoutter les ravioli et les ajouter à la poêle. Remuer le tout délicatement et servir immédiatement.

VALEURS NUTRITIVES PAR PORTION : *protéines 20 g, lipides 35 g, glucides 90 g, fibres alimentaires 5 g, cholestérol 145 mg, 3 220 kJ (770 kcal)*

POUR ACCOMPAGNER...

SALADE DE TOMATES À LA MOZZA-RELLA
Trancher 4 grosses tomates bien mûres et 8 petits bocconcini (boules de mozzarella). Disposer les rondelles de tomates, les tranches de bocconcini et des feuilles de basilic sur un plat. Arroser d'un peu d'huile d'olive vierge extra et de vinaigre balsamique. Saupoudrer de poivre noir concassé et de sel marin.

SALADE D'ANTIPASTI
Mélanger environ 200 g de chacun des ingrédients suivants : tomates séchées, olives marinées, aubergines marinées hachées, artichaut et poivron séché. Incorporer 3 cuil. à soupe de basilic haché. Arroser d'un peu de vinaigre balsamique.

FETTUCINE AU FROMAGE ET AU SALAMI

Préparation : 20 minutes
Cuisson : 15 minutes
Pour 4 personnes

✦

375 g de fettucine à la tomate

200 g de tomates séchées au soleil, marinées à l'huile

3 tranches de bacon

1 gros oignon rouge, émincé

2 belles gousses d'ail, finement hachées

150 g de salami épicé ou doux, coupé en lamelles

2 cuil. à café de farine

1 cuil. à soupe de concentré de tomates (double)

375 ml de lait concentré (non sucré)

60 g de fromage fumé, râpé

1 pincée de poivre de Cayenne

2 cuil. à soupe de persil plat haché

Copeaux de parmesan, pour la garniture

1 Cuire les pâtes à l'eau bouillante salée jusqu'à ce qu'elles soient *al dente*. Les égoutter et les remettre au chaud dans la casserole.
2 Pendant que les pâtes cuisent, égoutter les tomates séchées en réservant l'huile et les couper en lanières ; réserver. Hacher finement le bacon et le réserver.
3 Chauffer l'huile réservée dans une casserole et faire blondir l'oignon 3 minutes. Ajouter l'ail et le faire revenir 1 minute. Ajouter les tomates séchées, le bacon et le salami et prolonger la cuisson de 2 à 3 minutes.
4 Incorporer la farine, puis le concentré de tomates ; laisser mijoter 1 minute. Verser peu à peu le lait concentré, sans cesser de remuer. Porter à ébullition puis baisser le feu. Ajouter le fromage, le poivre de Cayenne, le persil et du poivre noir ; laisser mijoter jusqu'à ce que le fromage fonde.
5 Verser la sauce sur les pâtes et bien mélanger. Garnir de parmesan et servir immédiatement.

VALEURS NUTRITIVES PAR PORTION : *protéines 40 g, lipides 35 g, glucides 85 g, fibres alimentaires 5 g, cholestérol 110 mg, 3 495 kJ (835 kcal)*

POIVRE DE CAYENNE
Le poivre de Cayenne présente une jolie couleur rouge-orangé et une saveur oscillant entre le piment moulu et le poivre noir. Son nom provient de la ville de Cayenne, le principal port de la Guyane française. Il s'obtient par broyage du fruit séché (sans les graines) de divers membres de la famille des poivrons, notamment le *capsicum frutescens* et le *capsicum minimum*. Il est très apprécié pour son goût à la fois doux et pimenté. Le poivre de Cayenne s'utilise pour aromatiser les plats nécessitant une longue cuisson, mais également en condiment de dernière minute, pour corser les mets qu'il accompagne.

PAGE CI-CONTRE : Ravioli au mascarpone et à la pancetta (en haut), Fettucine au fromage et au salami.

MIEL

Le goût, la consistance, l'arôme, la couleur et le degré de sucre du miel sont déterminés par les fleurs dont les abeilles tirent leur nectar. Les miels les plus appréciés en cuisine sont les miels de plantes aromatiques, tels le thym et le romarin, au subtil parfum et à l'arôme légèrement salé. Les fleurs de pommier donnent un parfum très fleuri au miel, tandis que d'autres le rendent presque amer.

LINGUINE AU MIEL ET AU BASILIC

Préparation : 15 minutes
Cuisson : 20 minutes
Pour 6 personnes

★

500 g de linguine

240 g de basilic, frais

1 petit piment rouge, haché

3 gousses d'ail, écrasées

3 cuil. à soupe de pignons grillés

3 cuil. à soupe de parmesan fraîchement râpé

Jus d'1 citron

125 ml d'huile d'olive

3 cuil. à soupe de miel

375 ml de crème liquide

125 ml de bouillon de volaille

Copeaux de parmesan, pour la garniture

1 Cuire les pâtes à l'eau bouillante salée jusqu'à ce qu'elles soient *al dente*. Les égoutter et les réserver au chaud.

2 Pendant que les pâtes cuisent, retirer les tiges du basilic et passer les feuilles, le piment, l'ail, les pignons, le parmesan, le jus de citron, l'huile et le miel au mixeur, jusqu'à obtention d'une purée lisse.

3 Dans une grande casserole, mettre ce mélange, la crème et le bouillon. Porter à ébullition, puis laisser mijoter 15 à 20 minutes, jusqu'à ce que la sauce ait épaissi. Ajouter du poivre noir concassé.

4 Mettre les pâtes dans la casserole et bien mélanger. Garnir de parmesan.

VALEURS NUTRITIVES PAR PORTION : *protéines 15 g, lipides 70 g, glucides 75 g, fibres alimentaires 7 g, cholestérol 100 mg, 4 005 kJ (955 kcal)*

RISSONI AU BLEU
ET À L'OIGNON CARAMÉLISÉ

Préparation : 20 minutes
Cuisson : 35 minutes
Pour 4 personnes

★★

500 g de rissoni

30 g de beurre

3 cuil. à soupe d'huile d'olive

4 oignons, émincés

185 g de bleu

100 g de mascarpone

130 g de jeunes épinards, hachés

1 Cuire les pâtes à l'eau bouillante salée jusqu'à ce qu'elles soient *al dente*. Les égoutter et les remettre au chaud dans la casserole.
2 Pendant que les pâtes cuisent, chauffer le beurre et l'huile dans une grande poêle à fond épais et caraméliser l'oignon 20 à 30 minutes à feu doux, à couvert. Retirer de la poêle à l'aide d'une écumoire et égoutter sur du papier absorbant.
3 Dans un bol, mélanger le bleu, le mascarpone et l'oignon.
4 Verser la préparation à l'oignon et les épinards sur les pâtes et bien mélanger. Saler et poivrer avant de servir.

VALEURS NUTRITIVES PAR PORTION : *protéines 30 g, lipides 45 g, glucides 95 g, fibres alimentaires 9 g, cholestérol 90 mg, 3 755 kJ (895 kcal)*

CI-DESSUS : Rissoni
au bleu et à l'oignon
caramélisé

CARBONARA AU GRATIN

Préparation : 10 minutes
Cuisson : 15 minutes
Pour 4 personnes

☆

250 g de linguine
4 œufs
185 ml de crème liquide
6 tranches de prosciutto, hachées
75 g de parmesan, fraîchement râpé
2 cuil. à soupe de ciboulette fraîche hachée
30 g de beurre

1 Beurrer un plat à gratin peu profond, de 23 cm environ. Préchauffer le gril à température modérée.
2 Cuire les pâtes à l'eau bouillante salée jusqu'à ce qu'elles soient *al dente*. Les égoutter et les remettre dans la casserole.
3 Pendant que les pâtes cuisent, battre les œufs et la crème dans un saladier, puis incorporer le prosciutto, le parmesan (en en réservant 3 cuil. à soupe) et la ciboulette ; poivrer à votre goût.
4 Verser la préparation à l'œuf et le beurre sur les pâtes chaudes et remuer sans arrêt à feu doux pendant 1 minute, jusqu'à ce que la sauce commence à épaissir. Veiller à ne pas trop cuire la sauce, qui se transformerait en œufs brouillés ; elle doit être onctueuse et lisse.
5 Verser la préparation dans le plat et saupoudrer du reste de parmesan. Passer au gril quelques minutes, jusqu'à ce que la préparation soit prise et légèrement dorée en surface.

VALEURS NUTRITIVES PAR PORTION : *protéines 25 g, lipides 40 g, glucides 45 g, fibres alimentaires 5 g, cholestérol 300 mg, 2 710 kJ (645 kcal)*

ORECCHIETTE SAUCE AU THON, CITRON ET CÂPRES

Préparation : 10 minutes
Cuisson : 20 minutes
Pour 4 personnes

☆

500 g d'orecchiette
30 g de beurre
1 gousse d'ail, écrasée
1 oignon, finement haché
425 g de thon au naturel, égoutté
2 cuil. à soupe de jus de citron
250 ml de crème liquide
2 cuil. à soupe de persil plat haché
1 cuil. à soupe de câpres, égouttées
1 pincée de poivre de Cayenne (facultatif)

1 Cuire les pâtes à l'eau bouillante salée jusqu'à ce qu'elles soient *al dente*. Les égoutter et les remettre au chaud dans la casserole.
2 Pendant que les pâtes cuisent, chauffer le beurre dans une casserole et faire revenir l'ail et l'oignon 1 à 2 minutes. Ajouter le thon, le jus de citron, la crème, la moitié du persil et les câpres. Ajouter du poivre noir et du poivre de Cayenne. Laisser mijoter 5 minutes à feu doux.
3 Verser la sauce au thon sur les pâtes et bien mélanger. Parsemer du reste de persil (l'illustration montre le plat garni de câpres).
NOTE : mélanger la préparation à l'aide de deux cuillères en bois.

VALEURS NUTRITIVES PAR PORTION : *protéines 40 g, lipides 35 g, glucides 90 g, fibres alimentaires 5 g, cholestérol 155 mg, 3 570 kJ (850 kcal)*

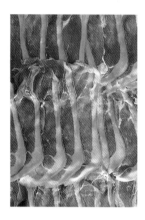

PROSCIUTTO

En italien, prosciutto a le sens général de jambon ; on le trouve cuit, *cotto*, ou bien cru, *crudo*, ainsi élaboré par salaison et séchage à l'air. C'est ce dernier que l'on emploie dans les recettes qui le mentionnent, en raison de sa facilité d'adaptation et de sa saveur douce. On l'utilise dans les salades, sur du pain et dans les pâtes, ou encore pour parfumer les sauces, les ragoûts et les soupes. Parvenu à maturité, il présente une chair rubis foncé, une couenne crème et un goût assez fort ; plus jeune, il est moelleux, sa chair est rose pâle et sa couenne blanche.

POUR ACCOMPAGNER...

COLESLAW AU SÉSAME Émincer finement un quart de chou rouge et de chou blanc. Couper 100 g de pois mange-tout, 2 branches de céleri, 2 carottes pelées et 1 poivron rouge en julienne. Mélanger le chou et les légumes dans un saladier et ajouter suffisamment de mayonnaise pour bien assaisonner la salade. Garnir de feuilles de menthe hachées et de graines de sésame grillées.

PAGE CI-CONTRE :
Carbonara au gratin (en haut), Orecchiette sauce au thon, citron et câpres.

SAUCE ALFREDO

Immortalisée par Alfredo et son restaurant à Rome, cette sauce est un onctueux mélange de beurre, de crème et de parmesan. On la sert traditionnellement avec des fettucine, en prenant soin de la consommer dès qu'elle est incorporée aux pâtes pour éviter qu'elle ne suinte. C'est pour cette raison qu'on la prépare à même la table dans les restaurants.

CI-DESSUS : Fettucine Alfredo

FETTUCINE ALFREDO

Préparation : 10 minutes
Cuisson : 15 minutes
Pour 6 personnes

★

500 g de fettucine ou de tagliatelle

90 g de beurre

150 g de parmesan, fraîchement râpé

300 ml de crème liquide

3 cuil. à soupe de persil frais haché

1 Cuire les pâtes à l'eau bouillante salée jusqu'à ce qu'elles soient *al dente*. Les égoutter et les remettre au chaud dans la casserole.

2 Pendant que les pâtes cuisent, chauffer le beurre dans une casserole, à feu doux. Mettre le parmesan et la crème et porter à ébullition, sans cesser de remuer. Baisser le feu puis laisser mijoter 10 minutes, jusqu'à ce que la sauce ait épaissi légèrement. Ajouter le persil, du sel et du poivre ; bien

remuer le tout. Verser la sauce sur les pâtes chaudes et bien mélanger. Garnir d'un bouquet d'herbe aromatique.

VALEURS NUTRITIVES PAR PORTION : *protéines 20 g, lipides 45 g, glucides 60 g, fibres alimentaires 5 g, cholestérol 135 mg, 2 985 kJ (710 kcal)*

POUR ACCOMPAGNER...

PILAF AUX FINES HERBES Dans une grande poêle, faire revenir un oignon émincé dans un peu de beurre. Ajouter 1 cuil. à soupe de persil et de coriandre fraîche hachés. Incorporer 200 g de riz basmati rincé et 375 ml de bouillon de volaille ou de légumes. Assaisonner. Porter à ébullition puis laisser mijoter 20 minutes environ, jusqu'à ce que le riz soit cuit. Égoutter le jus et ajouter une autre cuil. à soupe de chaque herbe aromatique. Garnir de noisettes de beurre et de poivre noir concassé.

LINGUINE SAUCE CRÉMEUSE AU CITRON

Préparation : 10 minutes
Cuisson : 20 minutes
Pour 4 personnes

★

400 g de linguine frais ou de spaghetti

1 pincée de safran en filaments ou en poudre (facultatif)

300 ml de crème liquide

250 ml de bouillon de volaille

1 cuil. à soupe de zeste de citron râpé

1 Cuire les pâtes à l'eau bouillante salée jusqu'à ce qu'elles soient *al dente*. Les égoutter et les réserver au chaud.

2 Dans le cas de filaments de safran, les faire tremper 5 minutes dans un peu d'eau chaude. Pendant que les pâtes cuisent, mélanger la crème, le bouillon et le zeste de citron dans une grande poêle. Porter à ébullition en remuant de temps en temps.

3 Baisser le feu puis laisser mijoter 10 minutes ; saler et poivrer. Ajouter les pâtes et prolonger la cuisson de 2 à 3 minutes.

4 Ajouter les filaments de safran et leur eau et bien remuer. Garnir de fines lamelles de zeste de citron.

NOTE : le safran s'achète dans les épiceries fines et les boutiques spécialisées. À défaut, utiliser 1 pincée de curcuma.

VALEURS NUTRITIVES PAR PORTION : *protéines 15 g, lipides 35 g, glucides 75 g, fibres alimentaires 5 g, cholestérol 105 mg, 2 755 kJ (660 kcal)*

SAFRAN

Le safran se compose des stigmates séchés du crocus d'automne. Disponible en filaments ou en poudre, il se distingue par sa couleur orange foncé qui colore les mets qu'il accompagne ; son goût légèrement piquant s'adoucit à la cuisson. Faire macérer les filaments dans de l'eau tiède pour en extraire le goût, ou, pour une saveur plus intense, les faire griller jusqu'à ce qu'ils noircissent, les laisser refroidir et les broyer grossièrement. Le safran est cher en raison du travail exigé pour retirer les stigmates de chaque fleur.

CI-DESSUS : Linguine sauce crémeuse au citron

CI-DESSUS : *Ravioli
aux deux viandes avec
sauce au fromage*

PARMESAN RÂPÉ

Pour garnir les pâtes, une agréable variante du parmesan ou du pecorino fraîchement râpé consiste à mélanger du zeste de citron râpé avec l'un de ces fromages. Cela donne un délicieux piquant qui relève toutes sortes de sauces, notamment celles à base de crème, et qui se marie très bien avec les ravioli farcis à la viande. Ajuster les proportions en fonction de la sauce préparée. Une cuillerée à soupe de fromage pour une cuillerée à café de zeste de citron constitue un bon point de départ.

RAVIOLI AUX DEUX VIANDES AVEC SAUCE AU FROMAGE

Préparation : 1 heure
Cuisson : 15 minutes
Pour 4 personnes

☆

Pâte

250 g de farine

2 œufs, légèrement battus

2 cuil. à soupe d'huile

Farce

1 cuil. à soupe d'huile

4 oignons nouveaux, finement hachés

3 gousses d'ail, écrasées

250 g de hachis de porc et de veau

1 œuf, légèrement battu

Sauce au fromage

60 g de beurre

220 g de mascarpone

35 g de parmesan, fraîchement râpé

2 cuil. à soupe de sauge fraîche hachée

1 Pâte : passer la farine, les œufs, l'huile et 80 ml d'eau 5 secondes au mixeur, jusqu'à ce que le mélange forme une boule. Couvrir de film plastique et laisser reposer 15 minutes au réfrigérateur. À défaut de mixeur, mélanger les ingrédients dans une terrine et former une boule avec les doigts.

2 Farce : chauffer l'huile dans une casserole à fond épais et faire revenir l'oignon nouveau et l'ail 2 minutes à feu moyen, en remuant constamment. Ajouter la viande hachée et la saisir 4 minutes à feu vif, jusqu'à ce qu'elle soit dorée et que le jus se soit évaporé. Écraser les grumeaux à la fourchette en cours de cuisson. Laisser refroidir et incorporer l'œuf.

3 Étaler la moitié de la pâte très finement sur un plan de travail fariné. À l'aide d'un gros couteau tranchant, couper la pâte en carrés de 6 cm de côté. Badigeonner très légèrement d'eau la moitié des carrés et déposer une cuillerée de farce en leur centre. Poser un autre carré dessus et appuyer fermement autour de la farce, pour souder le tout. Disposer les ravioli en une seule couche sur des plaques de four bien farinées ; continuer avec le reste de pâte et de farce.

4 Sauce : faire fondre le beurre dans une casserole ; ajouter le mascarpone et remuer à feu moyen jusqu'à ce qu'il fonde. Incorporer le parmesan et la sauge et réchauffer doucement le tout en remuant, pendant 1 minute.

5 Cuire les ravioli 5 minutes à l'eau bouillante, jusqu'à ce qu'ils soient tendres. Les égoutter et les servir avec la sauce.

VALEURS NUTRITIVES PAR PORTION : *protéines 35 g, lipides 65 g, glucides 500 g, fibres alimentaires 4 g, cholestérol 270 mg, 3 855 kJ (915 kcal)*

POUR ACCOMPAGNER...

CAROTTES À L'ORANGE Cuire des mini carottes à l'eau, à la vapeur ou au micro-ondes, jusqu'à ce qu'elles soient tendres. Dans une casserole, chauffer du jus d'orange, un bâton de cannelle, de la liqueur d'orange et du miel ; porter à ébullition puis laisser mijoter 3 minutes. Retirer le bâton de cannelle. Verser la sauce sur les carottes et garnir d'aneth frais haché.

POIREAUX BRAISÉS AUX PIGNONS Faire dorer des poireaux émincés dans du beurre et de l'huile. Ajouter du bouillon de légumes et du vin blanc pour juste les couvrir. Laisser mijoter. Quand les poireaux sont tendres, incorporer une poignée de fines herbes hachées. Garnir de pignons grillés et de parmesan râpé.

PÂTES AUX NOIX DE SAINT-JACQUES ET AU LEMON-GRASS

Préparation : 20 minutes
Cuisson : 15 minutes
Pour 4 personnes

★

500 g de spaghetti ou de fettucine au piment

1 cuil. à soupe d'huile

1 oignon, émincé

2 cuil. à café de lemon-grass finement haché

500 g de noix de Saint-Jacques

250 ml de lait de coco

2 feuilles de citronnier kaffir, finement ciselées

15 g de feuilles de coriandre

1 Cuire les pâtes à l'eau bouillante salée jusqu'à ce qu'elles soient *al dente* ; les égoutter.

2 Pendant ce temps, chauffer l'huile dans une grande poêle à fond épais et faire revenir l'oignon et le lemon-grass 5 minutes à feu moyen. Ajouter les noix de Saint-Jacques en plusieurs fois et les faire cuire jusqu'à ce qu'elles soient tendres et légèrement dorées. Retirer de la poêle et réserver au chaud.

3 Mettre le lait de coco et les feuilles de citronnier dans la poêle et laisser mijoter 5 minutes, jusqu'à ce que la sauce épaississe légèrement.

4 Ajouter les noix de Saint-Jacques cuites et réchauffer le tout. Verser la sauce sur les pâtes, incorporer les feuilles de coriandre et bien mélanger. Saler et poivrer.

VALEURS NUTRITIVES PAR PORTION : *protéines 30 g, lipides 20 g, glucides 90 g, fibres alimentaires 7 g, cholestérol 40 mg, 2 775 kJ (660 kcal)*

LEMON-GRASS

Le lemon-grass est une plante aromatique utilisée dans toute l'Asie pour son parfum citronné ; sa base est en forme de bulbe et ses feuilles ressemblent à de l'herbe. Après avoir débarrassé la base de ses pellicules externes, la partie blanche et craquante du cœur est hachée ou broyée pour accommoder les bouillons, les pâtes de curry et les sautés. La tige fraîche ou les feuilles séchées s'ajoutent aux potages et aux currys. Les feuilles séchées doivent être trempées environ 30 minutes dans l'eau avant utilisation ; elles remplacent bien les feuilles fraîches. Le lemon-grass frais s'achète chez certains marchands primeurs et on le trouve frais ou séché dans les boutiques asiatiques.

CI-CONTRE : Pâtes aux noix de Saint-Jacques et au lemon-grass

FROMAGES

La saveur du parmesan n'a de secret pour personne, mais les Italiens produisent de nombreux autres fromages, depuis les fromages frais de table jusqu'aux variétés fortes et persillées, dont ils tirent une grande fierté.

MOZZARELLA

Fromage frais et doux, il était fabriqué à l'origine avec du lait de bufflonne, mais on le trouve aujourd'hui fait à partir de lait de vache ou d'un mélange des deux. Produite dans le monde entier, la mozzarella existe sous toutes les formes. Sa grande facilité à fondre la destine tout particulièrement aux pizzas, mais on peut la couper en dés pour l'ajouter aux sauces ou l'émincer en rondelles pour la faire fondre sur des escalopes.

BOCCONCINI ET OVOLINI

On nomme bocconcini ces petites boules de mozzarella fraîche que l'on fabrique encore selon la méthode traditionnelle et qui, contrairement à la mozzarella arrivée à maturité, se consomment comme fromage de table. Les plus petites s'appellent ovolini. Entreposés au réfrigérateur dans le petit-lait avec lequel ils sont vendus, les bocconcini se conservent 3 semaines. Ils doivent être

jetés à la moindre trace de jaunissement. On les sert égouttés et coupés en fines rondelles pour agrémenter les salades, les pizzas, la bruschetta ou les pâtes chaudes.

RICOTTA

Ce fromage frais caillé est fait à partir de petit-lait, en général du petit-lait de la mozzarella. On trouve de la ricotta de brebis (*ricotta pecora*) ou de vache (*ricotta vaccina*); de consistance très délicate, elle s'achète

généralement dans le panier dans lequel elle a été fabriquée. La ricotta doit être consommée très vite. Elle ne doit pas être décolorée ou sèche. L'égoutter avant utilisation. Son goût étant très doux, elle peut être utilisée dans les plats salés ou sucrés. Elle entre souvent dans la composition des farces de cannelloni, ou s'étend sur des crêpes ou du pain. Les boules de ricotta sèche sont destinées à être râpées.

GORGONZOLA

Originaire d'un petit village près de Milan, le gorgonzola est aujourd'hui fabriqué dans le monde entier. Sa pâte est onctueuse et persillée, et sa saveur douce, moins salée que la plupart des bleus. Ne l'acheter qu'en petite quantité, en raison de sa tendance à imprégner de son odeur les autres aliments du réfrigérateur. Le gorgonzola est délicieux en sauce de pâtes, dans les salades, fondu sur des poires ou servi avec des figues. Le laisser à température ambiante avant de servir.

PROVOLONE

Il est souvent vendu dans une enveloppe de cire et suspendu à une ficelle rouge et blanc. Plus il est jeune, plus son goût est doux ; il a tendance à se corser avec l'âge. Le provolone est souvent légèrement fumé et trouve sa place sur un plateau de fromages ou bien râpé dans une sauce de pâtes, dans les fondues ou sur la viande. Il se conserve 2 semaines au réfrigérateur, dans un film plastique.

PECORINO

C'est le nom donné aux fromages de brebis à pâte cuite et dure. Sa texture granuleuse est semblable à celle du parmesan et, comme lui, on l'utilise généralement sous forme râpée. Le *pecorino romano*, bien affiné, est plus dur et donc plus facile à râper. Le *pecorino pepato* est additionné de grains de poivre noir. Le *pecorino fresco* désigne le fromage jeune, encore frais. Le pecorino se conserve plusieurs mois au réfrigérateur. Veiller à bien l'envelopper de film plastique car son puissant arôme peut imprégner les autres aliments.

MASCARPONE

Fromage frais très crémeux, proche de la crème fraîche. Très riche en matières grasses, il a un goût doux mais légèrement acide. On l'utilise dans la sauce aux quatre fromages ou dans les béchamels. On le sert également avec des fruits frais ou pochés en guise de dessert. Il se conserve 5 jours au réfrigérateur.

À PARTIR DU COIN SUPÉRIEUR GAUCHE :
Mozzarella, Ricotta, Gorgonzola, Provolone, Mascarpone, Pecorino, Pecorino Pepato, Pecorino frais, Mini ricotta, Ovolini, Bocconcini.

FROMAGES

FONTINA

Fromage doux au léger goût de noisette, à la pâte moelleuse percée de rares petits trous. Le fontina se vend en tomme à la croûte bien dorée. C'est un fromage à pâte mi-ferme, apprécié pour son pouvoir fondant ; c'est l'ingrédient essentiel de la fondue italienne, la *fonduta*. La loi italienne restreint l'utilisation du nom fontina aux fromages produits dans le Val d'Aoste, près du mont Fontin. Il en existe toutefois des imitations dans diverses régions d'Italie et du monde, que l'on appelle *fontal* et dont la pâte est généralement plus molle. Le fontina est délicieux fondu sur de la polenta ou des gnocchi, ainsi que dans les sauces. Il se conserve 1 semaine au réfrigérateur, enveloppé de film plastique.

PARMIGIANO REGGIANO

Le parmesan tire son nom de la région de Parme en Italie du Nord. C'est un fromage à pâte dure et granuleuse. Il est affiné pendant 2 ou 3 ans dans de grands cercles de bois et ne peut recevoir le label *Parmigiano reggiano* que s'il est produit dans la région de Parme et de Reggio, où on le fabrique encore selon la méthode traditionnelle. Il est conseillé de l'acheter en morceau et de le râper soi-même, car le parmesan déjà râpé est souvent sec et fade. Le choisir avec la croûte bien attachée, sans traces blanches sur les bords. Le parmesan est aussi bon tel quel que râpé ou émincé sur des pâtes, dans des salades ou des soupes. Le conserver dans

du papier sulfurisé et du papier aluminium tout en bas du réfrigérateur.

GRANA

Comme le parmesan, le grana est un fromage dur à la pâte granuleuse. On le reconnaît facilement au label imprimé sur sa croûte, garantissant son authenticité. Le grana est un fromage de table au goût plus délicat que celui du parmesan. Le conserver au réfrigérateur, dans du film plastique.

BEL PAESE

Aisément reconnaissable à son papier aluminium argenté et vert illustré d'une carte d'Italie, ce fromage doux et onctueux s'utilise dans les sandwiches, à table ou fondu dans les ragoûts ou sur les piz-

zas. Il s'affine très vite, en 4 à 6 semaines, et doit se conserver dans son papier jusqu'au moment de le consommer. On le vend en gros disques ou en portions individuelles.

TALEGGIO OU STRACCHINO

Le nom de ce fromage provient de la ville où il est produit ; on le classe en deux catégories. L'une est le caillé cuit, à la fine croûte grisâtre, à la pâte couleur paille et au goût peu prononcé. Le caillé non cuit forme un fromage affiné en surface, avec une fine croûte rougeâtre moisie et une pâte jaune pâle. Sa saveur délicatement parfumée devient légèrement acide au centre. Le taleggio doit être acheté en petites quantités. Le porter à température ambiante avant de le servir sur un plateau de fromages. Le taleggio est également connu sous l'appellation de stracchino.

ASIAGO

Il s'agit d'un fromage de table que l'on peut également râper, selon la façon dont il a été affiné et pressé. Le jeune asiago, *asiago d'allevo*, possède une fine croûte dorée qui devient brun rouge avec l'âge. La pâte est jaune pâle, légèrement granuleuse et parsemée de petits trous. Son goût se corse à mesure qu'il vieillit. Le fromage affiné et pressé, *asiago pressato*, a une épaisse croûte doré foncé et une pâte jaune paille très claire. Son petit goût agréable en fait un parfait fromage de table. Il se conserve bien au réfrigérateur, enveloppé de film plastique.

FROMAGE DE CHÈVRE

Le chèvre possède un goût fort et très particulier. Sa texture peut être molle et friable ou très dense, en fonction de l'âge et de la méthode de fabrication. Jeune et friable, le chèvre s'étale facilement sur du pain, orne

un plateau de fromages ou s'émiette dans les salades et les plats de pâtes. Un chèvre plus ferme peut être coupé en tranches et mariné dans de l'huile parfumée aux herbes. Il doit être d'un blanc immaculé, sans aucune trace de dessèchement sur les bords. Il s'achète en petite quantité et se conserve 2 semaines maximum au réfrigérateur. Selon la variété, la croûte varie du noir (chèvre cendré) au blanchâtre. Le chèvre cendré s'obtient en roulant du fromage de chèvre dans des fines herbes calcinées jusqu'à ce qu'il en soit totalement recouvert.

À PARTIR DU COIN SUPÉRIEUR GAUCHE : **Fontina, Parmigiano reggiano, Bel paese, Chèvre, Chèvre cendré, Asiago, Grana.**

SALADES DE PÂTES

Certes, les salades de pâtes ne sont pas une authentique création italienne, mais il n'en reste pas moins que l'association de légumes frais, d'huile d'olive de qualité et de pâtes froides *al dente* possède une saveur résolument méditerranéenne. Peu d'aliments peuvent ainsi se déguster aussi bien chauds que froids. Les pâtes constituent une exception et les salades suivantes réjouiront les palais de tous, même ceux des Italiens !

ORIGAN

L'origan italien, ou marjolaine sauvage, fait partie de la famille du rigani, utilisé dans la cuisine grecque, et de la marjolaine, employée dans la gastronomie française et celle du nord de l'Italie. Son goût est plus doux que celui du rigani mais plus prononcé que celui de la marjolaine. L'origan se marie très bien avec les tomates, l'ail et l'oignon; on le trouve très souvent sur les pizzas. C'est une plante résistante dont les feuilles sèchent très bien.

SALADE DE FARFALLE AUX TOMATES ET AUX ÉPINARDS

Préparation : 20 minutes
Cuisson : 12 minutes
Pour 6 personnes

★

500 g de farfalle

3 oignons nouveaux

50 g de tomates séchées au soleil, coupées
   en lanières

1 kg d'épinards hachés

50 g de pignons grillés

1 cuil. à soupe d'origan frais haché

60 ml d'huile d'olive

1 cuil. à café de piment frais haché

1 gousse d'ail, écrasée

1 Cuire les pâtes à l'eau bouillante salée jusqu'à ce qu'elles soient *al dente*. Les égoutter, les rincer à l'eau froide et les égoutter à nouveau. Laisser refroidir et transférer dans un grand saladier.

2 Émincer finement les oignons nouveaux en diagonale. Les ajouter aux pâtes en même temps que les tomates, les épinards, les pignons et l'origan.

3 Confectionner une sauce en mélangeant l'huile, le piment, l'ail, du sel et du poivre dans un petit bocal. Visser le couvercle et agiter vigoureusement.

4 Verser la sauce sur la salade et bien mélanger avant de servir.

VALEURS NUTRITIVES PAR PORTION : *protéines 15 g, lipides 15 g, glucides 60 g, fibres alimentaires 10 g, cholestérol 0 mg, 1 930 kJ (460 kcal)*

CI-DESSUS : Salade de farfalle aux tomates et aux épinards

SALADE DE SPAGHETTI À LA TOMATE

Préparation : 25 minutes
Cuisson : 15 minutes
Pour 6 personnes

★

500 g de spaghetti ou de bucatini

50 g de basilic frais, haché

250 g de tomates cerises, coupées en deux

1 gousse d'ail, écrasée

75 g d'olives noires, hachées

60 ml d'huile d'olive

1 cuil. à soupe de vinaigre balsamique

50 g de parmesan, fraîchement râpé

1 Cuire les pâtes à l'eau bouillante salée. Les égoutter, les rincer à l'eau froide et les égoutter à nouveau.
2 Dans un saladier, mettre le basilic, les tomates, l'ail, les olives, l'huile et le vinaigre. Laisser reposer 15 minutes avant d'incorporer les pâtes égouttées.

3 Ajouter le parmesan ainsi que du sel et du poivre. Bien mélanger et servir immédiatement.

VALEURS NUTRITIVES PAR PORTION : *protéines 15 g, lipides 15 g, glucides 60 g, fibres alimentaires 5 g, cholestérol 10 mg, 1 780 kJ (425 kcal)*

POUR ACCOMPAGNER...

SCONES AU POTIRON ET À LA SAUGE

Tamiser 250 g de farine avec levure incorporée dans une terrine ; ajouter 1 pincée de sel. Incorporer 250 g de potiron cuit et réduit en purée et 20 g de beurre, puis ajouter 1 cuil. à soupe de sauge fraîche hachée. Mouiller la préparation avec un peu de lait et la déposer sur une plaque de four. Former une boule et l'étaler jusqu'à ce qu'elle fasse 3 cm d'épaisseur. Marquer ou découper les scones et passer au four modéré (180 °C) pendant 15 à 20 minutes, jusqu'à ce que la surface soit légèrement dorée.

CI-DESSUS : Salade de spaghetti à la tomate

173

2 Pendant que les pâtes cuisent, mélanger l'huile d'olive, l'ail, le zeste et le jus de citron, les tomates, les olives et l'origan dans un saladier. Saler et poivrer.

3 Découper le poulet en fines lanières. Chauffer l'huile dans une poêle à fond épais et faire revenir le poulet 4 minutes à feu moyen, en remuant de temps en temps jusqu'à ce qu'il soit cuit.

4 Ajouter le poulet égoutté et les pâtes chaudes dans le saladier et bien mélanger. Servir sur un lit de roquette.

VALEURS NUTRITIVES PAR PORTION : *protéines 20 g, lipides 15 g, glucides 25 g, fibres alimentaires 5 g, cholestérol 45 mg, 1 330 kJ (320 kcal)*

SALADE DE PÂTES À LA TOMATE ET AU BASILIC

Préparation : 15 minutes
Cuisson : 10 minutes
Pour 6 personnes

☆

500 g de penne rigate cuites

2 cuil. à soupe de persil frais finement ciselé

1 à 2 gousses d'ail, écrasées

2 cuil. à soupe d'huile d'olive

1 cuil. à soupe de vinaigre balsamique

1 cuil. à café de sucre roux

4 tomates Roma

60 g de prosciutto

SALADES CHAUDES

Une salade dont tout ou partie des ingrédients sont chauds forme une appétissante entrée ou un repas léger. Les denrées tout juste cuites gardent leurs couleurs vives, leur texture et leur goût, tandis que les crudités opposent une fraîcheur et un craquant agréables.

CI-DESSUS : Salade chaude au poulet et aux pâtes
CI-CONTRE : Salade de pâtes à la tomate et au basilic

SALADE CHAUDE AU POULET ET AUX PÂTES

Préparation : 20 minutes
Cuisson : 15 minutes
Pour 6 personnes

☆

180 g de penne rigate

60 ml d'huile d'olive vierge

2 gousses d'ail, écrasées

Zeste d'1 citron, coupé en fines lamelles

1 cuil. à soupe de jus de citron

3 cuil. à soupe de basilic frais haché

4 tomates moyennes, épépinées et hachées

18 olives noires, émincées

1/2 cuil. à café d'origan frais haché

400 g de blanc de poulet

1 cuil. à soupe d'huile

Quelques feuilles de roquette

1 Cuire les pâtes à l'eau bouillante salée jusqu'à ce qu'elles soient *al dente* ; les égoutter.

1 Dans un saladier, mettre les penne, le basilic, l'ail, l'huile, le vinaigre, le sucre, du sel et du poivre.

2 Découper les tomates en quartiers et les incorporer aux autres ingrédients en mélangeant bien.

3 Faire rissoler le prosciutto jusqu'à ce qu'il soit craquant et l'émietter sur la salade avant de servir.

VALEURS NUTRITIVES PAR PORTION : *protéines 5 g, lipides 5 g, glucides 30 g, fibres alimentaires 5 g, cholestérol 5 mg, 910 kJ (215 kcal)*

SALADE DE PÂTES AU THON

Préparation : 20 minutes
Cuisson : 15 minutes
Pour 6 personnes

★

500 g de conchiglie ou de fusilli

200 g de haricots verts, coupés en courts tronçons

2 poivrons rouges, finement émincés

2 oignons nouveaux, hachés

425 g de thon à l'huile

2 cuil. à soupe d'huile

60 ml de vinaigre de vin blanc

1 cuil. à soupe de jus de citron

1 gousse d'ail, écrasée

1 cuil. à café de sucre

1 gros concombre, finement émincé

6 œufs durs, coupés en quartiers

4 tomates, coupées en huit

80 g d'olives noires

2 cuil. à soupe de basilic frais haché

1 Cuire les pâtes à l'eau bouillante salée jusqu'à ce qu'elles soient *al dente*. Les égoutter, les rincer à l'eau froide et les égoutter de nouveau.

2 Dans un saladier, mettre les pâtes, les haricots, les poivrons et les oignons nouveaux ; bien mélanger. Égoutter le thon en réservant l'huile et l'émietter à la fourchette.

3 Dans un bocal, mélanger l'huile du thon, l'huile, le vinaigre, le jus de citron, l'ail et le sucre. Visser le couvercle et agiter vigoureusement 2 minutes.

4 Déposer les pâtes au centre d'un grand plat de service. Disposer les rondelles de concombre, les tomates et les œufs tout autour et les arroser de la moitié de la sauce. Parsemer la salade de thon, d'olives et de basilic et napper du restant de sauce juste avant de servir.

VALEURS NUTRITIVES PAR PORTION : *protéines 35 g, lipides 25 g, glucides 65 g, fibres alimentaires 10 g, cholestérol 235 mg, 2 650 kJ (630 kcal)*

POUR ACCOMPAGNER...

PAIN DE POLENTA Cuire de la polenta et y incorporer 50 g de parmesan finement râpé, quelques fines herbes hachées (basilic, persil, origan, sauge…), 1 gousse d'ail écrasée et un peu de crème fraîche. Bien mélanger et assaisonner. Verser la préparation dans un plat à four et le mettre à four moyen (200 °C) jusqu'à ce que la croûte soit dorée et la polenta bien ferme. Découper en tranches et servir chaud.

CHIPS DE KUMERA ET DE PANAIS Peler et émincer des kumera (patates douces orange) et des panais en très fines rondelles ou en rubans, à l'aide d'un éplucheur. Les faire frire à l'huile chaude en plusieurs bains jusqu'à ce qu'ils soient craquants. Égoutter et conserver au chaud dans un four à 180 °C pendant la friture des autres chips. Servir avec de l'aïoli.

CI-DESSUS : Salade de pâtes au thon

PASTRAMI

Le pastrami, ou pastarmi, est de la viande de bœuf salée, généreusement aromatisée, très populaire aux États-Unis. Il serait originaire des Balkans et très proche du pastirma que l'on trouve en Turquie. Assaisonné de paprika, de poivre, de cumin et d'ail, parfois fumé, le pastrami est délicieux froid, en très fines tranches.

PAGE CI-CONTRE : *Salade de thon, haricots verts et oignon (en haut), Salade de pastrami, champignons et concombre.*

SALADE DE THON, HARICOTS VERTS ET OIGNON

Préparation : 20 minutes
Cuisson : 10 à 15 minutes
Pour 6 personnes

★

200 g de haricots verts, équeutés et coupés en courts tronçons

300 g de penne rigate

125 ml d'huile d'olive

250 g de thon frais, coupé en fines tranches

1 oignon rouge, finement émincé

1 cuil. à soupe de vinaigre balsamique

1 Cuire les haricots 1 à 2 minutes à l'eau bouillante, jusqu'à ce qu'ils soient tendres mais encore fermes. Les retirer à l'aide d'une écumoire et les rincer à l'eau froide. Égoutter et mettre dans un saladier.
2 Cuire les pâtes à l'eau bouillante salée jusqu'à ce qu'elles soient *al dente*. Les égoutter, les rincer à l'eau froide et les égoutter de nouveau avant de les ajouter aux haricots.
3 Chauffer la moitié de l'huile dans une poêle et faire sauter le thon et l'oignon à feu doux, jusqu'à ce que le thon soit cuit. Remuer doucement le thon afin de ne pas le briser. Ajouter le vinaigre, porter à feu vif et faire cuire rapidement jusqu'à ce que la sauce soit réduite et nappe légèrement le thon. Mettre le thon et l'oignon dans le saladier, en laissant les miettes au fond de la poêle.
4 Mélanger délicatement les ingrédients du saladier et incorporer le reste de l'huile, ainsi que du sel et du poivre. Laisser refroidir à température ambiante avant de servir.

VALEURS NUTRITIVES PAR PORTION : *protéines 25 g, lipides 30 g, glucides 55 g, fibres alimentaires 6 g, cholestérol 45 mg, 2 535 kJ (605 kcal)*

SALADE DE PASTRAMI, CHAMPIGNONS ET CONCOMBRE

Préparation : 20 minutes
Cuisson : 5 à 10 minutes
Pour 6 personnes

★

200 g de lasagnette, brisées en quatre

250 g de pastrami, coupé en tranches puis en lamelles

1 branche de céleri, émincée

2 petites tomates, coupées en quartiers

1 petit concombre libanais, finement émincé

80 g de champignons de Paris, finement émincés

1 cuil. à soupe de coriandre fraîche finement hachée, pour la garniture

Sauce vinaigrette

60 ml d'huile d'olive

2 cuil. à soupe de vinaigre de vin rouge

1/2 cuil. à café de moutarde

1 gousse d'ail, écrasée

Quelques gouttes d'huile pimentée

1 Cuire les pâtes à l'eau bouillante salée jusqu'à ce qu'elles soient *al dente*. Les égoutter, les rincer à l'eau froide et les égoutter de nouveau. Laisser refroidir et mettre dans un grand saladier.
2 Ajouter le pastrami, le céleri, les tomates, le concombre et les champignons.
3 Préparer la sauce vinaigrette en mélangeant tous les ingrédients dans un bocal et en secouant énergiquement.
4 Verser la sauce sur la salade, bien mélanger, couvrir et laisser refroidir plusieurs heures au réfrigérateur. Vérifier l'assaisonnement et garnir de coriandre fraîche avant de servir.

VALEURS NUTRITIVES PAR PORTION : *protéines 15 g, lipides 55 g, glucides 35 g, fibres alimentaires 4 g, cholestérol 280 mg, 3 050 kJ (725 kcal)*

CŒURS D'ARTICHAUT

L'artichaut est une plante de la famille des chardons dont on consomme la fleur. Au centre se cache une masse de «foin» qui constitue en fait la fleur et repose sur un réceptacle charnu entouré de feuilles épaisses. Après avoir éliminé les feuilles externes les plus dures, on découvre le cœur d'artichaut, ou la partie interne composée de délicates feuilles entourant le foin et le fond. En boîte ou en bocal, les cœurs d'artichaut conservent leur saveur et remplacent bien les cœurs frais.

CI-DESSUS : Salade de pâtes et poulet à l'italienne

SALADE DE PÂTES ET POULET À L'ITALIENNE

Préparation : 30 minutes + 3 heures de marinade
Cuisson : 10 minutes
Pour 8 personnes

★

3 filets de poulet

60 ml de jus de citron

1 gousse d'ail, écrasée

100 g de prosciutto en fines tranches

1 petit concombre libanais

2 cuil. à soupe de poivre aromatisé au citron

2 cuil. à soupe d'huile d'olive

135 g de penne cuites

80 g de tomates séchées au soleil, finement émincées

70 g d'olives noires, coupées en deux

100 g de moitiés de cœurs d'artichaut en bocal

50 g de copeaux de parmesan frais

Sauce à la crème et au basilic

80 ml d'huile d'olive

1 cuil. à soupe de vinaigre de vin blanc

1 pincée de poivre

1 cuil. à café de moutarde

3 cuil. à café de Maïzena

170 ml de crème liquide

20 g de basilic frais, émincé

1 Parer le poulet et l'aplatir légèrement à l'aide d'un maillet ou d'un rouleau à pâtisserie.
2 Dans un petit saladier, mélanger le jus de citron et l'ail. Ajouter le poulet et bien l'enduire de marinade. Couvrir de film plastique et réfrigérer 3 heures minimum ou toute la nuit, en le tournant de temps en temps.
3 Découper le prosciutto en fines lanières. Partager le concombre en deux dans le sens de la longueur et émincer chaque moitié.
4 Égoutter le poulet et l'enduire de poivre. Chauffer l'huile dans une grande poêle à fond épais et faire revenir le poulet 4 minutes sur chaque face, jusqu'à ce qu'il soit doré et bien cuit. Retirer du feu, laisser refroidir, puis couper en petits morceaux.

5 Sauce à la crème et au basilic : dans une casserole, mélanger l'huile, le vinaigre, le poivre et la moutarde. Délayer la Maïzena dans 80 ml d'eau et verser le mélange dans la casserole. Battre 2 minutes à feu moyen, jusqu'à ébullition et épaississement. Incorporer la crème, le basilic et du sel. Bien réchauffer le tout en remuant.

6 Dans un grand saladier, mélanger les pâtes, le poulet, le concombre, le prosciutto, les tomates séchées, les olives et les cœurs d'artichaut. Verser la sauce chaude dessus et mélanger délicatement. Servir la salade froide ou chaude, garnie de copeaux de parmesan.

VALEURS NUTRITIVES PAR PORTION : *protéines 15 g, lipides 30 g, glucides 15 g, fibres alimentaires 2 g, cholestérol 60 mg, 1 555 kJ (370 kcal)*

SALADE DE FRUITS DE MER À LA MAYONNAISE

Préparation : 30 minutes
Cuisson : 5 à 10 minutes
Pour 8 personnes en entrée, 4 en plat principal

★

400 g de conchiglie de taille moyenne

250 g de mayonnaise

3 cuil. à soupe d'estragon frais ou 2 cuil. d'estragon séché

1 cuil. à soupe de persil frais finement haché

Poivre de Cayenne

1 cuil. à café de jus de citron frais (ou plus selon le goût)

1 kg de crustacés décortiqués cuits (crevettes, homard, crabe, etc.), coupés en morceaux

2 radis, finement émincés

1 petit poivron vert, coupé en julienne

1 Cuire les pâtes à l'eau bouillante salée jusqu'à ce qu'elles soient *al dente*. Les égoutter, les rincer à l'eau froide et les égoutter de nouveau. Les mettre dans un saladier et incorporer 1 à 2 cuil. à soupe de mayonnaise. Laisser refroidir à température ambiante en remuant de temps en temps pour éviter qu'elles ne collent.

2 Dans le cas d'estragon séché, le plonger 3 à 4 minutes dans 60 ml de lait bouillant puis l'égoutter. Dans un bol, bien mélanger l'estragon, le persil, le poivre de Cayenne et le jus de citron avec le reste de mayonnaise.

3 Ajouter les fruits de mer aux pâtes ainsi que les radis et le poivron ; saler et poivrer. Incorporer délicatement la mayonnaise à l'estragon. Couvrir

et laisser refroidir avant de servir, en rajoutant un peu de mayonnaise ou de jus de citron si la salade est un peu sèche.

NOTE : pour faire sa propre mayonnaise, battre 2 jaunes d'œufs, 1 cuil. à café de moutarde et 2 cuil. à café de jus de citron 30 secondes dans un bol, jusqu'à obtention d'un mélange léger et onctueux. Ajouter 250 ml d'huile d'olive, environ 1 cuil. à café à la fois, sans cesser de battre. Augmenter la quantité d'huile incorporée à mesure que la mayonnaise s'épaissit. Quand toute l'huile a été ajoutée, incorporer 2 cuil. à café de jus de citron supplémentaires, du sel et du poivre blanc. On peut également la préparer au mixeur : utiliser les mêmes ingrédients en mixant les jaunes d'œufs, la moutarde et le jus de citron 10 secondes. Sans arrêter le moteur, ajouter l'huile en un fin filet jusqu'à ce qu'il n'y en ait plus.

VALEURS NUTRITIVES PAR PORTION (8) : *protéines 35 g, lipides 10 g, glucides 40 g, fibres alimentaires 3 g, cholestérol 245 mg, 1755 kJ (415 kcal)*

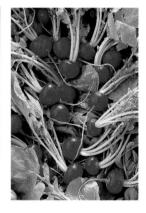

CI-DESSUS : *Salade de fruits de mer à la mayonnaise*

SALADE DE PÂTES À LA ROQUETTE, TOMATE ET SALAMI

Préparation : 20 minutes
Cuisson : 18 minutes
Pour 6 personnes

★

350 g d'orecchiette

6 tranches de salami italien épicé, coupées en lamelles

150 g de roquette, découpée

200 g de tomates cerises, coupées en deux

4 cuil. à soupe d'huile d'olive

3 cuil. à soupe de vinaigre de vin blanc

1 cuil. à café de sucre

1 Cuire les pâtes à l'eau bouillante salée jusqu'à ce qu'elles soient *al dente*. Les égoutter, les rincer à l'eau froide et les égoutter de nouveau. Laisser refroidir.
2 Chauffer une poêle à feu moyen et faire rissoler le salami. L'égoutter soigneusement sur du papier absorbant.
3 Dans un saladier, mélanger le salami, les pâtes, la roquette et les tomates.
4 Passer l'huile, le vinaigre, le sucre et 1 pincée de sel et de poivre 1 minute au mixeur. Arroser la salade de sauce juste avant de servir.

VALEURS NUTRITIVES PAR PORTION : *protéines 9 g, lipides 15 g, glucides 45 g, fibres alimentaires 4 g, cholestérol 9 mg, 1 505 kJ (360 kcal)*

POUR ACCOMPAGNER...

DAMPER (PAIN AUSTRALIEN) Tamiser 500 g de farine avec levure incorporée, 1 cuil. à café de sel et 1 cuil. à café de sucre en poudre dans une grande jatte. A l'aide d'un couteau, incorporer suffisamment de lait (375 ml environ) pour former une pâte assez ferme se détachant des parois de la jatte. Pétrir la pâte 1 minute environ sur un plan de travail fariné et former une boule. Déposer la boule sur une plaque de four huilée et l'aplatir légèrement avant de pratiquer 2 fentes sur le dessus. Badigeonner de lait et enfourner 15 minutes dans un four chaud (210 °C), puis 20 minutes supplémentaires après avoir baissé le four à 180 °C. Le pain doit être doré et la base doit sonner creux quand on tapote dessus.

SALADE DE PÂTES AU POULET ET AUX POIRES

Préparation : 35 minutes
Cuisson : 30 minutes
Pour 6 personnes

★

350 g de gemelli ou de fusilli

200 g de blancs de poulet

2 poires mûres

3 oignons nouveaux, finement émincés

2 cuil. à soupe d'amandes effilées grillées

100 g de bleu crémeux

3 cuil. à soupe de crème fraîche épaisse

3 cuil. à soupe d'eau glacée

1 Cuire les pâtes à l'eau bouillante salée jusqu'à ce qu'elles soient *al dente*. Les égoutter, les rincer à l'eau froide et les égoutter de nouveau. Laisser refroidir.
2 Mettre les blancs de poulet dans une poêle, les couvrir d'eau et laisser mijoter 8 minutes à feu doux jusqu'à ce qu'ils soient tendres, en les retournant de temps en temps. Retirer de la poêle, laisser refroidir et découper en lanières. Mettre dans un saladier avec les pâtes cuites.
3 Partager les poires en deux et ôter le cœur. Les couper en fines tranches, de même taille que les morceaux de poulet, et les mettre dans le saladier avec l'oignon nouveau et les amandes.
4 Passer le bleu, la crème fraîche, 3 cuil. à soupe d'eau glacée et 1 pincée de sel et de poivre au mixeur jusqu'à obtention d'une purée lisse. Verser la préparation sur la salade et bien mélanger. Transférer le tout dans le saladier de service ou sur un plat. Garnir éventuellement d'oignon nouveau émincé.

VALEURS NUTRITIVES PAR PORTION : *protéines 20 g, lipides 15 g, glucides 50 g, fibres alimentaires 5 g, cholestérol 45 mg, 1 655 kJ (395 kcal)*

POIRES
La poire est un fruit aux multiples emplois. On peut le consommer frais, dans des desserts, ou cuit dans des plats salés. Sa texture ferme et croquante réagit bien à la chaleur et son goût se marie à de nombreux aliments. Le poulet, le fromage, la salade verte et, curieusement, l'huile d'olive, s'harmonisent très bien avec la poire. Il en existe de nombreuses variétés, que l'on peut classer en poires à dessert – quand leur chair est croquante et sucrée – ou en poires à cuire – quand leur chair est ferme et granuleuse, avec un goût plus aigre.

PAGE CI-CONTRE :
Salade de pâtes à la roquette, tomate et salami (en haut),
Salade de pâtes au poulet et aux poires.

SALADE DE PÂTES AU POULET RÔTI

Préparation : 15 minutes
Cuisson : 15 minutes
Pour 6 personnes

★

1 poulet rôti

500 g de penne

60 ml d'huile d'olive

2 cuil. à soupe de vinaigre de vin blanc

200 g de tomates cerises, coupées en deux

20 g de basilic frais, haché

75 g d'olives noires, hachées

Poivre noir fraîchement moulu

1 Détacher la chair et la peau des os du poulet et les couper en fines lanières.

2 Cuire les pâtes à l'eau bouillante salée jusqu'à ce qu'elles soient *al dente*. Les égoutter et les transférer dans le saladier de service. Mélanger l'huile et le vinaigre et les incorporer aux pâtes tant qu'elles sont chaudes.

3 Ajouter le poulet, les tomates cerises, le basilic et les olives dans le saladier ; bien mélanger. Saupoudrer de poivre noir. Servir chaud en plat de résistance ou à température ambiante avec un assortiment d'autres salades.

NOTE : cette salade peut se préparer 2 heures à l'avance. Garder le poulet au réfrigérateur jusqu'au moment de servir et ne l'ajouter qu'à la dernière minute. Hacher et incorporer le basilic également au dernier moment, afin qu'il ne noircisse pas.

VALEURS NUTRITIVES PAR PORTION : *protéines 30 g, lipides 20 g, glucides 60 g, fibres alimentaires 5 g, cholestérol 70 mg, 2 500 kJ (595 kcal)*

CI-DESSUS : Salade de pâtes au poulet rôti

SALADE DE PÂTES AU CITRON ET AUX LÉGUMES

Préparation : 20 minutes
Cuisson : 15 minutes
Pour 4 personnes

★

250 g de farfalle

80 ml d'huile d'olive

250 g de brocoli, coupé en petits bouquets

125 g de pois mange-tout, équeutés

150 g de mini-pâtissons jaunes, coupés en
   quartiers

2 cuil. à soupe de crème fraîche

1 cuil. à soupe de jus de citron

2 cuil. à café de zeste de citron finement râpé

1 branche de céleri, finement émincée

1 cuil. à soupe de cerfeuil haché

Brins de cerfeuil, pour la garniture

1 Cuire les pâtes à l'eau bouillante salée jusqu'à ce qu'elles soient *al dente*. Bien égoutter, incorporer 1 cuil. à soupe de l'huile d'olive et laisser refroidir.
2 Dans un saladier, réunir le brocoli, les pois mange-tout et les mini-pâtissons ; couvrir d'eau bouillante et laisser tremper 2 minutes. Égoutter et plonger les légumes dans de l'eau glacée, égoutter de nouveau et essuyer avec du papier absorbant.
3 Mettre la crème fraîche, le jus et le zeste de citron ainsi que le reste d'huile dans un bocal hermétique. Secouer pendant 30 secondes avant de saler et poivrer.
4 Dans le saladier de service, mélanger les pâtes refroidies, le céleri émincé et les légumes égouttés ; parsemer de cerfeuil. Arroser le tout de sauce et bien mélanger. Garnir de brins de cerfeuil et servir à température ambiante.

VALEURS NUTRITIVES PAR PORTION : *protéines 10 g, lipides 25 g, glucides 50 g, fibres alimentaires 5 g, cholestérol 15 mg, 1 910 kJ (455 kcal)*

CERFEUIL

Le cerfeuil est une plante ombellifère cultivée en pot ; son goût délicat est légèrement anisé. Il se distingue par des tiges rigides et de petites feuilles dentelées que l'on peut hacher ou conserver entières, tels des petits pétales. Son arôme s'évaporant rapidement, il est recommandé de l'employer frais ou de l'ajouter aux plats chauds au dernier moment. Le cerfeuil accompagne les omelettes et les potages, et s'utilise en garniture.

CI-DESSUS : Salade de pâtes au citron et aux légumes

PAIN
Frais et croustillant, le pain – quelle que soit sa variété – est le compagnon idéal d'une grande majorité de plats. On le sert aussi bien nature qu'additionné d'ail, de fromage, de basilic frais, de persil et autres fines herbes.

GRESSINS À L'AIL
Four à 200 °C. Mélanger 2 gousses d'ail dans 1 cuil. à soupe d'huile d'olive. Badigeonner de ce mélange 1 paquet de gressins et envelopper chacun d'entre eux dans de très fines lanières de prosciutto. Enfourner 5 minutes, jusqu'à ce que les extrémités se dessèchent. Laisser refroidir sur la plaque avant de servir. Pour 25 gressins environ.

VALEURS NUTRITIVES PAR GRESSIN : *protéines 2 g, lipides 2 g, glucides 6 g, fibres alimentaires 0 g, cholestérol 4 mg, 210 kJ (50 kcal)*

PETITS PAINS AU FROMAGE ET AUX HERBES
Four à 220 °C. Mélanger 125 g de beurre ramolli avec 1 cuil. à soupe de basilic, de persil et de ciboulette hachés et 30 g de gruyère râpé. Saler et poivrer. Trancher 4 petits pains ronds, sans toutefois séparer les tranches. Tartiner les deux faces de chaque tranche de beurre aromatisé. Enfourner 15 minutes, jusqu'à ce que le pain soit bien doré. Pour 4 personnes.

VALEURS NUTRITIVES PAR PAIN : *protéines 10 g, lipides 30 g, glucides 45 g, fibres alimentaires 3 g, cholestérol 90 mg, 2 055 kJ (490 kcal)*

FOCACCIA GRILLÉE AU PESTO

Découper un carré de focaccia de 20 cm en deux, horizontalement. Passer 50 g de basilic, 2 gousses d'ail, 3 cuil. à soupe de pignons grillés et 4 cuil. à soupe de parmesan fraîchement râpé au mixeur, jusqu'à obtention d'un hachis grossier. Sans arrêter le moteur, incorporer peu à peu 60 ml d'huile d'olive et mixer jusqu'à obtention d'une purée lisse. Badigeonner d'huile d'olive les carrés de focaccia et faire dorer les deux côtés au four. Tartiner de pesto et découper la focaccia en petits rectangles. Pour 16 à 20 tranches.

VALEURS NUTRITIVES PAR TRANCHE : *protéines 2 g, lipides 6 g, glucides 4 g, fibres alimentaires 0 g, cholestérol 3 mg, 340 kJ (80 kcal)*

BRUSCHETTA AU POIVRON GRILLÉ

Partager un poivron rouge et un poivron jaune en deux ; retirer les graines et les membranes. Les passer au gril chaud, côté peau en haut, jusqu'à ce que la peau cloque et noircisse. Couvrir d'un torchon humide et laisser refroidir. Peler et couper la pulpe en fines lanières. Découper 1 pain italien en fines tranches à faire griller légèrement. Frotter chaque face des tranches avec des moitiés de gousse d'ail puis les badigeonner légèrement d'huile d'olive vierge extra. Garnir de poivron et saupoudrer de thym citron frais. Pour 30 tartines environ.

VALEURS NUTRITIVES PAR TARTINE : *protéines 2 g, lipides 2 g, glucides 10 g, fibres alimentaires 1 g, cholestérol 0 mg, 315 kJ (75 kcal)*

CROSTINI À L'ANCHOIS ET À LA TOMATE

Couper une baguette en épaisses tranches diagonales. Les badigeonner légèrement d'huile d'olive et les faire dorer au four. Les tartiner de 250 g de pesto aux tomates séchées et garnir de 50 g de filets d'anchois égouttés et finement émincés, de 50 g d'olives noires hachées et de basilic ciselé. Pour 15 tartines environ.

VALEURS NUTRITIVES PAR TARTINE : *protéines 4 g, lipides 5 g, glucides 15 g, fibres alimentaires 1 g, cholestérol 4 mg, 535 kJ (125 kcal)*

CI-DESSUS, DE GAUCHE À DROITE : **Gressins à l'ail, Petits pains au fromage et aux herbes, Focaccia grillée au pesto, Bruschetta au poivron grillé, Crostini à l'anchois et à la tomate.**

JEUNES ÉPIS
DE MAÏS FRAIS

Les jeunes épis de maïs frais s'achètent chez les marchands primeurs et dans certains supermarchés. Ils doivent être craquants et secs, avoir une couleur jaune pâle uniforme et mesurer 8 cm maximum. Très frais de goût, ils se consomment entiers. Très utilisés dans les plats asiatiques, ils s'intègrent progressivement dans multiples cuisines du monde, ajoutant aux plats une saveur sucrée et une texture croquante.

CI-DESSUS : Pâtes et légumes à la thaïlandaise

PÂTES ET LÉGUMES
À LA THAÏLANDAISE

Préparation : 20 minutes
Cuisson : 15 minutes
Pour 6 personnes

★

350 g de fettucine nature ou à la tomate
    et aux herbes

100 g de jeunes épis de maïs frais, coupés
    en deux dans le sens de la longueur

1 carotte, détaillée en julienne

200 g de brocoli, coupé en petits bouquets

1 poivron rouge, coupé en fines lanières

3 cuil. à soupe de sauce de piment douce

2 cuil. à soupe de miel

2 cuil. à café de sauce de poisson

3 oignons nouveaux, détaillés en julienne

2 cuil. à café de graines de sésame

1 Cuire les pâtes à l'eau bouillante salée jusqu'à ce qu'elles soient *al dente*. Les égoutter, les rincer à l'eau froide et les égoutter de nouveau. Laisser refroidir.

2 Dans une autre casserole d'eau bouillante, faire blanchir le maïs 1 minute. À l'aide d'une écumoire, transférer le maïs dans un grand bol d'eau glacée. Faire blanchir la carotte, le brocoli et le poivron 30 secondes, égoutter et plonger dans l'eau glacée. Quand les légumes sont refroidis, les égoutter et les ajouter aux pâtes dans un saladier.

3 Battre la sauce de piment, le miel et la sauce de poisson. Arroser la salade de cette sauce et bien mélanger. Garnir d'oignon nouveau et de graines de sésame.

VALEURS NUTRITIVES PAR PORTION : *protéines 10 g, lipides 2 g, glucides 60 g, fibres alimentaires 6 g, cholestérol 0 mg, 1 210 kJ (290 kcal)*

PÂTES ET LÉGUMES
À LA MÉDITERRANÉENNE

Préparation : 30 minutes
Cuisson : 15 minutes
Pour 6 personnes

☆

350 g de macaroni

200 g de tranches d'aubergine marinées (voir Note)

100 g de tomates séchées au soleil

60 g d'olives de Kalamata, dénoyautées

200 g de jambon fumé, en tranches ou en copeaux

2 cuil. à soupe de sauce de piment douce

1 cuil. à soupe de vinaigre de vin blanc

1 cuil. à soupe d'huile d'olive

2 cuil. à soupe de persil frais haché

1 Cuire les pâtes à l'eau bouillante salée jusqu'à ce qu'elles soient *al dente*. Les égoutter, les rincer à l'eau froide et les égoutter de nouveau. Laisser refroidir et transférer dans un saladier.

2 Couper l'aubergine, les tomates, les olives et le jambon en lanières et les ajouter aux pâtes. Les copeaux de jambon peuvent être simplement coupés en petits morceaux.

3 Battre la sauce de piment, le vinaigre et l'huile ; saler et poivrer. Arroser les pâtes et les légumes de sauce et bien mélanger. Garnir de persil frais.

NOTE : les légumes marinés s'achètent chez les traiteurs. On peut remplacer les aubergines par des poivrons rouges ou verts, ou des courgettes.

VALEURS NUTRITIVES PAR PORTION : *protéines 15 g, lipides 8 g, glucides 45 g, fibres alimentaires 4 g, cholestérol 15 mg, 1 280 kJ (305 kcal)*

CHIFFONNADE
DE JAMBON

Le jambon tranché très finement reçoit l'appellation de chiffonnade de jambon. Les tranches doivent être extrêmement fines mais distinctes. Cette méthode de préparation confère une texture particulièrement délicate au jambon. Il s'achète chez les bons traiteurs et doit être consommé aussi vite que possible car il se détériore plus rapidement que les tranches de jambon ordinaires.

CI-DESSUS : Pâtes et légumes à la méditerranéenne

VINAIGRE BALSAMIQUE
Le vinaigre balsamique, *aceto balsamico*, est une spécialité de la région de Modène en Italie du Nord. Il se fait à partir du jus fraîchement pressé de raisin blanc, que l'on fait lentement bouillir jusqu'à ce qu'il soit réduit à un tiers du volume initial. Le sirop qui en résulte est mis à vieillir en fût pendant plusieurs années, jusqu'à ce qu'il devienne concentré, doux et hautement aromatique. Il s'agit alors d'une sorte de sauce presque noire que l'on utilise avec discrétion non pas comme un vinaigre normal mais comme condiment. Un bon vinaigre balsamique doit être doux et sirupeux (mais pas écœurant), avec une fragrance et un arôme intenses. Il existe de nombreuses imitations qui n'ont rien de comparable avec le véritable produit. C'est l'exemple même d'un article de qualité qui vaut bien le prix payé.

PAGE CI-CONTRE : Salade de conchiglie aux asperges, bocconcini et origan (en haut), Salade chaude de fettucine aux crevettes et à l'ail.

SALADE DE CONCHIGLIE AUX ASPERGES, BOCCONCINI ET ORIGAN

Préparation : 25 minutes
Cuisson : 10 à 15 minutes
Pour 4 à 6 personnes

☆

350 g de conchiglie
150 g d'asperges fraîches
200 g de bocconcini (boules de mozzarella), finement émincés
100 g de tomates cerises, coupées en quatre
2 cuil. à soupe d'origan frais
4 cuil. à soupe d'huile de noix
1 cuil. à soupe de vinaigre de vin blanc
1 cuil. à soupe de vinaigre balsamique
1 pincée de sel et de poivre noir fraîchement moulu

1 Cuire les pâtes à l'eau bouillante salée jusqu'à ce qu'elles soient *al dente*. Les égoutter, les rincer à l'eau froide et les égoutter de nouveau. Laisser refroidir.

2 Détailler les asperges en courts tronçons et les faire blanchir 1 minute à l'eau bouillante. Égoutter et plonger dans un grand bol d'eau glacée pour les faire refroidir. Égoutter de nouveau.

3 Dans un saladier, mélanger les pâtes, les asperges, les bocconcini, les tomates et l'origan. Dans un bol, battre l'huile de noix, les vinaigres, le sel et le poivre.

4 Verser la sauce sur la salade et bien mélanger avant de servir.

VALEURS NUTRITIVES PAR PORTION (6) : *protéines 15 g, lipides 25 g, glucides 40 g, fibres alimentaires 5 g, cholestérol 35 mg, 1 900 kJ (455 kcal)*

SALADE CHAUDE DE FETTUCINE AUX CREVETTES ET À L'AIL

Préparation : 30 minutes
Cuisson : 25 minutes
Pour 4 personnes

☆ ☆

300 g de fettucine
2 cuil. à soupe d'huile d'olive
4 gousses d'ail, écrasées
300 g de crevettes crues décortiquées
2 cuil. à soupe de whisky
125 ml de crème liquide
3 oignons nouveaux, hachés

1 Cuire les pâtes à l'eau bouillante salée jusqu'à ce qu'elles soient *al dente*. Les égoutter, les rincer à l'eau froide et les égoutter de nouveau. Laisser refroidir et réserver.

2 Chauffer l'huile dans une poêle à fond épais et faire revenir l'ail 30 secondes. Faire sauter les crevettes à feu vif jusqu'à ce qu'elles changent de couleur. Verser le whisky et prolonger la cuisson jusqu'à ce qu'il s'évapore. Incorporer la crème et l'oignon nouveau et laisser mijoter 2 minutes.

3 Verser la sauce sur les pâtes ; saler et poivrer généreusement.

VALEURS NUTRITIVES PAR PORTION : *protéines 15 g, lipides 15 g, glucides 35 g, fibres alimentaires 5 g, cholestérol 125 mg, 1 530 kJ (365 kcal)*

POUR ACCOMPAGNER...

BISCUITS AU PARMESAN Dans une terrine, tamiser 250 g de farine avec 1 cuil. à café de levure, 1 pincée de paprika et 1/2 cuil. à café de sel. Ajouter 25 g de parmesan finement râpé et 185 ml de lait ; bien malaxer pour former une boule. Étaler la pâte jusqu'à ce qu'elle fasse environ 2 cm d'épaisseur et découper des carrés. Saupoudrer de parmesan râpé et enfourner 15 minutes dans un four préchauffé à 220 °C.

RIGATONI

Reconnaissables à leur surface légèrement cannelée et leur large ouverture, les rigatoni s'accommodent très bien de sauces épaisses, notamment à base de tomates ou de viande. Bien incorporée, la sauce s'introduit à l'intérieur des tubes et adhère aux cannelures superficielles. Les tortiglioni sont similaires, mais légèrement courbés.

CI-DESSUS : Rigatoni à la tomate, au fromage et aux épinards

RIGATONI À LA TOMATE, AU FROMAGE ET AUX ÉPINARDS

Préparation : 30 minutes
Cuisson : 1 heure
Pour 6 personnes

★

6 tomates Roma, coupées en deux

Sucre, pour saupoudrer

4 gousses d'ail, hachées

400 g de rigatoni

60 ml de jus de citron

60 ml d'huile d'olive

200 g d'haloumi, finement émincé

100 g de jeunes épinards

1 Préchauffer le four à 180 °C. Disposer les tomates sur une plaque de four antiadhésive, éventuellement garnie de papier aluminium, et les saupoudrer généreusement de sel, de sucre, de poivre et d'ail. Enfourner 1 heure, jusqu'à ce qu'elles soient presque déshydratées et racornies. Laisser refroidir avant de les couper de nouveau en deux.

2 Pendant que les tomates sont au four, cuire les pâtes à l'eau bouillante salée jusqu'à ce qu'elles soient *al dente*. Les égoutter, les rincer à l'eau froide et les égoutter de nouveau. Laisser refroidir.

3 Dans un bol, mélanger le jus de citron et l'huile d'olive ; saler et poivrer.

4 Verser la sauce sur les pâtes refroidies et incorporer délicatement les tomates, l'haloumi et les épinards. Garnir de poivre noir fraîchement concassé.

VALEURS NUTRITIVES PAR PORTION : *protéines 20 g, lipides 35 g, glucides 50 g, fibres alimentaires 5 g, cholestérol 25 mg, 2 530 kJ (605 kcal)*

DATTES

Les dattiers poussent dans les régions désertiques et sont cultivés depuis des milliers d'années. Les dattes fraîches ont une pulpe moelleuse très riche en fer, acide folique et vitamine B6, et contiennent également beaucoup de fibres alimentaires. Il existe des dattes dures et d'autres tendres, ces dernières étant spécialement réservées pour la table. Les deux variétés sèchent très bien, les dattes tendres conservant leur pulpe charnue. Les dattes fraîches peuvent parfaitement être remplacées par des dattes tendres séchées, en sachant que ces dernières sont plus sucrées et ont un goût légèrement plus concentré.

ZITI AU CITRON ET AUX DATTES

Préparation : 15 à 20 minutes
Cuisson : 25 minutes
Pour 4 à 6 personnes

★

360 g de dattes séchées, coupées en deux

375 ml de porto

375 g de ziti

60 ml de vinaigre balsamique

125 ml d'huile d'olive

150 g de roquette

Zeste de 3 citrons confits (voir Note), finement haché

1 Dans une casserole, mettre les dattes et le porto. Porter à ébullition puis baisser le feu et laisser mijoter 10 minutes. Égoutter les dattes en réservant le porto. Laisser refroidir.

2 Cuire les pâtes à l'eau bouillante salée jusqu'à ce qu'elles soient *al dente*. Les égoutter, les rincer à l'eau froide et les égoutter de nouveau. Laisser refroidir.

3 Dans un bol, mélanger le vinaigre balsamique, le porto réservé et l'huile d'olive. Ajouter un peu de sucre si nécessaire.

4 Incorporer la sauce, la roquette et le zeste de citron dans les pâtes.

NOTE : les citrons confits s'achètent dans les bonnes épiceries fines ou spécialisées. On les trouve tels quels ou en bocal. Cette salade est également délicieuse chaude.

VALEURS NUTRITIVES PAR PORTION (**6**) : *protéines 10 g, lipides 20 g, glucides 95 g, fibres alimentaires 10 g, cholestérol 0 mg, 2 715 kJ (650 kcal)*

CI-DESSUS : Ziti au citron et aux dattes

gril chaud, côté peau en haut, jusqu'à ce que la peau cloque et noircisse. Retirer du feu et couvrir d'un torchon humide. Lorsqu'ils sont refroidis, les peler et les couper en fines lanières.

3 Dans un grand saladier, réunir les pâtes, les poivrons, l'oignon, le persil, les anchois, l'huile, le jus de citron, du sel et du poivre. Bien mélanger et servir immédiatement.

NOTE : pour empêcher les pâtes de coller, les additionner d'un peu d'huile après les avoir rincées à l'eau froide et bien mélanger.

VALEURS NUTRITIVES PAR PORTION : *protéines 10 g, lipides 10 g, glucides 65 g, fibres alimentaires 5 g, cholestérol 0 mg, 1 675 kJ (400 kcal)*

SALADE DE PÂTES CHAUDE AU CRABE

Préparation : 20 minutes
Cuisson : 10 minutes
Pour 6 personnes

★

200 g de spaghetti

2 cuil. à soupe d'huile d'olive

30 g de beurre

600 g de chair de crabe en boîte, égouttée

1 gros poivron rouge, coupé en fines lanières

2 cuil. à café de zeste de citron finement râpé

3 cuil. à soupe de parmesan frais râpé

2 cuil. à soupe de ciboulette hachée

3 cuil. à soupe de persil frais haché

1 Briser les spaghetti en deux et les cuire à l'eau bouillante salée jusqu'à ce qu'ils soient *al dente*. Égoutter.

2 Mettre les spaghetti dans un grand saladier et incorporer l'huile et le beurre. Ajouter le reste des ingrédients et bien mélanger. Saupoudrer de poivre et servir chaud.

NOTE : on peut remplacer le crabe en boîte par 500 g de chair de crabe frais.

VALEURS NUTRITIVES PAR PORTION : *protéines 20 g, lipides 15 g, glucides 25 g, fibres alimentaires 2 g, cholestérol 100 mg, 1 245 kJ (295 kcal)*

SALADE DE POIVRONS GRILLÉS AUX ANCHOIS

Préparation : 15 minutes
Cuisson : 25 minutes
Pour 6 personnes

★

500 g de penne ou de fusilli

2 gros poivrons rouges

1 petit oignon rouge, finement haché

20 g de persil plat frais

2 à 3 anchois, entiers ou hachés

60 ml d'huile d'olive

2 cuil. à soupe de jus de citron

1 Cuire les pâtes à l'eau bouillante salée jusqu'à ce qu'elles soient *al dente*. Les égoutter, les rincer à l'eau froide et les égoutter de nouveau.

2 Partager les poivrons en deux en retirant les graines et les membranes. Les passer 8 minutes au

CI-DESSUS : Salade de poivrons grillés aux anchois

SALADE DE PÂTES CHAUDE À LA TOSCANE

Préparation : 15 minutes
Cuisson : 15 minutes
Pour 6 personnes

★

500 g de rigatoni

80 ml d'huile d'olive

1 gousse d'ail, écrasée

1 cuil. à soupe de vinaigre balsamique

425 g de cœurs d'artichaut, égouttés et coupés
en quartiers

8 fines tranches de prosciutto, hachées

80 g de tomates séchées marinées à l'huile,
égouttées et finement émincées

2 cuil. à soupe de basilic frais ciselé

70 g de feuilles de roquette, lavées
et bien égouttées

40 g de pignons, légèrement grillés

45 g de petites olives noires italiennes

1 Cuire les pâtes à l'eau bouillante salée jusqu'à ce qu'elles soient *al dente*. Les égoutter et les transférer dans un grand saladier.

2 Pendant que les pâtes cuisent, battre l'huile, l'ail et le vinaigre balsamique dans un bol.

3 Verser la sauce sur les pâtes chaudes. Laisser légèrement refroidir avant d'ajouter les cœurs d'artichaut, le prosciutto, les tomates séchées, le basilic, la roquette, les pignons et les olives.

4 Bien mélanger tous les ingrédients ; saler et assaisonner de poivre noir fraîchement moulu.

NOTE : pour griller les pignons, les faire cuire 1 à 2 minutes à feu moyen dans une poêle sèche, jusqu'à ce qu'ils commencent à dorer. Laisser refroidir.

VALEURS NUTRITIVES PAR PORTION : *protéines 15 g, lipides 20 g, glucides 60 g, fibres alimentaires 10 g, cholestérol 15 mg, 2 145 kJ (510 kcal)*

SEL

Le sel, ou chlorure de sodium, provient de deux sources : le sel gemme, se présentant sous forme cristalline et issu du sol, et le sel marin, extrait de l'eau de mer. Le sel marin raffiné se trouve en cristaux purs destinés à être moulus, en fines paillettes prêtes à l'emploi ou déjà moulu. Ce sel de table est additionné de produits tels que le phosphate de chaux afin d'éviter que le sel pur ne s'agglomère en cristaux au contact de l'humidité. Le sel pur possède le meilleur goût.

CI-DESSUS : *Salade de pâtes chaude à la toscane*

SALADE DE PÂTES AU SAUMON FUMÉ ET À L'ANETH

Préparation : 20 minutes
Cuisson : 15 minutes
Pour 4 à 6 personnes

☆

350 g de farfalle ou de fusilli

2 œufs

200 g de saumon fumé, coupé en fines lanières

1 cuil. à soupe d'aneth frais finement haché

3 cuil. à soupe de crème fraîche

2 cuil. à soupe de jus de citron

1 pincée de sel et de poivre noir fraîchement
   moulu

1 cuil. à soupe de persil frais haché,
   pour la garniture

1 Cuire les pâtes à l'eau bouillante salée jusqu'à ce qu'elles soient *al dente*. Les égoutter, les rincer à l'eau froide et les égoutter de nouveau. Laisser refroidir.
2 Pendant que les pâtes cuisent, faire bouillir les œufs 12 minutes, jusqu'à ce qu'ils soient durs. Laisser refroidir puis les écailler et les râper ou les hacher finement ; réserver.
3 Répartir les pâtes dans les assiettes et les parsemer de lanières de saumon et d'aneth haché.
4 Dans un bol, battre la crème fraîche, le jus de citron, le sel et le poivre. Verser la sauce sur les pâtes et garnir d'œuf et de persil. Servir immédiatement.

VALEURS NUTRITIVES PAR PORTION : *protéines 15 g,
lipides 10 g, glucides 40 g, fibres alimentaires 3 g,
cholestérol 90 mg, 1 280 kJ (305 kcal)*

POUR ACCOMPAGNER...

PAIN « PIZZA » À L'AIL Préparer une pâte à pizza avec un mélange tout prêt et l'étendre en un rond très fin sur une plaque de four. Badigeonner la surface d'huile d'olive et la parsemer d'ail écrasé, de persil frais haché et de gros sel. Enfourner jusqu'à ce que la pâte soit bien dorée. La découper en bâtonnets à l'aide d'un couteau tranchant ou d'une roulette à pizza.

SALADE D'ORANGES ET D'OLIVES Couper 8 oranges pelées en tranches épaisses et les alterner avec de très fines rondelles d'oignon rouge dans le plat de service. Garnir de menthe fraîche hachée et d'olives et confectionner une sauce avec du jus d'orange, de l'ail écrasé et un peu d'huile de sésame.

SALADE DE PÂTES À L'HOUMOUS, AUX TOMATES ET AUX OLIVES

Préparation : 25 minutes
Cuisson : 15 minutes
Pour 6 personnes

☆

350 g de macaroni ou de conchiglie

200 g de tomates cerises, coupées en quatre

1 belle courgette, râpée

1 petit oignon, râpé

50 g d'olives noires, hachées

Sauce à l'houmous

2 cuil. à soupe d'houmous

2 cuil. à soupe de yaourt naturel

1 cuil. à soupe d'huile d'olive

1 gousse d'ail, finement hachée

1 cuil. à café de zeste de citron finement râpé

1 cuil. à soupe de persil frais haché

1 Cuire les pâtes à l'eau bouillante salée jusqu'à ce qu'elles soient *al dente*. Les égoutter, les rincer à l'eau froide et les égoutter de nouveau. Laisser refroidir. Dans un grand saladier, mettre les pâtes, les tomates, la courgette, l'oignon et les olives.
2 Sauce à l'houmous : passer l'houmous, le yaourt, l'huile d'olive, l'ail et le zeste de citron au mixeur. Saler et poivrer généreusement et mixer encore quelques secondes.
3 Verser la sauce sur la salade, ajouter le persil et bien mélanger.

VALEURS NUTRITIVES PAR PORTION : *protéines 8 g,
lipides 7 g, glucides 45 g, fibres alimentaires 5 g,
cholestérol 1 mg, 1 145 kJ (270 kcal)*

ANETH
L'aneth est une plante originaire du bassin méditerranéen, utilisée depuis la nuit des temps pour ses propriétés thérapeutiques et culinaires. Toute sa partie supérieure est aromatique mais ce sont les feuilles qui ont l'arôme le plus délicat. Leur saveur douce-amère se marie très bien avec les produits laitiers tels que la crème fraîche, le beurre et le fromage, et agrémente particulièrement le poisson. Extrêmement volatiles, ses huiles essentielles s'évaporent très vite à des températures supérieures à 30 °C ; il convient donc de l'ajouter au plat juste avant de servir.

PAGE CI-CONTRE : *Salade de pâtes au saumon fumé et à l'aneth (en haut), Salade de pâtes à l'houmous, aux tomates et aux olives.*

GNOCCHI

La simplicité et la variété d'emplois des gnocchi sont les deux caractéristiques qui expliquent leur popularité. Si la confection des spaghetti requiert une certaine dextérité, la fabrication des gnocchi, en revanche, est à la portée de tous. Une fois que vous aurez perfectionné la recette de base à la pomme de terre, vous serez libre de l'expérimenter avec d'autres légumes, tels que le potiron, la carotte, les épinards ou le panais. Les gnocchi se prêtent également très bien aux sauces au beurre, à la crème ou à la tomate. Quelle que soit la combinaison choisie, vous ne serez pas déçu.

GNOCCHI À LA ROMAINE
(GNOCCHI DE SEMOULE ET SAUCE AU FROMAGE)

Préparation : 20 minutes + 1 heure
de réfrigération
Cuisson : 40 minutes
Pour 4 personnes

★★

750 ml de lait

1/2 cuil. à café de muscade moulue

85 g de semoule

1 œuf, battu

150 g de parmesan, fraîchement râpé

60 g de beurre, fondu

125 ml de crème liquide

75 g de mozzarella, fraîchement râpée

1 Garnir un moule à gâteau roulé de papier sulfurisé. Dans une casserole, mélanger le lait, la moitié de la muscade, du sel et du poivre fraîchement moulu. Porter à ébullition puis baisser le feu et incorporer peu à peu la semoule. Faire cuire 5 à 10 minutes, en remuant de temps en temps, jusqu'à ce que la semoule soit très ferme.
2 Retirer la casserole du feu, ajouter l'œuf et 100 g du parmesan. Bien mélanger et étaler la préparation dans le moule. Réfrigérer 1 heure, jusqu'à ce que la préparation soit ferme.
3 Préchauffer le four à 180 °C. Découper la semoule en ronds à l'aide d'un emporte-pièce fariné de 4 cm de diamètre et disposer ceux-ci dans un plat légèrement beurré.
4 Verser le beurre fondu dessus, puis la crème. Mélanger le reste du parmesan avec la mozzarella et en parsemer les gnocchi. Saupoudrer du reste de muscade et enfourner 20 à 25 minutes jusqu'à ce que les gnocchi soient dorés. Garnir éventuellement d'un bouquet de fines herbes.
NOTE : certains affirment que ce plat traditionnel romain remonterait à la Rome impériale. Riche et nourrissant, il s'accommode très bien d'une salade verte.

VALEURS NUTRITIVES PAR PORTION : *protéines 30 g,
lipides 50 g, glucides 25 g, fibres alimentaires 1 g,
cholestérol 200 mg, 2 790 kJ (670 kcal)*

SEMOULE

La semoule est une préparation granulée, généralement issue du blé dur, aux grains beaucoup plus grossiers que la farine, qui est fine et poudreuse. Elle est plus riche en protéines et sa texture plus ferme donne du croquant à la pâte dans laquelle elle se trouve. Il en existe plusieurs variétés, la semoule fine étant plus particulièrement destinée à la confection des gnocchi et la semoule moyenne à la réalisation de desserts et laitages.

POUR ACCOMPAGNER...

NAVETS À LA TOMATE, AU VIN ET À L'AIL
Chauffer un peu d'huile dans une poêle et faire dorer de l'ail, du piment et de l'oignon hachés à feu doux. Ajouter une boîte de tomates italiennes pelées et grossièrement hachées ainsi que leur jus et un peu de vin rouge ; porter à ébullition puis baisser le feu. Ajouter quelques navets émincés et laisser mijoter jusqu'à ce que la sauce épaississe et que les navets soient tendres. Ne pas faire trop cuire les navets qui se déliteraient. Incorporer du basilic haché juste avant de servir.

*CI-DESSUS : Gnocchi
à la romaine*

GNOCCHI DE POMMES DE TERRE À LA SAUCE TOMATE

Préparation : 1 heure
Cuisson : 45 à 50 minutes
Pour 4 à 6 personnes

✫ ✫

Sauce tomate

1 cuil. à soupe d'huile

1 oignon, haché

1 branche de céleri, hachée

2 carottes, coupées en petits dés

850 g de tomates en boîte, grossièrement
   hachées

1 cuil. à café de sucre

30 g de basilic frais, haché

Gnocchi de pommes de terre

1 kg de pommes de terre farineuses

30 g de beurre

250 g de farine

2 œufs, battus

Parmesan fraîchement râpé, pour la garniture

1 Sauce tomate : chauffer l'huile dans une grande poêle et faire revenir l'oignon, le céleri et la carotte 5 minutes, en remuant. Ajouter les tomates et le sucre ; saler et poivrer. Porter à ébullition puis baisser le feu et laisser mijoter 20 minutes. Laisser légèrement refroidir et passer la sauce au mixeur, en plusieurs fois, jusqu'à obtention d'une purée lisse. Incorporer le basilic et réserver.

2 Gnocchi de pommes de terre : éplucher les pommes de terre, les hacher grossièrement et les faire cuire à l'eau ou à la vapeur jusqu'à ce qu'elles soient très tendres. Égoutter et les écraser en purée. À l'aide d'une cuillère en bois, incorporer le beurre et la farine, puis les œufs. Laisser refroidir.

3 Déposer la préparation sur un plan de travail fariné et la diviser en deux. Étaler chaque moitié en forme de long boudin. Les découper en courts tronçons et les rouler sous le dos d'une fourchette.

4 Cuire les gnocchi, en plusieurs fois, dans une casserole d'eau salée pendant 2 minutes, jusqu'à ce qu'ils remontent à la surface. Les égoutter à l'aide d'une écumoire et les transférer dans les assiettes. Servir avec la sauce tomate et du parmesan fraîchement râpé. Garnir des fines herbes de votre choix.

VALEURS NUTRITIVES PAR PORTION (**6**) : *protéines 15 g, lipides 10 g, glucides 60 g, fibres alimentaires 5 g, cholestérol 75 mg, 1 680 kJ (400 kcal)*

POMMES DE TERRE

Les meilleures pommes de terre à gnocchi sont les vieilles pommes de terre contenant peu d'eau. Leur chair farineuse donne des gnocchi tendres et légers.

Si les pommes de terre contiennent beaucoup d'eau, il faudra plus de farine pour la pâte, ce qui rendra les gnocchi caoutchouteux. Les pommes de terre doivent être cuites au four, à la vapeur ou à l'eau et ne pas être écrasées au mixeur, ce qui les rendrait gluantes et inaptes à la préparation des gnocchi.

CI-CONTRE : Gnocchi
de pommes de terre
à la sauce tomate

GNOCCHI À LA TOMATE ET AU BASILIC

Préparation : 10 minutes
Cuisson : 15 minutes
Pour 4 personnes

★

1 cuil. à soupe d'huile d'olive

1 oignon, finement haché

2 gousses d'ail, écrasées

400 g de tomates en boîte

2 cuil. à soupe de concentré de tomates (double)

250 ml de crème liquide

40 g de tomates séchées au soleil, hachées

375 g de gnocchi de pommes de terre frais

1 cuil. à soupe de basilic frais finement ciselé

60 g de pepato, râpé

1 Chauffer l'huile dans une casserole et faire revenir l'oignon 2 minutes. Ajouter l'ail et prolonger la cuisson d'1 minute. Incorporer les tomates et le concentré de tomates ; augmenter le feu et faire cuire 5 minutes.

2 Baisser le feu, ajouter la crème et les tomates séchées ; bien mélanger. Laisser mijoter 3 minutes à petit feu.

3 Pendant ce temps, faire cuire les gnocchi 2 minutes dans de l'eau bouillante salée, en plusieurs fois, jusqu'à ce qu'ils remontent en surface. Les égoutter à l'aide d'une écumoire et les ajouter à la sauce avec du basilic frais. Saler et poivrer. Verser la préparation dans un plat à four et parsemer de pepato râpé. Passer 5 minutes au gril chaud, jusqu'à ce que la sauce commence à bouillir. Garnir éventuellement de fines herbes fraîches.

NOTE : le pepato est un fromage au poivre assez corsé, auquel on peut substituer un fromage plus doux.

VALEURS NUTRITIVES PAR PORTION : *protéines 10 g, lipides 40 g, glucides 30 g, fibres alimentaires 5 g, cholestérol 130 mg, 2 160 kJ (515 kcal)*

GNOCCHI

Les gnocchi sont de petites boules de pâte, parfois aussi petites qu'un petit pois, mais n'excédant jamais la taille d'une bouchée. Traditionnellement fabriqués à partir de semoule de blé, de ricotta ou de pommes de terre, on en trouve aujourd'hui à base de sarrasin et de légumes comme le potiron ou l'artichaut. Ils sont presque toujours servis en sauce en guise d'entrée, mais forment néanmoins un bon accompagnement. Une fois préparés, ils doivent être cuits et consommés dès que possible.

GNOCCHI AUX DEUX FROMAGES

Préparation : 10 minutes
Cuisson : 15 minutes
Pour 4 personnes

★

500 g de gnocchi de pommes de terre frais

30 g de beurre, coupé en petits morceaux

1 cuil. à soupe de persil frais haché

100 g de fontina, émincé

100 g de provolone, émincé

1 Préchauffer le four à 200 °C. Faire cuire des gnocchi frais 2 minutes à l'eau bouillante, en plusieurs fois, jusqu'à ce qu'ils remontent en surface. Les retirer de la casserole à l'aide d'une écumoire et bien égoutter.

2 Mettre les gnocchi dans un plat à gratin légèrement huilé. Les parsemer de beurre et de persil. Disposer les fines tranches de fontina et de provolone dessus ; saler et poivrer. Enfourner 10 minutes, jusqu'à ce que le fromage soit fondu.

VALEURS NUTRITIVES PAR PORTION : *protéines 25 g, lipides 30 g, glucides 10 g, fibres alimentaires 1 g, cholestérol 115 mg, 1 775 kJ (420 kcal)*

CI-DESSUS : Gnocchi aux deux fromages

GNOCCHI DE POTIRON AU BEURRE DE SAUGE

Préparation : 45 minutes
Cuisson : 1 heure 30
Pour 4 personnes

★

500 g de potiron

185 g de farine

50 g de parmesan, fraîchement râpé

1 œuf, battu

100 g de beurre

2 cuil. à soupe de sauge fraîche hachée

1 Préchauffer le four à 160 °C. Beurrer une plaque de four. Couper le potiron en gros morceaux, sans le peler, et disposer ceux-ci sur la plaque. Enfourner 1 heure 15, jusqu'à ce que le potiron soit très tendre. Laisser légèrement refroidir. Gratter la pulpe en éliminant les parties dures, et la mettre dans un saladier. Tamiser la farine dans le saladier, ajouter la moitié du parmesan, l'œuf et un peu de poivre noir. Après avoir bien mélangé le tout, déposer la pâte sur un plan de travail fariné et la pétrir 2 minutes, jusqu'à ce qu'elle soit homogène.

2 Diviser la pâte en deux. Avec les mains préalablement farinées, façonner deux longs boudins d'environ 40 cm de long. Les couper en 16 parts égales et pétrir chacune d'elles en forme d'ovale, puis les écraser à l'aide d'une fourchette farinée.

3 Plonger les gnocchi dans une grande casserole d'eau bouillante salée, en plusieurs fois. Les faire cuire 2 minutes, jusqu'à ce qu'ils remontent en surface. Les égoutter à l'aide d'une écumoire et les réserver au chaud.

4 Beurre de sauge : faire fondre le beurre dans une petite casserole, la retirer du feu et incorporer la sauge hachée.

5 Répartir les gnocchi dans quatre assiettes, les napper de beurre de sauge et garnir du reste de parmesan.

VALEURS NUTRITIVES PAR PORTION : *protéines 20 g, lipides 35 g, glucides 55 g, fibres alimentaires 5 g, cholestérol 115 mg, 2 465 kJ (590 kcal)*

POTIRON À GNOCCHI

Les potirons fermes et bien orangés sont idéaux pour confectionner des gnocchi. La pulpe tendre et aqueuse de la courge butternut, par exemple, ne convient pas. Un potiron sec et orange vif donnera des gnocchi légers, très riches en goût et en couleur. Travailler la pâte rapidement en l'aérant bien et en utilisant aussi peu de farine que possible. Cuire le potiron de préférence au four ou à la vapeur, et non pas à l'eau, et l'écraser à la fourchette ou au presse-purée plutôt qu'au mixeur.

CI-DESSUS : Gnocchi
*de potiron au beurre
de sauge*

CONFECTION DES GNOCCHI

De nos jours, on trouve plutôt des gnocchi à base de pomme de terre,

mais toutes sortes de légumes peuvent être utilisés, tel le potiron ou le panais,

ou encore la semoule traditionnelle ou le fromage.

Les gnocchi sont de petites boules de pâte à la consistance moelleuse et légère, quel que soit l'ingrédient de base utilisé. En cuisant des légumes destinés à entrer dans la composition de gnocchi, veiller à ce qu'ils ne soient pas trop imbibés d'eau, ce qui demanderait un ajout de farine supplémentaire et rendrait la pâte trop lourde. Travailler rapidement pour éviter que la pâte ne devienne poisseuse ou trop molle.

Dans l'idéal, les gnocchi devraient être consommés aussi vite que possible et la sauce d'accompagnement devrait être prête avant leur cuisson.

GNOCCHI DE POMMES DE TERRE TRADITIONNELS

Pour ce genre de gnocchi, il est important d'utiliser des pommes de terre farineuses, de préférence de vieilles pommes de terre à bouillir, en raison de leur faible teneur en eau. Traditionnellement, les pommes de terre sont cuites au four avec leur peau, ce qui les maintient sèches. Toutefois, comme cela demande du temps, on peut les cuire à la vapeur ou à l'eau. Dans ce cas, veiller à ne pas trop les cuire afin qu'elles ne se désagrègent pas et ne retiennent pas trop d'eau. Les égoutter soigneusement.

De nombreuses recettes de gnocchi incluent des œufs, afin de rendre la pâte plus facile à manipuler. Or, les œufs requièrent également un supplément de farine, ce qui rend les gnocchi un peu plus durs. C'est à chacun de déterminer la méthode de travail qui lui convient le plus.

La méthode traditionnelle est la suivante : pour 4 à 6 personnes, il vous faut 1 kg de pommes de terre farineuses, non pelées, et 200 g environ de farine.

1 Piquer les pommes de terre à la fourchette sur toute leur surface et les passer à four chaud (200 °C) pendant 1 heure, jusqu'à ce qu'elles soient tendres. Ne pas les envelopper de papier aluminium. Quand elles sont suffisamment refroidies pour être manipulées, les peler et les écraser dans un bol à la fourchette ou au presse-purée.

2 Ajouter trois quarts de la farine et la travailler peu à peu avec les mains. Quand une pâte grossière se forme, la transférer sur un plan de travail fariné et la pétrir doucement. Incorporer le reste de la farine pendant le pétrissage, mais juste assez pour former une pâte molle et légère, qui ne colle pas aux doigts ni au plan de travail, mais qui reste humide au toucher. Cesser de pétrir à ce moment-là. Fariner légèrement le plan de travail ainsi que l'intérieur des dents d'une fourchette. Prendre une portion de pâte et la rouler à la main afin de former un long boudin étroit, de l'épaisseur de l'annulaire. Le découper en segments de 2 cm.

3 Déposer un segment sur les dents de la fourchette et appuyer avec le doigt, en faisant rouler le gnocchi. Il en résultera un gnocchi de forme concave, strié sur la face externe. Former un creux au centre afin de faciliter la cuisson et de mieux retenir la sauce. Continuer avec le reste de pâte.

4 Faire cuire les gnocchi, environ 20 à la fois, dans une grande casserole d'eau bouillante salée. Ils sont cuits lorsqu'ils remontent en surface, au bout de 2 à 3 minutes. Les retirer à l'aide d'une écumoire et les réserver au chaud pendant la cuisson des autres gnocchi. Les napper de sauce avant de servir.

Les gnocchi de pommes de terre peuvent être congelés avant le stade de la cuisson, jusqu'à deux mois. Il convient de les faire d'abord congeler en une seule couche, sans qu'ils se touchent, avant de les conserver dans un récipient hermétique. Au moment de les utiliser, les plonger délicatement dans l'eau bouillante sans les décongeler.

FONTINA

Fromage à pâte mi-dure originaire des Alpes italiennes, le fontina se caractérise par sa texture moelleuse et son petit goût de noisette. On le consomme à table, mais il entre également dans la composition de nombreux plats, car il fond complètement et donne une crème épaisse. On l'emploie dans les sauces de pâtes et de légumes, et c'est l'ingrédient essentiel de la célèbre *fonduta*, une fondue version piémontaise.

GNOCCHI SAUCE AU FONTINA

Préparation : 10 minutes
Cuisson : 15 minutes
Pour 4 personnes

★

200 g de fontina grossièrement rapé

125 ml de crème liquide

80 g de beurre

2 cuil. à soupe de parmesan fraîchement râpé

400 g de gnocchi de pommes de terre frais

1 Réunir le fontina, la crème, le beurre et le parmesan et faire cuire le mélange 6 à 8 minutes au bain-marie, en remuant de temps en temps jusqu'à ce que le fromage fonde et que la sauce soit bien homogène et chaude.

2 A mi-cuisson de la sauce, faire cuire les gnocchi 2 minutes à l'eau bouillante salée, jusqu'à ce qu'ils remontent en surface.

3 Les égoutter à l'aide d'une écumoire et les napper de sauce. On peut les garnir d'origan frais ou autres herbes aromatiques.

VALEURS NUTRITIVES PAR PORTION : *protéines 25 g, lipides 60 g, glucides 10 g, fibres alimentaires 0 g, cholestérol 185 mg, 2 790 kJ (670 kcal)*

CI-DESSUS : Gnocchi sauce au fontina

GNOCCHI AUX HERBES ET À LA SAUCE TOMATE

Préparation : 1 heure
Cuisson : 30 minutes
Pour 4 personnes

☆☆

500 g de pommes de terre farineuses, hachées

1 jaune d'œuf

3 cuil. à soupe de parmesan râpé

3 cuil. à soupe de fines herbes hachées
  (persil, basilic, ciboulette)

125 g de farine (maximum)

2 gousses d'ail, écrasées

1 oignon, haché

4 tranches de bacon, grossièrement hachées

150 g de tomates séchées, grossièrement hachées

425 g de tomates pelées en boîte

1 cuil. à café de sucre roux

2 cuil. à café de vinaigre balsamique

1 cuil. à soupe de basilic frais ciselé

Copeaux de parmesan, pour la garniture

1 Gnocchi : faire cuire les pommes de terre à la vapeur ou à l'eau jusqu'à ce qu'elles soient juste tendres. Les égoutter, les laisser refroidir et les réduire en purée. Transférer 2 tasses (de 250 ml)

de purée dans une terrine. Ajouter le jaune d'œuf, le parmesan et les fines herbes, et bien mélanger. Incorporer peu à peu de la farine pour former une pâte légèrement poisseuse. La pétrir délicatement pendant 5 minutes, en rajoutant un peu de farine si nécessaire, jusqu'à ce qu'elle soit homogène.

2 Diviser la pâte en quatre. Sur un plan de travail fariné, rouler chaque partie en un long boudin de 2 cm d'épaisseur et découper des segments de 2,5 cm. Travailler chacun d'entre eux en forme d'ovale et les rouler délicatement sur le dos d'une fourchette farinée. Les disposer sur une plaque de four légèrement farinée et couvrir jusqu'au moment de les utiliser.

3 Sauce : chauffer 1 cuil. à soupe d'huile d'olive dans une grande poêle et faire revenir l'ail et l'oignon 5 minutes à feu moyen.

4 Ajouter le bacon et prolonger la cuisson de 5 minutes en remuant de temps en temps, jusqu'à ce que le bacon soit bien doré.

5 Incorporer les tomates séchées, les tomates en boîte, le sucre et le vinaigre. Porter à ébullition puis baisser le feu et laisser mijoter 15 minutes, jusqu'à épaississement. Incorporer le basilic juste avant de servir.

6 Cuire les gnocchi 2 minutes à l'eau bouillante salée, en plusieurs fois, jusqu'à ce qu'ils remontent en surface. Les égoutter et les napper de sauce à la tomate et de copeaux de parmesan.

VALEURS NUTRITIVES PAR PORTION : *protéines 20 g, lipides 6 g, glucides 45 g, fibres alimentaires 6 g, cholestérol 70 mg, 1 340 kJ (320 kcal)*

CI-DESSOUS : **Gnocchi aux herbes et à la sauce tomate**

GNOCCHI À LA CAROTTE ET À LA FETA

Préparation : 45 minutes
Cuisson : 40 minutes
Pour 6 à 8 personnes

★★

1 kg de carottes, coupées en gros morceaux

200 g de feta, émiettée

280 g de farine

1 pincée de muscade moulue

1 pincée de garam massala

1 œuf, légèrement battu

Sauce crémeuse à la menthe

30 g de beurre

2 gousses d'ail, écrasées

2 oignons nouveaux, émincés

250 ml de crème liquide

2 cuil. à soupe de menthe fraîche hachée

1 Cuire les carottes à l'eau, à la vapeur ou au micro-ondes, jusqu'à ce qu'elles soient tendres. Les égoutter et les laisser refroidir légèrement avant de les transférer dans un mixeur.
2 Mixer les carottes et la feta jusqu'à obtention d'un mélange homogène. Transférer la préparation dans une terrine. Incorporer la farine tamisée, les épices et l'œuf ; bien mélanger jusqu'à obtention d'une pâte molle.
3 Fariner légèrement vos doigts et façonner de petits cercles plats avec la préparation.
4 Sauce crémeuse à la menthe : faire fondre le beurre dans une poêle et faire revenir l'ail et l'oignon nouveau 3 minutes à feu moyen, jusqu'à ce que l'ail soit tendre et doré. Ajouter la crème, porter à ébullition puis baisser le feu et laisser mijoter 3 minutes, jusqu'à ce que la crème ait légèrement épaissi. Retirer du feu, incorporer la menthe et en napper les gnocchi.
5 Cuire les gnocchi 2 minutes à l'eau bouillante salée, en plusieurs fois, jusqu'à ce qu'ils remontent en surface. Les transférer dans les assiettes préalablement chauffées à l'aide d'une écumoire.
NOTE : ces gnocchi ne sont pas aussi fermes que dans d'autres recettes. Veiller à travailler la pâte sur un plan de travail fariné et à bien fariner vos doigts en façonnant les gnocchi.

VALEURS NUTRITIVES PAR PORTION (8) : *protéines 10 g, lipides 25 g, glucides 35 g, fibres alimentaires 5 g, cholestérol 90 mg, 1 615 kJ (385 kcal)*

GNOCCHI D'ÉPINARDS ET DE RICOTTA

Préparation : 45 minutes + 1 heure de réfrigération
Cuisson : 30 minutes
Pour 4 à 6 personnes

★★

4 tranches de pain de mie

125 ml de lait

500 g d'épinards surgelés, décongelés

250 g de ricotta

2 œufs

50 g de parmesan, fraîchement râpé
    + quelques copeaux pour la garniture

1 Retirer la croûte du pain et le tremper dans le lait, dans une assiette creuse, pendant 10 minutes. Le presser pour extraire l'excédent de lait, puis presser les épinards pour en ôter l'eau.
2 Dans un saladier, réunir le pain, les épinards, la ricotta, les œufs, le parmesan, du sel et du poivre. Bien mélanger à l'aide d'une fourchette. Couvrir et réfrigérer 1 heure.
3 Fariner légèrement vos doigts et rouler des cuillerées de préparation en petites boulettes plates. Les faire cuire 2 minutes à l'eau bouillante salée, en plusieurs fois, jusqu'à ce qu'elles remontent en surface. Transférer dans les assiettes et les napper de beurre fondu. Garnir de copeaux de parmesan.

VALEURS NUTRITIVES PAR PORTION (6) : *protéines 15 g, lipides 10 g, glucides 10 g, fibres alimentaires 3 g, cholestérol 95 mg, 905 kJ (215 kcal)*

POUR ACCOMPAGNER...

POPOVERS Passer 250 g de farine et 4 œufs au mixeur, jusqu'à obtention d'une pâte friable. Sans arrêter le moteur, incorporer 125 ml de crème liquide, 250 ml de lait et 45 g de beurre fondu. Beurrer un moule à muffins et répartir la préparation dans les trous. Passer 35 minutes à four chaud (200 °C), jusqu'à ce que les gâteaux gonflent et dorent.

FETA
La feta est un fromage de brebis originaire des montagnes de Grèce. C'est un fromage demi-dur à pâte très blanche et friable, que l'on conserve encore frais dans un liquide fait de son petit-lait et de saumure. Son goût est frais, doux et légèrement salé ; il s'intensifie avec l'âge. La feta est un ingrédient essentiel de la salade grecque et s'utilise dans les légumes farcis, les tourtes et les tartes.

PAGE CI-CONTRE : Gnocchi à la carotte et à la feta (en haut), Gnocchi d'épinards et de ricotta.

CI-DESSUS : Gnocchi de panais

PANAIS

Malgré leur aspect de racines, les panais appartiennent à la famille des ombellifères, ou du persil. On les cultive pour leurs grandes racines fuselées blanc ivoire, au goût et à l'arôme fruités. La chair farineuse se réduit en purée et les panais entiers parfument les ragoûts et les plats mijotés. Si les panais ont un cœur un peu dur, le retirer avant utilisation.

GNOCCHI DE PANAIS

Préparation : 1 heure 30
Cuisson : 45 minutes
Pour 4 personnes

★ ★

500 g de panais

185 g de farine

50 g de parmesan, fraîchement râpé

Beurre à l'ail et aux herbes

100 g de beurre

2 gousses d'ail, écrasées

3 cuil. à soupe de thym-citron frais haché

1 cuil. à soupe de zeste de citron vert finement râpé

1 Éplucher les panais et les couper en gros morceaux. Les faire cuire 30 minutes à l'eau bouillante, jusqu'à ce qu'ils soient très tendres. Égoutter et laisser refroidir légèrement.

2 Dans un saladier, réduire les panais en purée. Tamiser la farine dans le saladier et ajouter la moitié du parmesan. Saler, poivrer et bien mélanger pour former une pâte molle.

3 Diviser la pâte en deux. Après avoir fariné vos mains, rouler chaque moitié en un long boudin de 2 cm de large, sur un plan de travail fariné. Couper chaque boudin en petits segments et travailler chacun d'entre eux en forme d'ovale ; les presser délicatement sur des dents de fourchette farinées.

4 Cuire les gnocchi 2 minutes à l'eau bouillante salée, en plusieurs fois, jusqu'à ce qu'ils remontent en surface. Les transférer dans les assiettes à l'aide d'une écumoire.

5 Beurre à l'ail et aux herbes : mélanger tous les ingrédients dans une petite casserole et cuire 3 minutes à feu moyen, jusqu'à ce que le beurre roussisse. Verser le beurre sur les gnocchi et garnir du reste de parmesan.

VALEURS NUTRITIVES PAR PORTION : *protéines 10 g, lipides 20 g, glucides 30 g, fibres alimentaires 4 g, cholestérol 60 mg, 1 450 kJ (345 kcal)*

GNOCCHI AU POIVRON ET AU FROMAGE DE CHÈVRE

Préparation : 1 heure
Cuisson : 40 minutes
Pour 6 à 8 personnes

✩✩

1 gros poivron rouge

500 g de patates douces orange (kumera), hachées

500 g de pommes de terre farineuses, hachées

1 cuil. à soupe de sambal œlek

1 cuil. à soupe de zeste d'orange râpé

340 g de farine

2 œufs, légèrement battus

500 ml de sauce pour pâtes, toute prête

100 g de fromage de chèvre

2 cuil. à soupe de basilic frais finement ciselé

1 Partager le poivron en deux et éliminer les graines et les membranes. Le passer 8 minutes au gril chaud, côté peau en haut, jusqu'à ce que la peau cloque et noircisse. Retirer du gril et couvrir d'un torchon humide. Lorsqu'il est refroidi, le peler et le passer au mixeur jusqu'à obtention d'une purée lisse.
2 Cuire les patates douces et les pommes de terre à la vapeur ou à l'eau, jusqu'à ce qu'elles soient très tendres. Bien égoutter, transférer dans une grande jatte et les réduire en purée. Laisser refroidir légèrement.
3 Ajouter la purée de poivron, le sambal œlek, le zeste d'orange, la farine et les œufs ; bien mélanger jusqu'à obtention d'une pâte molle. Après vous être fariné les mains, rouler des cuillerées de préparation en petites boules ovales. Strier une face en les pressant sur le dos d'une fourchette farinée.
4 Cuire les gnocchi 2 minutes à l'eau bouillante salée, en plusieurs fois, jusqu'à ce qu'ils remontent en surface. Les retirer à l'aide d'une écumoire et les répartir dans les assiettes chauffées. Les napper de sauce pour pâtes réchauffée et garnir de chèvre émietté et de basilic ciselé.

VALEURS NUTRITIVES PAR PORTION (8) : *protéines 15 g, lipides 7 g, glucides 75 g, fibres alimentaires 7 g, cholestérol 70 mg, 1 830 kJ (435 kcal)*

POUR ACCOMPAGNER...

SALADE DE CAPUCINE ET DE CRESSON
Dans un saladier, mélanger 1 botte de cresson avec les pétales de 10 capucines, 20 feuilles de capucine et les feuilles d'une endive. Arroser d'une sauce vinaigrette et servir avec des noix de pécan hachées.

SALADE CHAUDE DE KUMERA, ROQUETTE ET BACON
Cuire au four ou à l'eau des morceaux de kumera (patate douce) jusqu'à ce qu'ils soient tendres. Les mélanger avec de la roquette et du bacon rissolé, et parsemer de chèvre émietté. Confectionner une sauce vinaigrette avec de la moutarde en grains, du vinaigre de vin rouge et de l'huile d'olive.

FROMAGE DE CHÈVRE
Le fromage de chèvre varie du fromage frais, doux et moelleux, à sa version affinée, très corsée. Dans la cuisine, mieux vaut choisir un chèvre entre ces deux extrêmes, à la texture onctueuse et au goût doux mais piquant. Le fromage de chèvre est fragile et a tendance à s'émietter. On le trouve en petites portions, notamment en forme de bûchette ou de pyramide.

CI-DESSUS : Gnocchi au poivron et au fromage de chèvre

PÂTES FARCIES

Confectionnez vous-même vos pâtes, donnez-leur une forme de petits coussins ou ravioli, enroulez-les autour de votre doigt pour former des tortellini ou façonnez des cannelloni, et… farcissez-les ! Tous les ingrédients conviennent : purée de légumes, mélange d'épinards et de ricotta, ou sauces à base de viande. Dans certaines régions d'Italie, on va même jusqu'à les remplir des restes de la veille – les possibilités sont donc infinies. Bien sûr, si vous n'avez pas le temps, vous pouvez les acheter toutes prêtes et rajouter de la sauce, mais le plaisir ne sera pas le même...

RAVIOLI AU POULET

Préparation : 1 heure + 30 minutes de repos
Cuisson : 35 minutes
Pour 4 personnes

★ ★

Pâte

250 g de farine

3 œufs + 1 jaune supplémentaire

1 cuil. à soupe d'huile d'olive

Farce

125 g de poulet haché

75 g de ricotta ou de cottage cheese

60 g de foies de volaille, hachés

30 g de prosciutto, haché

1 tranche de salami, hachée

2 cuil. à soupe de parmesan fraîchement râpé

1 œuf, battu

1 cuil. à soupe de persil frais haché

1 gousse d'ail, écrasée

1 pincée de cinq-épices

*CI-DESSUS : Ravioli
au poulet*

Sauce tomate

2 cuil. à soupe d'huile d'olive

1 oignon, finement haché

2 gousses d'ail, écrasées

850 g de tomates en boîte, grossièrement
hachées

3 cuil. à soupe de basilic frais haché

1/2 cuil. à café de fines herbes séchées

Brins d'herbes aromatiques (facultatif)

1 Pâte : tamiser la farine et 1 pincée de sel dans une grande jatte ; creuser un puits au centre. Dans un bol, battre les œufs, l'huile et 1 cuil. à soupe d'eau ; incorporer peu à peu ce mélange à la farine, et mélanger jusqu'à ce que la pâte forme une boule. La pétrir 5 minutes sur un plan de travail fariné, jusqu'à ce qu'elle soit homogène et souple. La transférer dans un saladier huilé, couvrir de film plastique et laisser reposer 30 minutes.

2 Farce : passer tous les ingrédients, ainsi que du sel et du poivre, au mixeur, jusqu'à obtention d'un fin hachis.

3 Sauce tomate : chauffer l'huile dans une casserole et faire revenir l'oignon et l'ail à feu doux, en remuant, jusqu'à ce que l'oignon soit tendre. Augmenter le feu, ajouter les tomates, le basilic, les fines herbes, du sel et du poivre. Porter à ébullition puis baisser le feu et laisser mijoter 15 minutes. Retirer du feu.

4 Étaler la moitié de la pâte jusqu'à ce qu'elle fasse 1 mm d'épaisseur. La découper au couteau ou à la roulette dentelée en bandes de 10 cm de large. Déposer des cuillerées de farce à 5 cm d'intervalle le long d'un bord de chaque bande. Battre le jaune d'œuf avec 3 cuil. à soupe d'eau et passer ce mélange au pinceau sur l'autre bord de la bande ainsi qu'entre les tas de farce. Replier la pâte sur la farce de sorte que les bords se superposent. Répéter avec le reste de pâte et de farce. Presser les bords fermement afin de les souder. Couper entre les tas de farce avec un couteau ou une roulette dentelée. Faire cuire les ravioli 10 minutes à l'eau bouillante salée, en plusieurs fois. Réchauffer la sauce dans une grande casserole ; ajouter les ravioli et bien remuer. Garnir et servir.

VALEURS NUTRITIVES PAR PORTION : *protéines 35 g, lipides 35 g, glucides 60 g, fibres alimentaires 7 g, cholestérol 315 mg, 2 850 kJ (680 kcal)*

MEZZELUNE AU POULET ET SAUCE À LA CRÈME

Préparation : 45 minutes
Cuisson : 15 minutes
Pour 4 à 6 personnes en entrée

★★

250 g de pâte à ravioli ronds chinois en paquet

Farce au poulet et au jambon

250 g de blanc de poulet

1 œuf, battu

90 g de jambon cuit ou de prosciutto

2 cuil. à café de ciboulette ciselée

2 cuil. à café de marjolaine fraîche hachée

Sauce à la crème

30 g de beurre

2 oignons nouveaux, finement hachés

2 cuil. à soupe de vin blanc

375 ml de crème liquide

1 Farce : retirer le gras du poulet. Couper la chair en morceaux et la hacher au mixeur. Ajouter l'œuf, 1/2 cuil. à café de sel et 1 pincée de poivre blanc ; mixer jusqu'à obtention d'un fin hachis. Transférer dans un saladier. Hacher finement le jambon (ou le prosciutto) et l'incorporer au poulet avec les fines herbes.

2 Disposer les ravioli chinois sur un plan de travail, six par six, et déposer une cuillerée de farce au centre de chacun. Humecter les bords, les plier en deux afin de former une demi-lune (mezzelune) et les presser pour les souder. Placer les ravioli sur un torchon et continuer ainsi avec le reste de pâte et de farce.

3 Si vous faites vous-même vos ravioli, étendre la pâte aussi finement que possible, ou l'étaler à la machine à pâtes en resserrant les crans 5 ou 6 fois. La découper en cercles de 8 cm de diamètre, farcir et souder comme précédemment.

4 Sauce à la crème : chauffer le beurre dans une petite casserole et faire revenir l'oignon nouveau 2 à 3 minutes. Ajouter le vin et la crème et laisser mijoter jusqu'à ce que la sauce réduise. Assaisonner à votre goût.

5 Cuire les mezzelune à l'eau bouillante salée, en plusieurs fois (ne pas en mettre trop à la fois dans la casserole). Laisser frémir 2 à 3 minutes, jusqu'à ce que le poulet soit cuit (ne pas prolonger la cuisson car le poulet se dessécherait). Égoutter.

6 Servir la sauce immédiatement sur les mezzelune. Garnir à votre goût.

VALEURS NUTRITIVES PAR PORTION (6) : *protéines 10 g, lipides 30 g, glucides 30 g, fibres alimentaires 2 g, cholestérol 120 mg, 1 810 kJ (430 kcal)*

CI-DESSOUS : **Mezzelune**
au poulet
et sauce à la crème

RICOTTA

La ricotta est un fromage frais non salé, fait à partir de petit-lait de brebis ou de vache. Sa durée de vie est limitée et on ne peut l'utiliser que fraîche. Gardée trop longtemps, elle devient aigre et acide. Son goût délicat et crémeux et sa texture légère et friable s'harmonisent bien avec d'autres ingrédients, notamment les produits laitiers. La ricotta, littéralement « recuite », doit son nom à sa méthode de fabrication, utilisant le petit-lait encore chaud d'autres fromages. Une fois ce petit-lait réchauffé et les extraits solides écumés et égouttés, il en résulte la ricotta.

CI-DESSUS : Coquilles farcies aux épinards et à la ricotta

COQUILLES FARCIES AUX ÉPINARDS ET À LA RICOTTA

Préparation : 20 minutes
Cuisson : 15 minutes
Pour 4 personnes

★

20 conchiglie géantes

1 cuil. à soupe d'huile

2 tranches de bacon, finement hachées

1 oignon, finement haché

500 g d'épinards, hachés

750 g de ricotta

35 g de parmesan, fraîchement râpé

250 g de sauce tomate pour pâtes, toute prête

1 Cuire les pâtes à l'eau bouillante salée jusqu'à ce qu'elles soient *al dente* ; les égoutter.

2 Chauffer l'huile dans une casserole et faire dorer le bacon et l'oignon 3 minutes à feu moyen, en remuant. Ajouter les épinards et remuer à feu doux jusqu'à ce qu'ils soient tendres. Incorporer la ricotta et bien mélanger.

3 Verser le mélange dans les pâtes géantes et saupoudrer de parmesan. Placer les pâtes sur une grille froide légèrement huilée. Les passer 3 minutes au gril modérément chaud, jusqu'à ce qu'elles soient légèrement dorées et bien chaudes.

4 Verser la sauce tomate dans une petite casserole et la remuer 1 minute à feu vif. Déposer des cuillerées de sauce dans les assiettes et garnir de pâtes farcies.

VALEURS NUTRITIVES PAR PORTION : *protéines 45 g, lipides 40 g, glucides 80 g, fibres alimentaires 10 g, cholestérol 110 mg, 3 470 kJ (830 kcal)*

TORTELLONI
AUX CREVETTES

Préparation : 40 minutes
Cuisson : 20 à 30 minutes
Pour 4 personnes

★ ★

300 g de grosses crevettes crues

20 g de beurre

I gousse d'ail, écrasée

2 oignons nouveaux, hachés

125 g de ricotta

I cuil. à soupe de basilic frais haché

200 g de pâte à ravioli ronds chinois en paquet

Sauce

5 cuil. à soupe d'huile d'olive

Tête et carapace des crevettes

I gousse d'ail, écrasée

2 oignons nouveaux, partie verte incluse,
    hachés

I piment séché, émietté

I tomate bien ferme, coupées en petits dés,
    ou I cuil. à soupe de tomates séchées
    coupées en dés

I Décortiquer les crevettes en réservant les têtes et les carapaces pour parfumer la sauce. À l'aide d'un couteau tranchant, fendre le dos de chaque crevette et ôter la veine centrale. Les hacher grossièrement.

2 Chauffer le beurre et faire revenir l'ail et l'oignon nouveau à feu doux, jusqu'à ce qu'ils soient tendres et dorés. Laisser refroidir et les mélanger aux crevettes, à la ricotta et au basilic ; saler et poivrer. Déposer une cuillerée de préparation au centre de chaque ravioli chinois, humidifier les bords, replier les ravioli pour former une demi-lune et presser fermement pour souder. Pincer ensemble les extrémités pour leur donner une forme de tortelloni. Dans le cas de grands cercles de pâte, mettre plus de farce et recouvrir d'un autre cercle de pâte.

3 Sauce : chauffer 3 cuil. à soupe d'huile d'olive dans une grande poêle. Quand elle est chaude, mettre les carapaces et les têtes de crevette et remuer à feu vif jusqu'à ce qu'elles rougissent. Baisser le feu et prolonger la cuisson de quelques minutes en appuyant sur les têtes afin d'en extraire le jus. Ajouter 125 ml d'eau, couvrir et laisser mijoter 5 minutes à feu doux. Retirer les carapaces et les têtes à l'aide d'une écumoire, en extrayant autant de jus que possible avant de les éliminer.

4 Dans une autre casserole, chauffer les 2 cuil. à soupe restantes d'huile et faire revenir l'ail, l'oignon nouveau et le piment à feu doux jusqu'à ce que l'ail soit très légèrement doré. Ajouter le jus de crevette et les tomates ; bien réchauffer le tout.

5 Cuire les tortelloni 3 à 4 minutes à l'eau bouillante salée. Égoutter puis mélanger soigneusement à la sauce.

NOTE : les tortelloni sont tout simplement de gros tortellini.

VALEURS NUTRITIVES PAR PORTION : *protéines 25 g, lipides 35 g, glucides 35 g, fibres alimentaires 4 g, cholestérol 140 mg, 2 260 kJ (540 kcal)*

CI-DESSUS : *Tortelloni aux crevettes*

215

lui donner l'aspect d'un long bonbon. Continuer avec le reste de lasagne et de farce.

3 Beurrer légèrement un grand plat à four rectangulaire. Disposer les lasagne farcies dedans, les parsemer de beurre et verser la sauce tomate au centre des lasagne, en laissant les extrémités exposées. Couvrir et enfourner 5 minutes, jusqu'à ce que les lasagne soient bien réchauffées. Servir immédiatement, garni généreusement de parmesan râpé et de basilic ciselé.

VALEURS NUTRITIVES PAR PORTION : *protéines 10 g, lipides 15 g, glucides 15 g, fibres alimentaires 2 g, cholestérol 80 mg, 1 015 kJ (250 kcal)*

RAVIOLI AUX ÉPINARDS ET SAUCE À LA TOMATE SÉCHÉE

Préparation : 20 minutes
Cuisson : 15 minutes
Pour 4 personnes

★★

150 g d'épinards, hachés, cuits

250 g de ricotta, bien égouttée

2 cuil. à soupe de parmesan fraîchement râpé

1 cuil. à soupe de ciboulette fraîche hachée

1 œuf, légèrement battu

200 g de pâte à ravioli chinois en paquet

Sauce

80 ml d'huile d'olive vierge extra

3 cuil. à soupe de pignons

100 g de tomates séchées au soleil, émincées

LASAGNE FARCIES

Préparation : 20 minutes
Cuisson : 20 minutes
Pour 6 personnes

★★

4 rectangles de lasagne frais de 16 x 24 cm

400 g de ricotta fraîche

1 œuf, légèrement battu

1 pincée de muscade moulue

50 g de fines herbes fraîches hachées

30 g de beurre, coupé en petits morceaux

300 g de sauce tomate pour pâtes en bocal

Parmesan fraîchement râpé, pour la garniture

Feuilles de basilic ciselées, pour la garniture

1 Préchauffer le four à 200 °C.
Cuire les lasagne à l'eau bouillante salée jusqu'à ce qu'elles soient *al dente*, en remuant fréquemment pour empêcher qu'elles ne se collent les unes aux autres.

2 Pendant que les pâtes cuisent, mélanger la ricotta, l'œuf, la muscade et les fines herbes dans un bol. Égoutter les lasagne et étaler un rectangle sur un plan de travail. Déposer 2 à 3 cuil. à soupe de farce au centre du rectangle. Replier le tiers supérieur des lasagne sur la farce, puis le tiers inférieur par-dessus le bord replié. Tordre délicatement les extrémités du rouleau ainsi obtenu pour

CI-DESSUS : Lasagne farcies
CI-CONTRE : Ravioli aux épinards et sauce à la tomate séchée

1 Dans un saladier, mettre les épinards, la ricotta, le parmesan, la ciboulette et la moitié de l'œuf battu. Bien mélanger ; saler et poivrer. Déposer 1 cuil. à café 1/2 de farce au centre d'un carré de pâte. Badigeonner les bords du reste d'œuf battu puis couvrir d'un autre carré de pâte. Continuer avec le reste de pâte et de farce. Presser fermement les bords pour les souder. À l'aide d'un emporte-pièce rond de 7 cm de diamètre, couper les ravioli en cercles.

2 Cuire les ravioli 4 minutes à l'eau bouillante salée, en plusieurs fois, jusqu'à ce qu'ils soient *al dente* (ne pas en mettre trop dans la casserole). Réserver chaque portion cuite au chaud pendant la cuisson des autres ravioli. Les égoutter soigneusement, ajouter la sauce et mélanger très délicatement.

3 Sauce : mélanger tous les ingrédients dans une grande casserole et réchauffer à feu doux.

VALEURS NUTRITIVES PAR PORTION : *protéines 20 g, lipides 40 g, glucides 35 g, fibres alimentaires 5 g, cholestérol 80 mg, 2 440 kJ (580 kcal)*

RAVIOLI AU POTIRON ET AUX FINES HERBES

Préparation : 40 minutes + 30 minutes de repos
Cuisson : 1 heure 15
Pour 6 personnes

★★

500 g de potiron, coupé en morceaux

220 g de farine

3 œufs, légèrement battus

1 pincée de muscade moulue

15 feuilles de sauge

15 feuilles de persil plat frais

125 g de beurre, fondu

60 g de parmesan, fraîchement râpé

1 Préchauffer le four à 180 °C. Poser le potiron sur une plaque et l'enfourner 1 heure, jusqu'à ce qu'il soit tendre. Laisser refroidir avant de le peler.

2 Passer la farine et les œufs 30 secondes au mixeur, jusqu'à obtention d'une pâte. La transférer sur un plan de travail fariné et la pétrir 3 minutes, jusqu'à ce qu'elle soit bien homogène et souple. Couvrir d'un torchon propre et laisser reposer 30 minutes.

3 Mettre le potiron dans un saladier avec la muscade ; écraser à la fourchette. Étendre la moitié de la pâte en un rectangle d'environ 1 mm d'épais-seur. Étendre l'autre moitié en un rectangle légèrement plus grand que le premier.

4 Sur le premier rectangle de pâte, déposer des cuillerées de farce au potiron à intervalles réguliers (environ tous les 5 cm), en formant des rangées droites. Aplatir légèrement les tas de farce et déposer une feuille de sauge ou de persil sur chacun d'entre eux.

5 Badigeonner d'eau l'espace entre les tas de farce. Déposer le deuxième rectangle de pâte par-dessus, et appuyer délicatement entre les tas de farce pour bien souder. Découper le tout en carrés à l'aide d'un couteau ou d'une roulette. Cuire les ravioli 4 minutes à l'eau bouillante salée, en plusieurs fois, jusqu'à ce qu'ils soient *al dente* (ne pas en mettre trop dans la casserole). Égoutter, saler et poivrer, et les enduire de beurre fondu et de parmesan.

VALEURS NUTRITIVES PAR PORTION : *protéines 15 g, lipides 25 g, glucides 35 g, fibres alimentaires 5 g, cholestérol 155 mg, 1 645 kJ (390 kcal)*

CI-DESSUS : *Ravioli au potiron et aux fines herbes*

FARCIR LES PÂTES Il y a de nombreux

avantages à confectionner soi-même ses pâtes farcies : on peut choisir à son gré le

goût, la taille et la forme des pâtes, ainsi que les ingrédients et la texture de la farce.

FARCES

Il existe une multitude d'ingrédients pour farcir les pâtes. Certains, comme les fromages et le potiron écrasé, sont lisses et moelleux tandis que d'autres, comme les crustacés, nécessitent d'être coupés en petits morceaux. En règle générale, plus la farce est fine, plus les pâtes sont petites. Outre l'ingrédient de base, on emploie souvent un liant, comme la ricotta, la crème fraîche,

une sauce tomate ou brune. La teneur en eau peut être équilibrée par l'ajout d'un peu de parmesan râpé, de chapelure ou même de purée de pommes de terre, afin d'éviter que le jus de la farce ne s'échappe et n'amollisse la pâte. La farce doit donc être relativement sèche, surtout si les pâtes ne sont pas destinées à être cuites immédiatement. Les pâtes farcies fraîches doivent être consommées aussi vite que possible.

MATÉRIEL

Il vous faudra un long couteau de cuisine, un pinceau à pâtisserie et, dans le meilleur des cas, une roulette en zigzag, afin de bien souder la pâte. Il existe aussi des emporte-pièce tout particulièrement destinés aux ravioli. Les moules à ravioli donnent une forme très régulière et permettent de confectionner un grand nombre de ravioli rapidement, une fois la technique bien maîtrisée.

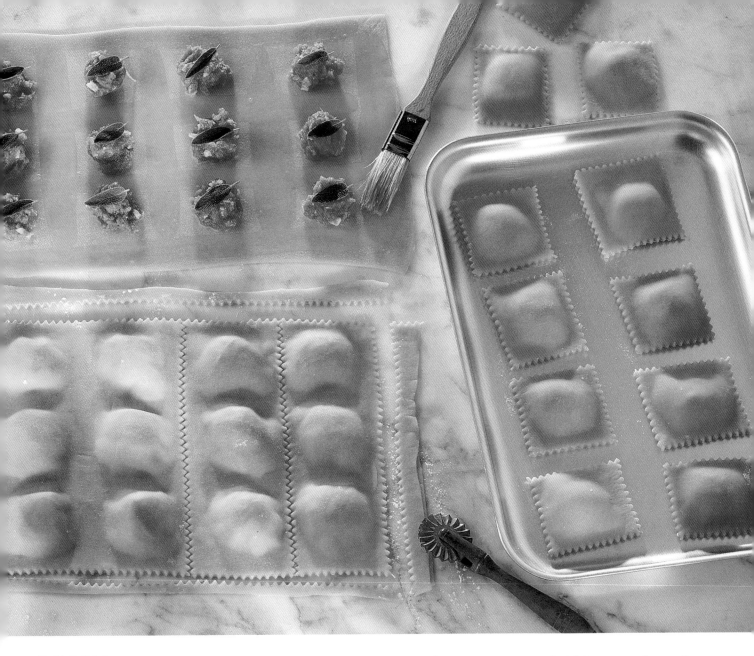

RAVIOLI

Pour 4 à 6 personnes, il vous faudra une boule de pâte de base (page 17), environ 1 tasse 1/2 (ou 370 ml) de farce et 1 œuf battu pour souder les bords. Il y a deux façons de confectionner les ravioli : en coupant la pâte et en la repliant sur la farce, ou en couvrant une feuille de pâte étalée et parsemée de farce d'une autre feuille de pâte. La méthode consistant à replier la pâte est très simple et a l'avantage de mieux tenir, les ravioli n'ayant que trois côtés ouverts. La méthode « pâte double » est plus rapide, mais peut-être moins efficace, les ravioli ayant plus de chances de s'ouvrir.

MÉTHODE « PÂTE DOUBLE »

1 Fariner légèrement votre plan de travail. À l'aide d'une machine à pâtes manuelle ou d'un rouleau à pâtisserie, étendre deux portions de pâte en feuilles très fines (environ 2,5 mm d'épaisseur, ou moins). En étendre une un peu plus grande que l'autre et la recouvrir d'un torchon.

2 Placer la feuille la plus petite sur le plan de travail. Dans un coin, dessiner légèrement deux ou trois carrés de taille régulière. Déposer un petit tas de farce au centre de chacun et l'aplatir légèrement avec le dos de la cuillère. Cela vous aidera à déterminer la quantité de farce par carré et l'espacement entre chacun. La farce doit couvrir à peu près les deux tiers de la surface du carré. Continuer en déposant des tas de farce similaires à intervalles réguliers, sur la feuille de pâte. Les aplatir légèrement avec le dos de la cuillère.

3 Badigeonner d'œuf battu l'espace entre les tas de farce, le long des lignes de découpe. Prendre la deuxième feuille de pâte, plus grande, et, en commençant par une extrémité, la poser sur la première, en faisant coïncider les bords et en appuyant de part et d'autre pour qu'elle adhère bien à la pâte du dessous sans glisser. Ne pas l'étirer, mais la laisser se mettre en place.

4 Passer les doigts le long des lignes de découpe afin de souder les deux pâtes, ou bien utiliser le bord aigu d'une règle, ce qui marquera et soudera les lignes en même temps. Découper le long des lignes à l'aide d'un couteau tranchant ou d'une roulette à pâtisserie.

5 Transférer le tout sur une plaque ou un plat légèrement fariné et laisser reposer au réfrigérateur pendant que vous continuez avec le reste de pâte et de farce. Ne pas les empiler, car ils se colleraient les uns aux autres. On peut ainsi les réfrigérer jusqu'à 3 heures, couverts, en fonction de la teneur en eau de la farce. Le temps de cuisson varie selon l'épaisseur de la pâte et le type de farce.

FARCIR LES PÂTES

TORTELLINI

Ces petits ronds de pâte sont fourrés de toutes sortes d'ingrédients : viande cuite, volaille, poisson, légumes ou fromages frais. Puis on les soude avant de leur donner une forme d'anneau. Pour 4 à 6 personnes, il faut une boule de pâte de base (page 17), 1 tasse 1/2 (ou de 375 ml) de farce fine et 1 œuf battu pour souder les bords.

1 Fariner légèrement votre plan de travail. Diviser la pâte en quatre, en conservant les portions non utilisées sous un torchon. À l'aide d'une machine à pâte manuelle ou d'un rouleau à pâtisserie, étendre une portion de pâte très finement (environ 2,5 mm d'épaisseur, ou moins).

2 Poser la pâte sur un plan de travail légèrement fariné et, à partir de ce moment, ne plus rajouter de farine. À l'aide d'un emporte-pièce de 6 cm ou d'un verre retourné, découper des cercles.
3 Badigeonner d'œuf ou d'eau le pourtour de chaque cercle, puis déposer au centre 1/2 cuil. à café de farce.
4 En travaillant avec un seul cercle à la fois, replier la pâte sur la farce de façon à former une demi-lune. Les bords découpés ne doivent pas coïncider exactement, mais se chevaucher légèrement. Bien souder les bords en les pressant et répartir délicatement la farce sur toute la longueur de la demi-lune. Replier le bord arrondi sur lui-même, de sorte que le bord qui dépasse soit au-dessus.

À présent, en gardant le bord replié à l'extérieur, enrouler la demi-lune autour de votre index et rassembler les extrémités en les pinçant. On peut éventuellement les souder avec un petit peu d'eau.
5 Déposer les tortellini sur une plaque de four ou une assiette légèrement farinée et les conserver au réfrigérateur pendant que vous continuez avec le reste de pâte et de farce. En fonction de l'humidité de la farce utilisée, ils se conservent jusqu'à 6 heures au réfrigérateur.

CANNELLONI

Ces tubes de pâte farcis sont beaucoup plus faciles à réaliser qu'on ne le croit. Les farces les plus appropriées sont la viande cuite

mélangée à du fromage, les épinards et la ricotta ou le potiron et les pignons. En règle générale, et en fonction de la taille des cannelloni et de la quantité de farce que vous voulez utiliser, une boule de pâte de base (page 17) donne environ 20 tubes de 10 cm de long. Veiller à découper des carrés suffisamment larges pour bien envelopper la farce. Compter 2,5 cm de jointure pour de grands tubes, et la moitié pour des tubes plus petits, de la taille d'un doigt. Si la pâte ne se chevauche pas suffisamment, les tubes risquent de s'ouvrir en cours de cuisson, ce qui les rend difficiles à servir ; si la jointure est en revanche trop large, la pâte sera trop épaisse. Il est également conseillé de découper un ou deux carrés supplémentaires, au cas où l'un d'eux se déchirerait à la cuisson. Pour farcir 20 tubes, il vous faudra environ 4 tasses (ou 1 litre) de farce.

1 À l'aide d'une machine à pâtes manuelle ou d'un rouleau à pâtisserie, étendre des feuilles de pâte d'environ 2,5 mm d'épaisseur.

2 Mettre une grande casserole d'eau à bouillir et beurrer un plat à gratin.

3 Découper la pâte en carrés ou rectangles de la taille de votre choix, sachant qu'ils s'agrandiront légèrement à la cuisson. La longueur du tube doit suivre le grain de la pâte.

4 Conserver les carrés non utilisés sous un torchon. Plonger 3 ou 4 carrés à la fois (en fonction de leur taille) 1 1/2 à 2 minutes dans l'eau bouillante. Les récupérer à l'aide d'un large tamis ou d'une grande passoire et les étaler sur des torchons secs pendant la cuisson des autres carrés de pâte. Retourner les carrés lorsqu'ils sont presque secs. Ne pas les laisser sécher trop longtemps car les bords se fendilleraient en

roulant. On peut éventuellement s'aider d'un patron en papier pour découper des carrés ou rectangles de même taille.

5 Déposer la farce un peu plus bas que le centre de chaque carré, dans la direction du grain. Enrouler délicatement la pâte autour de la farce afin de former un tube. Poser les tubes côte à côte, jointure en bas, dans le plat beurré. Les cannelloni se servent presque toujours avec de la sauce et sont garnis de fromage avant de passer au four ou au gril.

CONGÉLATION

Les pâtes farcies se congèlent bien et doivent être cuites immédiatement en sortant du congélateur. Pour congeler des pâtes farcies, le faire en une seule couche ou, si nécessaire, entre des feuilles de papier sulfurisé. Les couvrir d'un torchon. Une fois qu'elles sont congelées, les entreposer dans un récipient hermétique.

1 Porter une grande casserole d'eau à ébullition et y plonger 1 ou 2 lasagne à la fois jusqu'à ce qu'elles ramollissent légèrement. Le temps dépend du type et de la marque des lasagne, mais il faut compter en général 2 minutes. Retirer délicatement les rectangles à l'aide d'un grand tamis ou d'une écumoire et les poser à plat sur un torchon propre. Remettre l'eau à ébullition et continuer avec le reste de rectangles de pâte.

2 Chauffer l'huile dans une poêle à fond épais et faire dorer l'oignon et l'ail, en remuant de temps en temps. Ajouter les épinards lavés et les faire cuire 2 minutes avant de couvrir la poêle hermétiquement. Laisser mijoter 5 minutes. Égoutter autant de jus que possible (les épinards doivent être aussi secs que possible pour éviter de détremper la pâte). Dans un saladier, mélanger les épinards, la ricotta, les œufs, la muscade, du sel et du poivre. Réserver.

3 Sauce tomate : chauffer l'huile dans une poêle et faire revenir l'oignon et l'ail 10 minutes à feu doux, en remuant de temps en temps. Ajouter la tomate hachée et son jus, le concentré de tomates, le sucre, 125 ml d'eau, du sel et du poivre. Porter la sauce à ébullition puis baisser le feu et laisser mijoter 10 minutes. Pour une sauce plus lisse, la passer au mixeur jusqu'à obtention de la consistance désirée.

4 Préchauffer le four à 180 °C. Beurrer légèrement le plat à four et étaler un tiers de la sauce tomate au fond. En travaillant avec un rectangle de lasagne à la fois, déposer 2 cuil. à soupe 1/2 de farce au centre – et un peu en bas – du rectangle, en laissant une bordure à chaque extrémité. Rouler la pâte autour de la farce et disposer les cannelloni dans le plat, jointure en bas. Répéter avec le reste de lasagne et de farce. Verser le reste de la sauce tomate sur les cannelloni et parsemer le tout de mozzarella.

5 Enfourner 30 à 35 minutes, jusqu'à ce que les cannelloni soient dorés et que la sauce bouillonne. Laisser reposer 10 minutes avant de servir. Garnir de bouquets de fines herbes.

NOTE : on peut remplacer les lasagne fraîches par des tubes à cannelloni secs. La texture de la pâte sera plus ferme, mais le plat tout aussi délicieux.

VALEURS NUTRITIVES PAR PORTION : *protéines 35 g, lipides 30 g, glucides 50 g, fibres alimentaires 10 g, cholestérol 130 mg, 2 555 kJ (610 kcal)*

CANNELLONI AUX ÉPINARDS ET À LA RICOTTA

Préparation : 1 heure
Cuisson : 1 heure 15
Pour 6 personnes

★★★

375 g de lasagne fraîches
2 cuil. à soupe d'huile d'olive
1 gros oignon, finement haché
1 à 2 gousses d'ail, écrasées
1 kg d'épinards, finement hachés
650 g de ricotta fraîche, battue
2 œufs, battus
1 pincée de muscade fraîchement moulue

Sauce tomate

1 cuil. à soupe d'huile d'olive
1 oignon moyen, haché
2 gousses d'ail, finement hachées
500 g de tomates bien mûres, hachées
2 cuil. à soupe de concentré de tomates (double)
1 cuil. à café de sucre roux
150 g de mozzarella, râpée

CANNELLONI

Les cannelloni consistent simplement en rectangles de pâte enroulés autour d'une farce. Ils peuvent être confectionnés à partir de pâte fraîche, de rectangles de lasagne sèches ou des tubes à cannelloni, qui nécessitent d'être blanchis avant utilisation. Les produits secs sont conditionnés de telle sorte qu'ils ne requièrent pas de cuisson préalable. Une fois que les tubes sont farcis, on peut les napper de sauce et les passer au four, garnis de fromage.

CI-DESSUS : Cannelloni aux épinards et à la ricotta

CONCHIGLIE FARCIES AU POULET ET AU PESTO

Préparation : 45 minutes
Cuisson : 30 minutes
Pour 4 personnes

★★

20 conchiglie géantes (d'environ 5 cm de long)

2 cuil. à soupe d'huile

2 poireaux, finement émincés

500 g de poulet haché

I cuil. à soupe de farine

250 ml de bouillon de volaille

4 cuil. à soupe de pimiento haché

50 g de parmesan, fraîchement râpé

Pesto

50 g de basilic frais

3 cuil. à soupe de pignons

2 gousses d'ail, écrasées

60 ml d'huile d'olive

1 Préchauffer le four à 180 °C. Beurrer un plat à gratin. Cuire les pâtes à l'eau bouillante salée jusqu'à ce qu'elles soient *al dente* ; bien les égoutter.
2 Chauffer l'huile dans une casserole à fond épais et faire revenir les poireaux 2 minutes à feu moyen, en remuant constamment. Ajouter le poulet haché et remuer jusqu'à ce qu'il soit bien bruni et que le jus se soit évaporé. Écraser les grumeaux à la fourchette en cours de cuisson. Incorporer la farine et remuer 1 minute. Verser le bouillon et le pimiento et remuer à feu moyen jusqu'à ébullition. Baisser le feu et laisser mijoter 1 minute, jusqu'à ce que la sauce ait réduit et épaissi.
3 Pesto : passer le basilic, les pignons, l'ail et l'huile 30 secondes au mixeur, jusqu'à obtention d'une purée lisse. Transférer dans un petit bol et déposer un film plastique sur la surface afin d'expulser l'air.
4 Remplir les conchiglie refroidies de farce au poulet et les mettre dans le plat à gratin avant de les couvrir de papier aluminium. Enfourner 15 minutes, jusqu'à ce qu'elles soient bien réchauffées. Garnir d'une cuillerée de pesto et parsemer de parmesan.

VALEURS NUTRITIVES PAR PORTION : *protéines 45 g, lipides 55 g, glucides 75 g, fibres alimentaires 10 g, cholestérol 110 mg, 4 090 kJ (975 kcal)*

POUR ACCOMPAGNER...

RIZ SAUVAGE AUX POIVRONS GRILLÉS

Épépiner, couper en quatre et griller 2 poivrons rouges ; les couper en fines lanières. Cuire un mélange de riz sauvage et de riz blanc puis égoutter. Dans un saladier, mettre 2 cuil. à soupe d'huile d'olive, 2 cuil. à soupe de vinaigre balsamique, 1 gousse d'ail écrasée, 2 oignons nouveaux hachés et 2 tomates finement hachées. Ajouter le riz et les poivrons, saler, poivrer et bien mélanger. Parsemer le plat d'une poignée de coriandre fraîche avant de servir.

POIREAUX CARAMÉLISÉS AUX LARDONS

Partager des poireaux en deux dans le sens de la longueur, puis en longs tronçons, en veillant à conserver les feuilles ensemble. Les cuire à feu doux dans un peu de beurre et de sucre roux, en les retournant de temps en temps, jusqu'à ce qu'ils soient très tendres et caramélisés (ne pas trop les cuire, ou ils se désagrégeraient). Garnir de quelques lardons rissolés et de persil plat grossièrement haché.

CI-DESSUS : Conchiglie farcies au poulet et au pesto

RAVIOLI AU POULET ET BEURRE DE SAUGE

Préparation : 15 minutes
Cuisson : 10 minutes
Pour 4 personnes

★

500 g de ravioli ou d'agnolotti au poulet, frais
    ou secs
60 g de beurre
4 oignons nouveaux, hachés
2 cuil. à soupe de sauge fraîche, hachée
    + quelques feuilles supplémentaires,
    pour la garniture
50 g de parmesan fraîchement râpé,
    pour la garniture

1 Cuire les ravioli à l'eau bouillante salée jusqu'à ce qu'ils soient *al dente*. Les égoutter et les remettre dans la casserole.

2 Pendant que les ravioli cuisent, faire fondre le beurre dans une casserole à fond épais. Ajouter l'oignon nouveau et la sauge, et remuer 2 minutes. Saler et poivrer.

3 Verser la sauce sur les ravioli et bien mélanger. Les répartir dans des assiettes chauffées et garnir de parmesan et de sauge. Servir immédiatement.

VALEURS NUTRITIVES PAR PORTION : *protéines 20 g, lipides 25 g, glucides 20 g, fibres alimentaires 2 g, cholestérol 120 mg, 1 590 kj (380 kcal)*

CI-DESSUS : Ravioli au poulet et beurre de sauge

TORTELLINI SAUCE AUX CHAMPIGNONS ET À LA CRÈME

Préparation : 15 minutes
Cuisson : 10 minutes
Pour 4 personnes

★

500 g de tortellini

200 g de petits champignons de Paris

1 petit citron

60 g de beurre

1 gousse d'ail, écrasée

300 ml de crème liquide

1 pincée de muscade

3 cuil. à soupe de parmesan fraîchement râpé

1 Cuire les tortellini à l'eau bouillante salée jusqu'à ce qu'ils soient *al dente*. Les égoutter et les remettre au chaud dans la casserole. Émincer finement les champignons. Râper le zeste du citron.

2 Chauffer le beurre dans une casserole et faire revenir les champignons 2 minutes à feu moyen. Ajouter l'ail, la crème, le zeste de citron, la muscade et du poivre noir fraîchement moulu. Remuer 1 à 2 minutes à feu doux puis incorporer le parmesan. Prolonger la cuisson de 3 minutes.

3 Verser la sauce sur les tortellini et mélanger délicatement. Les répartir dans les assiettes et les saupoudrer de poivre.

VALEURS NUTRITIVES PAR PORTION : *protéines 10 g, lipides 50 g, glucides 35 g, fibres alimentaires 5 g, cholestérol 155 mg, 2 570 kJ (610 kcal)*

CRÈME

La crème fraîche provient du lait que l'on a laissé reposer. La matière grasse remonte en surface et forme une crème liquide (fleurette), contenant 10 à 20 % de matières grasses, parfois 35 %. La crème double en contient au moins 30% ; elle doit être séparée du lait mécaniquement afin de donner une crème épaisse. D'autres crèmes, très épaisses, contiennent jusqu'à 60 % de matières grasses. La crème épaissie est additionnée d'amidon ou de gélatine.

CI-DESSUS : **Tortellini aux champignons et à la crème**

225

PIMENTS FRAIS

Il existe maintes variétés de piments, allant des petits piments très forts aux gros piments doux. Les graines et les membranes internes, constituant la partie la plus corsée, sont généralement retirées, sauf des plus petits piments. Quand une recette demande d'utiliser du piment frais, référez-vous-en à votre expérience pour choisir la variété. Les piments les plus forts sont généralement les plus petits, comme les piments oiseaux, verts ou rouges. Les piments serranos, rouges, verts ou jaunes, sont aussi de petites tailles et très forts. Les jalapeños sont des piments renflés verts ou rouges, proportionnellement aussi forts que les serranos. Il est assez difficile d'identifier correctement les piments, car les cultivateurs eux-mêmes divergent et les noms varient d'un pays à l'autre.

TORTELLINI AU BASILIC ET SAUCE TOMATE AU BACON

Préparation : 15 minutes
Cuisson : 25 minutes
Pour 4 personnes

★

500 g de tortellini au basilic, frais ou secs

1 cuil. à soupe d'huile d'olive

4 tranches de bacon, hachées

2 gousses d'ail, écrasées

1 oignon, haché

1 cuil. à café de piment frais haché

425 g de tomates en boîte

125 ml de crème liquide

2 cuil. à soupe de basilic frais haché

1 Cuire les pâtes à l'eau bouillante salée jusqu'à ce qu'elles soient *al dente*. Les égoutter et les remettre dans la casserole.
2 Pendant que les pâtes cuisent, chauffer l'huile dans une casserole à fond épais et faire revenir le bacon, l'ail et l'oignon 5 minutes à feu moyen, en remuant fréquemment.
3 Ajouter le piment et les tomates avec leur jus. Baisser le feu et laisser mijoter 10 minutes. Incorporer la crème et le basilic et prolonger la cuisson d'1 minute. Verser la sauce sur les tortellini et bien mélanger. Servir immédiatement.

VALEURS NUTRITIVES PAR PORTION : *protéines 25 g, lipides 25 g, glucides 95 g, fibres alimentaires 9 g, cholestérol 60 mg, 2 990 kJ (710 kcal)*

POUR ACCOMPAGNER...

HARICOTS VERTS À L'AIL ET AU CUMIN

Faire revenir 1 oignon haché et 1 gousse d'ail écrasée dans un peu d'huile d'olive et ajouter 1 boîte de 425 g de tomates hachées et 1 pincée de cumin moulu. Laisser mijoter ce mélange jusqu'à ce qu'il ait réduit de moitié et ajouter 300 g de haricots verts émincés. Prolonger la cuisson jusqu'à ce que les haricots soient tendres mais encore vert vif. Garnir de graines de cumin grillées.

CI-CONTRE : Tortellini au basilic et sauce tomate au bacon

RAVIOLI AUX CHAMPIGNONS

Préparation : 30 minutes
Cuisson : 15 minutes
Pour 4 personnes

☆

70 g de noisettes, grillées et mondées
90 g de beurre doux
150 g de champignons
1 cuil. à soupe d'huile d'olive
200 g de pâte à wonton en paquet

1 Hacher les noisettes au mixeur. Chauffer le beurre à feu moyen dans une casserole, jusqu'à ce qu'il grésille et roussisse. Retirer du feu, incorporer les noisettes hachées, saler et poivrer. Réserver.
2 Nettoyer les champignons à l'aide d'un torchon. Hacher finement les pieds et les têtes. Chauffer l'huile dans une casserole et faire revenir les champignons jusqu'à ce qu'ils soient tendres. Saler, poivrer et prolonger la cuisson jusqu'à ce que le jus se soit évaporé. Laisser refroidir.
3 Disposer 12 carrés de pâte à wonton sur un plan de travail et déposer une petite cuillerée de farce aux champignons sur six d'entre eux. Humecter les bords et placer un autre carré de pâte dessus. Presser fermement pour souder. Éventuellement, égaliser les bords à l'aide d'une roulette à pâtes. Disposer les ravioli sur une plaque garnie d'un torchon propre et les recouvrir d'un autre torchon. Continuer avec 12 autres carrés. Le fait d'en farcir et souder quelques-uns à la fois les empêchent de se dessécher.
4 Quand tous les ravioli sont prêts, les cuire à l'eau bouillante salée, en plusieurs fois (ne pas trop en mettre dans la casserole). Une pâte très fine cuira en 2 minutes environ après le retour de l'ébullition. Les retirer à l'aide d'une écumoire et les égoutter dans une passoire pendant que les autres cuisent. Servir avec la sauce aux noisettes.
NOTE : pour griller et monder vous-même les noisettes : répartir les noisettes sur une plaque de four et les passer 10 à 12 minutes au gril modéré. Laisser refroidir puis les frotter dans un torchon pour retirer autant de peau que possible. La pâte à wonton à l'œuf est idéale.

VALEURS NUTRITIVES PAR PORTION : *protéines 10 g, lipides 35 g, glucides 35 g, fibres alimentaires 5 g, cholestérol 60 mg, 2 070 kJ (490 kcal)*

RAVIOLI

On dit que les ravioli seraient originaires du port de Gênes, inventés par des épouses économes qui enveloppaient de pâtes les restes de la veille dans l'espoir de les dissimuler. Les marins emportaient gaiement leurs *rabiole* en mer, ignorant tout des origines de la farce. Aujourd'hui, nous sommes plus attentifs à la farce dont nous fourrons les ravioli, généralement composée d'un mélange de viande, de fromage ou de légumes.

CI-DESSUS : *Ravioli aux champignons*

227

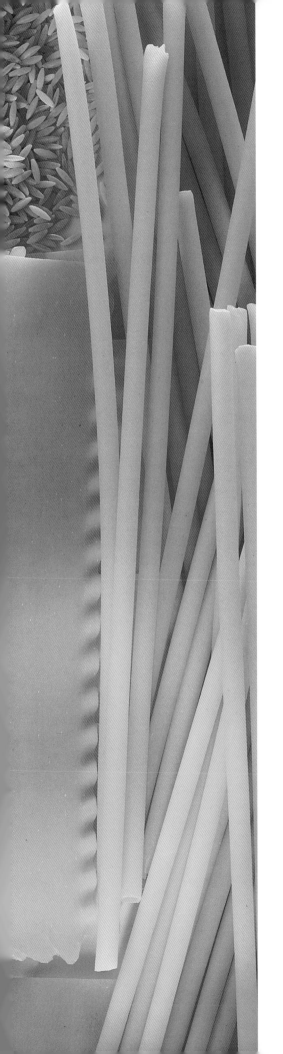

PÂTES
AU FOUR

Des feuilles de pâte alternées de sauce à la viande ou à la tomate et de béchamel onctueuse, puis garnies de parmesan râpé et passées au four pour en ressortir encore bouillonnantes et imprégnées d'un irrésistible fumet… les lasagne sont sans aucun doute l'un des plus célèbres plats de pâtes cuits au four. Mais il ne faut pas oublier le pasticcio, les cannelloni et les macaroni. Après avoir parfaitement maîtrisé la confection des lasagne, il est peut-être temps d'essayer de nouvelles et exquises possibilités.

GÂTEAU DE MACARONI À L'AUBERGINE

Préparation : 1 heure
Cuisson : 1 heure
Pour 6 personnes

★ ★

100 g de macaroni

2 à 3 aubergines, finement émincées
    dans le sens de la longueur

1 oignon, haché

1 gousse d'ail, écrasée

500 g de viande hachée (porc, bœuf ou poulet)

425 g de tomates en boîte, grossièrement
    hachées

2 cuil. à soupe de concentré de tomates
    (double)

80 g de petits pois surgelés

150 g de mozzarella, fraîchement râpée

60 g de gruyère, fraîchement râpé

1 œuf, battu

50 g de parmesan, fraîchement râpé

CI-DESSUS : Gâteau de macaroni à l'aubergine

1 Beurrer un moule rond profond, de 23 cm de diamètre, à fond amovible, et le garnir de papier sulfurisé. Cuire les pâtes à l'eau bouillante salée jusqu'à ce qu'elles soient *al dente*. Les égoutter et les réserver.

2 Disposer les aubergines sur des plaques de four, les saupoudrer de sel et les laisser dégorger 20 minutes. Bien les rincer et les essuyer avec du papier absorbant. Chauffer 2 cuil. à soupe d'huile dans une poêle et faire revenir les aubergines en une seule couche à la fois, jusqu'à ce qu'elles soient dorées des deux côtés. Ajouter un peu d'huile au fur et à mesure. Égoutter sur du papier absorbant.

3 Mettre l'oignon et l'ail dans la même poêle et remuer à feu doux jusqu'à ce que l'oignon soit tendre. Ajouter la viande hachée et la faire brunir en écrasant les grumeaux à la fourchette. Incorporer les tomates, le concentré de tomates, du sel et du poivre ; bien mélanger. Porter à ébullition puis baisser le feu et laisser mijoter 15 à 20 minutes. Réserver.

4 Dans un saladier, mélanger les petits pois, les macaroni, la mozzarella, le gruyère, l'œuf et la moitié du parmesan. Réserver.

5 Préchauffer le four à 180 °C. Mettre une tranche d'aubergine au centre du moule et disposer les trois quarts des aubergines tout autour (bords compris), en les faisant se chevaucher. Saupoudrer de la moitié du parmesan restant.

6 Mélanger la sauce à la viande et les macaroni. Verser délicatement la préparation dans le réceptacle d'aubergines en la tassant bien. Disposer le reste des tranches d'aubergine dessus, en les faisant se chevaucher. Saupoudrer du reste de parmesan.

7 Enfourner 25 à 30 minutes, sans couvrir, jusqu'à ce que le gâteau soit doré. Laisser reposer 5 minutes avant de le démouler sur le plat de service. Servir éventuellement avec une salade.

NOTE : on peut omettre la viande hachée et ajouter dans la sauce à la tomate de la saucisse italienne cuite hachée ainsi que du poulet cuit haché. On peut servir ce plat avec un supplément de sauce tomate, confectionnée à partir de tomates en boîte, d'un peu d'ail, de poivre et de basilic, et qu'on laisse mijoter jusqu'à épaississement.

VALEURS NUTRITIVES PAR PORTION : *protéines 35 g, lipides 20 g, glucides 20 g, fibres alimentaires 5 g, cholestérol 115 mg, 1 780 kJ (425 kcal)*

LASAGNE À LA RICOTTA

Préparation : 1 heure
Cuisson : 1 heure 30
Pour 8 personnes

★★

500 g de lasagne fraîches aux épinards

1 bonne poignée de basilic frais haché

2 cuil. à soupe de chapelure fraîche
   (pain de mie émietté)

3 cuil. à soupe de pignons

2 cuil. à café de paprika

1 cuil. à soupe de parmesan, fraîchement râpé

Farce à la ricotta

750 g de ricotta fraîche

50 g de parmesan fraîchement râpé

1 pincée de muscade

Sauce tomate

1 cuil. à soupe d'huile d'olive

2 oignons, hachés

2 gousses d'ail, écrasées

800 g de tomates en boîte, grossièrement
   hachées

1 cuil. à soupe de concentré de tomates (double)

Sauce béchamel

60 g de beurre

60 g de farine

500 ml de lait

2 œufs, légèrement battus

35 g de parmesan, fraîchement râpé

1 Beurrer un plat à gratin de 25 x 32 cm environ. Couper les feuilles de lasagne en grands rectangles et les faire cuire, 2 ou 3 à la fois, 3 minutes à l'eau bouillante. Égoutter et étaler sur des torchons humides jusqu'au moment de les utiliser.

2 Farce à la ricotta : dans un saladier, mélanger la ricotta, le parmesan, la muscade et un peu de poivre noir fraîchement moulu. Réserver.

3 Sauce tomate : chauffer l'huile dans une poêle et faire revenir l'oignon 10 minutes, en remuant de temps en temps, jusqu'à ce qu'il soit très tendre. Ajouter l'ail et prolonger la cuisson d'1 minute. Incorporer les tomates et le concentré de tomates et bien mélanger. Continuer à remuer jusqu'à ébullition. Baisser alors le feu et laisser mijoter 15 minutes à découvert, jusqu'à ce que la sauce épaississe, en remuant de temps en temps.

4 Sauce béchamel : chauffer le beurre dans une petite casserole. Ajouter la farine et remuer 1 minute, jusqu'à ce que le mélange blondisse. Retirer du feu et incorporer peu à peu le lait. Remettre sur le feu et remuer jusqu'à ce que la sauce bouille et commence à épaissir. Retirer de nouveau du feu et incorporer les œufs. Remettre à feu moyen et remuer jusqu'à ce que la sauce parvienne presque à ébullition. Ajouter le fromage et assaisonner à votre goût. Poser un film plastique sur la surface pour éviter la formation d'une peau. Préchauffer le four à 200 °C.

5 Disposer une couche de lasagne au fond du plat. Étaler un tiers de la farce à la ricotta, parsemer de basilic, puis couvrir d'un tiers de sauce tomate. Alterner les couches en suivant le même ordre et en terminant par des lasagne.

6 Verser la Béchamel dessus et l'étaler de façon régulière. Saupoudrer du mélange de chapelure, de pignons, de paprika et de parmesan. Enfourner 45 minutes, jusqu'à ce que la surface dore. Laisser reposer 10 minutes avant de servir.

NOTE : laisser reposer les lasagne avant de servir facilite leur découpe.

VALEURS NUTRITIVES PAR PORTION : *protéines 30 g, lipides 30 g, glucides 60 g, fibres alimentaires 5 g, cholestérol 130 mg, 2 670 kJ (635 kcal)*

PAPRIKA

Le paprika moulu provient d'une variété de poivrons rouges séchés et broyés, le *capsicum annuum*. Il présente une couleur rouge-orangé et confère une nuance rose aux plats qu'il accompagne généreusement. Son goût légèrement piquant parfume le célèbre goulasch hongrois, et se développe avec les cuissons lentes. On le trouve d'intensité variable, du très doux au très parfumé.

CI-DESSUS : Lasagne à la ricotta

LASAGNE AUX FRUITS DE MER

Préparation : 30 minutes
Cuisson : 45 minutes
Pour 6 personnes

★★

250 g de lasagne précuites en paquet

500 g de filet de poisson sans arêtes

125 g de noix de Saint-Jacques, nettoyées

500 g de crevettes crues, décortiquées et
    veine ôtée

125 g de beurre

1 poireau, émincé

85 g de farine

500 ml de lait

500 ml de vin blanc sec

125 g de cheddar, fraîchement râpé

125 ml de crème liquide

50 g de parmesan, fraîchement râpé

2 cuil. à soupe de persil frais haché

1 Préchauffer le four à 180 °C. Beurrer un plat à four profond, de 30 x 30 cm environ, et tapisser le fond de feuilles de lasagne, en les brisant pour remplir les vides. Réserver.
2 Hacher le poisson et les noix de Saint-Jacques en morceaux réguliers. Hacher les crevettes.
3 Chauffer le beurre dans une grande casserole et faire revenir le poireau 1 minute en remuant. Ajouter la farine et la faire cuire 1 minute en remuant. Incorporer peu à peu le lait et le vin, en remuant jusqu'à ce que la sauce soit homogène. Faire cuire à feu moyen, sans cesser de remuer, jusqu'à ébullition et épaississement. Baisser le feu et laisser mijoter 3 minutes. Retirer du feu et incorporer le fromage, du sel et du poivre. Ajouter les fruits de mer et prolonger la cuisson d'1 minute. Retirer du feu.
4 Verser la moitié de la préparation sur les lasagne. Couvrir d'une nouvelle couche de lasagne, puis du reste de la préparation. Terminer par une couche de lasagne.
5 Verser la crème dessus et parsemer du mélange de parmesan et de persil. Enfourner 30 minutes, sans couvrir, jusqu'à ce que le gratin soit bien doré.

NOTE : les feuilles de lasagne se trouvent en version plate ou ondulée.

VALEURS NUTRITIVES PAR PORTION : *protéines 50 g, lipides 45 g, glucides 45 g, fibres alimentaires 5 g, cholestérol 290 mg, 3 460 kJ (825 kcal)*

CHEDDAR
Le cheddar, fromage préféré des Anglais, est originaire d'un petit village du Somerset de même nom. C'est un fromage de vache à pâte dure, juste assez affiné pour équilibrer les saveurs et lui donner un arrière-goût très doux.

CI-DESSUS : Lasagne aux fruits de mer

POUR ACCOMPAGNER...

SALADE DE POMMES DE TERRE PIMEN-TÉE À LA CORIANDRE Couper 1 kg de pommes de terre en morceaux, les arroser d'huile d'olive et les saupoudrer de sel marin. Les faire cuire à four chaud jusqu'à ce qu'elles soient dorées et croustillantes. Transférer dans un saladier et les napper généreusement de sauce de piment douce. Ajouter 3 cuil. à soupe de coriandre fraîche hachée. Bien mélanger.

MACARONI AU FOUR

Préparation : 20 minutes
Cuisson : 1 heure
Pour 4 personnes

★★

250 g de macaroni

1 cuil. à soupe d'huile d'olive

1 oignon, émincé

125 g de pancetta, hachée

125 g de jambon, haché

4 œufs

250 ml de lait

250 ml de crème liquide

2 cuil. à soupe de ciboulette fraîche ciselée

125 g de gruyère, râpé

125 g de bocconcini (environ 4), hachés

1 Préchauffer le four à 180 °C. Cuire les pâtes à l'eau bouillante salée jusqu'à ce qu'elles soient *al dente* ; les égoutter et les disposer en une couche régulière au fond d'un plat à four de 5 cm de profondeur.

2 Chauffer l'huile dans une grande casserole et faire revenir l'oignon à feu doux jusqu'à ce qu'il soit tendre. Incorporer la pancetta et la cuire 2 minutes. Ajouter le jambon et bien remuer. Retirer du feu et laisser refroidir.

3 Dans un saladier, battre les œufs, le lait, la crème, la ciboulette, du sel et du poivre. Incorporer le fromage râpé, les bocconcini et la préparation à la pancetta ; bien mélanger. Verser la préparation sur les macaroni et enfourner 35 à 40 minutes.

VALEURS NUTRITIVES PAR PORTION : *protéines 40 g, lipides 75 g, glucides 50 g, fibres alimentaires 5 g, cholestérol 470 mg, 4 335 kJ (1 035 kcal)*

CI-DESSUS : *Macaroni au four*

BLÉ DUR

Le blé dur est une variété de blé riche en protéines et donc en gluten. Il est considéré comme le meilleur blé à pâtes et la loi veut que toutes les pâtes sèches confectionnées en Italie contiennent 100 % de semoule de blé dur, ou *pasta di semola di grano duro*. Outre les avantages nutritifs qu'il fournit, le blé dur donne aux pâtes une couleur agréable, de jaune pâle à doré, et un goût plus prononcé. Il est indispensable pour conférer une texture suffisamment ferme aux pâtes et sa présence permet d'obtenir cette touche tendre et craquante, ou *al dente*.

CI-DESSOUS : *Soufflé aux pâtes et au saumon*

SOUFFLÉ AUX PÂTES ET AU SAUMON

Préparation : 35 minutes
Cuisson : 55 minutes
Pour 4 personnes

★★

2 cuil. à soupe de parmesan fraîchement râpé

60 g de beurre

1 petit oignon, finement haché

2 cuil. à soupe de farine

500 ml de lait

125 ml de bouillon de volaille

3 œufs, blanc et jaune séparés

120 g de petits macaroni (coquillettes), cuits

200 g de saumon en boîte, égoutté et émietté

1 cuil. à soupe de persil frais haché

Zeste râpé d'1 citron

1 Préchauffer le four à 210 °C. Huiler un plat à soufflé de 18 cm de diamètre. Saupoudrer le fond et les bords de parmesan. Ôter l'excédent.

2 Découper un morceau de papier aluminium ou sulfurisé dépassant de 5 cm la circonférence du plat à soufflé. Plier le papier en deux dans le sens de la longueur et en entourer l'extérieur du plat ; il doit dépasser de 5 cm du bord supérieur. L'attacher avec une ficelle.

3 Chauffer le beurre dans une grande casserole et faire revenir l'oignon à feu doux jusqu'à ce qu'il soit tendre. Ajouter la farine et remuer pendant 2 minutes, jusqu'à ce que le mélange blondisse. Retirer du feu. Incorporer peu à peu le lait et le bouillon, en remuant jusqu'à ce que le mélange soit homogène. Remettre sur le feu et remuer constamment à feu moyen jusqu'à ébullition et épaississement. Baisser le feu et laisser mijoter 3 minutes. Ajouter les jaunes d'œufs et bien battre. Incorporer les macaroni, le saumon, le persil, le zeste de citron, du sel et du poivre ; bien mélanger. Transférer la préparation dans un saladier.

4 Battre les œufs en neige. A l'aide d'une cuillère métallique, les incorporer délicatement à la préparation au saumon. Verser dans le plat et enfourner 40 à 45 minutes, jusqu'à ce que le soufflé soit bien gonflé et doré. Servir immédiatement.

NOTE : les soufflés chauds doivent être confectionnés juste avant d'être servis car ils ont tendance à retomber très vite après la sortie du four. La préparation de base peut se faire à l'avance jusqu'à l'étape 3. La ramollir avant d'incorporer les blancs en neige. Ceux-ci doivent être intégrés juste avant de passer au four.

VALEURS NUTRITIVES PAR PORTION : *protéines 25 g, lipides 25 g, glucides 20 g, fibres alimentaires 1 g, cholestérol 200 mg, 1 690 kJ (405 kcal)*

LASAGNE CLASSIQUES

Préparation : 40 minutes
Cuisson : 1 heure 40
Pour 8 personnes

★★★

2 cuil. à soupe d'huile

30 g de beurre

1 gros oignon, finement émincé

1 carotte, coupée en petits dés

1 branche de céleri, finement émincée

500 g de bifteck haché

150 g de foies de volaille, finement hachés

250 ml de purée de tomates

250 ml de vin rouge

2 cuil. à soupe de persil frais haché

375 g de lasagne fraîches

Sauce béchamel

60 g de beurre

40 g de farine

560 ml de lait

1/2 cuil. à café de muscade moulue

100 g de parmesan, fraîchement râpé

1 Chauffer l'huile et le beurre dans une casserole à fond épais et faire revenir l'oignon, la carotte et le céleri à feu moyen, en remuant constamment jusqu'à ce que les légumes soient tendres. Augmenter le feu et faire brunir la viande hachée en écrasant les grumeaux à la fourchette. Ajouter les foies de volaille et les faire cuire jusqu'à ce qu'ils changent de couleur. Incorporer la purée de tomates, le vin, le persil, du sel et du poivre. Porter à ébullition puis baisser le feu et laisser mijoter 45 minutes. Réserver.

2 Sauce béchamel : faire fondre le beurre à feu doux dans une casserole. Ajouter la farine et remuer 1 minute. Retirer du feu et incorporer peu à peu le lait, en remuant. Remettre sur le feu et remuer constamment jusqu'à ébullition et épaississement. Laisser mijoter 1 minute. Ajouter la muscade, du sel et du poivre. Déposer un film plastique sur la surface afin d'éviter la formation d'une peau. Réserver.

3 Découper les feuilles de lasagne de sorte qu'elles recouvrent parfaitement le fond d'un plat à gratin rectangulaire. Si les lasagne nécessitent d'être préalablement cuites, suivre les instructions du fabricant et bien les égoutter avant utilisation.

4 Préchauffer le four à 180 °C. Beurrer ou huiler généreusement le plat. Étaler une fine couche de sauce à la viande au fond et recouvrir d'une couche de béchamel. Si la Béchamel s'est épaissie en refroidissant, la réchauffer doucement pour la rendre plus fluide. Déposer les lasagne dessus, en appuyant légèrement pour expulser l'air. Continuer à alterner les couches en terminant par la Béchamel. Saupoudrer de parmesan et enfourner 35 à 40 minutes, jusqu'à ce que la surface soit bien dorée. Laisser reposer 15 minutes avant de couper.

NOTE : on peut remplacer les lasagne fraîches par des lasagne précuites en paquet ; suivre les instructions du fabricant. On peut omettre les foies de volaille et augmenter la proportion de viande hachée.

VALEURS NUTRITIVES PAR PORTION : *protéines 30 g, lipides 30 g, glucides 45 g, fibres alimentaires 5 g, cholestérol 160 mg, 2 415 kJ (575 kcal)*

SAUCE BÉCHAMEL
La Béchamel consiste aujourd'hui en une sauce blanche, faite à partir d'un roux auquel on ajoute du lait. Autrefois, cependant, on la confectionnait avec de la crème liquide, ce qui produisait une épaisse sauce veloutée. Cette sauce doit son nom à un certain marquis Louis de Béchameil, riche et séduisant gourmet, et maître d'hôtel au service de Louis XIV. Il est peu probable qu'il ait lui-même inventé cette sauce ; la Béchamel serait plutôt le fait d'un des cuisiniers du roi qui l'aurait nommée ainsi en l'honneur du marquis.

CI-DESSUS : *Lasagne classiques*

CANNELLE
La meilleure cannelle provient du cannelier du Sri Lanka, *cinnamomum zeylanicum*, qui possède un parfum très fort et un arôme frais et délicat. La cannelle se fait à partir de l'écorce interne séchée de jeunes pousses qui, exposée, s'enroule en un cylindre composé de fines couches. Les cylindres de cannelle sont ensuite rassemblés par dix et coupés en bâtons de même longueur. Cette variété de cannelle est plus chère que la cannelle chinoise, *cassia*, faite à partir d'écorce externe plus vieille. La cannelle s'emploie en bâton entier, en morceaux ou moulue, pour parfumer les desserts et les plats cuits au four. Elle entre dans la composition du curry en poudre et du garam massala.

CI-DESSUS : *Gratin de macaroni*

GRATIN DE MACARONI

Préparation : 20 minutes
Cuisson : 35 minutes
Pour 4 personnes

☆

500 ml de lait
250 ml de crème liquide
1 feuille de laurier
1 clou de girofle
1/2 bâton de cannelle
60 g de beurre
2 cuil. à soupe de farine
250 g de gruyère, fraîchement râpé
50 g de parmesan, fraîchement râpé
375 g de macaroni
80 g de chapelure fraîche (pain de mie émietté)
2 tranches de bacon, hachées et bien rissolées

1 Préchauffer le four à 180 °C. Dans une casserole, mettre le lait, la crème, la feuille de laurier, le clou de girofle et la cannelle. Porter à ébullition puis retirer du feu et laisser reposer 10 minutes. Passer dans une terrine et éliminer les aromates.
2 Faire fondre le beurre à feu doux dans une casserole. Ajouter la farine et remuer 1 minute. Retirer du feu et incorporer peu à peu le lait aromatisé, en remuant bien. Remettre sur le feu et remuer constamment jusqu'à ébullition et épaississement. Laisser mijoter 2 minutes, puis retirer du feu et ajouter la moitié du gruyère, la moitié du parmesan, du sel et du poivre. Réserver.
3 Cuire les pâtes à l'eau bouillante salée jusqu'à ce qu'elles soient *al dente*. Les égoutter et les remettre dans la casserole. Incorporer la sauce et bien mélanger. Verser la préparation dans un plat à four profond. Saupoudrer du mélange de chapelure, de bacon et des fromages restants. Enfourner 15 à 20 minutes, jusqu'à ce que la surface soit bien gratinée.
NOTE : on peut ajouter du poulet cuit haché à la sauce béchamel avant de la mélanger aux pâtes.

VALEURS NUTRITIVES PAR PORTION : *protéines 45 g, lipides 70 g, glucides 90 g, fibres alimentaires 5 g, cholestérol 185 mg, 4 960 kJ (1 185 kcal)*

CONCHIGLIE FARCIS AU POULET ET À LA RICOTTA

Préparation : 15 minutes
Cuisson : 1 heure 10
Pour 4 personnes

★★

500 g de conchiglie

2 cuil. à soupe d'huile d'olive

1 oignon, haché

1 gousse d'ail, écrasée

60 g de prosciutto, émincé

125 g de champignons, hachés

250 g de poulet haché

2 cuil. à soupe de concentré de tomates (double)

425 g de tomates en boîte, grossièrement hachées

125 ml de vin blanc sec

1 cuil. à café d'origan séché

250 g de ricotta

150 g de mozzarella, râpée

1 cuil. à café de ciboulette fraîche ciselée

1 cuil. à soupe de persil frais haché

3 cuil. à soupe de parmesan fraîchement râpé

1 Cuire les pâtes à l'eau bouillante salée jusqu'à ce qu'elles soient *al dente* ; bien égoutter.

2 Chauffer l'huile dans une grande poêle et faire revenir l'oignon et l'ail à feu doux jusqu'à ce que l'oignon soit tendre. Ajouter le prosciutto et remuer 1 minute. Incorporer les champignons et prolonger la cuisson de 2 minutes. Ajouter le poulet haché et le faire brunir, en écrasant les grumeaux à la fourchette.

3 Incorporer le concentré de tomates, les tomates, le vin, l'origan, du sel et du poivre. Porter à ébullition puis baisser le feu et laisser mijoter 20 minutes.

4 Préchauffer le four à 180 °C. Dans un saladier, mélanger la ricotta, la mozzarella, la ciboulette, le persil et la moitié du parmesan. Déposer un peu de préparation dans chaque pâte. Verser une partie de la sauce au poulet au fond d'un plat à four. Disposer les conchiglie farcies dessus et les napper du reste de sauce. Saupoudrer du reste de parmesan et enfourner 25 à 30 minutes, jusqu'à ce que le plat soit bien doré.

NOTE : les conchiglie existent en plusieurs tailles : ce plat peut se faire avec des conchiglie de moyenne ou grande taille.

VALEURS NUTRITIVES PAR PORTION : *protéines 50 g, lipides 40 g, glucides 95 g, fibres alimentaires 9 g, cholestérol 115 mg, 3 945 kJ (940 kcal)*

POUR ACCOMPAGNER...

SALADE DE BETTERAVES À LA FRAMBOISE Cuire quelques betteraves à l'eau bouillante, jusqu'à ce qu'elles soient tendres. Les peler et les couper en morceaux. Confectionner une sauce avec du vinaigre de framboise, du jus d'orange et du miel. Mélanger les betteraves et la sauce, et garnir de quelques graines de carvi.

SALADE D'ÉPINARDS AUX NOIX ET AU CHEDDAR Dans un saladier, mélanger de jeunes épinards, des cerneaux de noix grillés et des copeaux de cheddar affiné. Arroser d'une bonne vinaigrette.

POULET HACHÉ
Un bon hachis de poulet doit être constitué de toutes les parties du poulet et doit avoir une bonne proportion de gras. Il convient de l'utiliser dès que possible car il s'abîme beaucoup plus vite qu'une tranche de viande ordinaire. Éviter d'acheter du poulet préhaché à l'aspect grisâtre et irrégulier.

CI-DESSUS : Conchiglie farcies au poulet et à la ricotta

FRITTATA AUX SPAGHETTI

Préparation : 30 minutes
Cuisson : 35 minutes
Pour 4 personnes

★★

30 g de beurre

125 g de champignons, émincés

1 poivron vert, épépiné et haché

125 g de jambon, émincé

80 g de petits pois surgelés

6 œufs

250 ml de crème liquide ou de lait

100 g de spaghetti, cuits et hachés

2 cuil. à soupe de persil frais haché

25 g de parmesan, fraîchement râpé

*CI-DESSUS : Frittata
aux spaghetti*

1 Préchauffer le four à 180 °C. Beurrer ou huiler un moule à tarte de 23 cm.

2 Chauffer le beurre dans une poêle et faire revenir les champignons 2 à 3 minutes à feu doux. Ajouter le poivron et le faire cuire 1 minute. Incorporer le jambon et les petits pois. Retirer la poêle du feu et laisser refroidir légèrement.

3 Dans un bol, battre les œufs, la crème (ou le lait), du sel et du poivre. Incorporer les spaghetti, le persil et les champignons. Verser la préparation dans le moule. Saupoudrer de parmesan et enfourner 25 à 30 minutes.

NOTE : servir avec des légumes grillés et de la salade verte.

VALEURS NUTRITIVES PAR PORTION : *protéines 25 g, lipides 20 g, glucides 10 g, fibres alimentaires 5 g, cholestérol 300 mg, 1 320 kJ (315 kcal)*

GRATIN DE CANNELLONI À LA MILANAISE

Préparation : 40 minutes
Cuisson : 1 heure 50
Pour 4 personnes

☆

500 g de viande hachée (porc et veau)

50 g de chapelure

100 g de parmesan, fraîchement râpé

2 œufs, battus

1 cuil. à café d'origan séché

12 à 15 tubes de cannelloni

375 g de ricotta fraîche

60 g de gruyère, fraîchement râpé

Sauce tomate

425 ml de purée de tomates, en boîte (passata)

425 g de tomates en boîte, grossièrement
   hachées

2 gousses d'ail, écrasées

3 cuil. à soupe de basilic frais haché

1 Préchauffer le four à 180 °C. Beurrer ou huiler un plat à four rectangulaire.
2 Dans un saladier, mélanger la viande hachée, la chapelure, la moitié du parmesan, les œufs, l'origan, du sel et du poivre. Remplir les cannelloni de farce à l'aide d'une petite cuillère. Réserver.
3 Sauce tomate : dans une casserole, mettre la purée de tomates, les tomates et le basilic. Porter à ébullition puis baisser le feu et laisser mijoter 15 minutes. Ajouter le basilic et du poivre ; bien mélanger.
4 Étaler la moitié de la sauce tomate au fond du plat. Disposer les cannelloni farcis dessus et les napper du reste de sauce. Parsemer le tout de ricotta, puis du mélange de parmesan et de gruyère. Couvrir de papier aluminium et enfourner 1 heure. Retirer l'aluminium et prolonger la cuisson au four de 15 minutes, jusqu'à ce que la surface soit bien dorée. Découper en carrés pour servir.

VALEURS NUTRITIVES PAR PORTION : *protéines 60 g, lipides 40 g, glucides 40 g, fibres alimentaires 5 g, cholestérol 255 mg, 3 190 kJ (762 kcal)*

POUR ACCOMPAGNER...

CHOU-FLEUR AU FROMAGE Cuire 1 chou-fleur miniature par personne à l'eau, à la vapeur ou au micro-ondes, jusqu'à ce qu'ils soient tendres. Égoutter et transférer dans un plat à four. Confectionner une Béchamel en faisant fondre 30 g de beurre et en incorporant 1 cuil. à soupe de farine. Ajouter 350 ml de lait et remuer à feu moyen pendant 1 minute, jusqu'à ébullition et épaississement. Incorporer 60 g de gruyère finement râpé et 1 pointe de moutarde ; bien mélanger. Verser la Béchamel sur le chou-fleur et garnir de fromage finement râpé. Passer 10 minutes au four préchauffé à 210 °C, jusqu'à ce que le fromage soit doré.

CI-DESSUS : Gratin de cannelloni à la milanaise

feu doux. Verser la sauce aux légumes sur les pâtes et incorporer un tiers de la mozzarella. Assaisonner à votre goût et bien mélanger. Saupoudrer de parmesan et parsemer du reste de mozzarella.

4 Enfourner 10 minutes, jusqu'à ce que le fromage soit fondu et la surface légèrement dorée. Servir aussitôt.

VALEURS NUTRITIVES PAR PORTION : *protéines 30 g, lipides 35 g, glucides 75 g, fibres alimentaires 10 g, cholestérol 45 mg, 3 030 kJ (720 kcal)*

TIMBALES DE PÂTES AUX ÉPINARDS

Préparation : 25 minutes
Cuisson : 45 minutes
   + temps de repos
Pour 6 personnes

★ ★

30 g de beurre

1 cuil. à soupe d'huile d'olive

1 oignon, haché

500 g d'épinards, cuits à la vapeur et bien
   égouttés

8 œufs, battus

250 ml de crème liquide

100 g de spaghetti ou de taglioni cuits

60 g de gruyère, râpé

50 g de parmesan, fraîchement râpé

GRATIN DE RIGATONI

Préparation : 20 minutes
Cuisson : 30 minutes
Pour 4 personnes

★ ★

375 g de rigatoni

60 ml d'huile d'olive légère

300 g d'aubergines fines, hachées

4 petites courgettes, coupées en épaisses
   rondelles

1 oignon, émincé

400 g de tomates en boîte

1 cuil. à café d'origan frais haché

1 pincée de poivre de Cayenne

8 à 10 olives noires, émincées

250 g de mozzarella, coupée en petits dés

2 cuil. à soupe de parmesan fraîchement râpé

1 Préchauffer le four à 180 °C. Cuire les pâtes à l'eau bouillante salée jusqu'à ce qu'elles soient *al dente*. Les égoutter et les transférer dans un plat à gratin huilé.

2 Pendant que les pâtes cuisent, chauffer l'huile dans une grande casserole et faire revenir les aubergines, les courgettes et l'oignon 5 minutes, jusqu'à ce qu'ils soient légèrement dorés.

3 Ajouter les tomates, l'origan, le poivre de Cayenne et les olives ; laisser mijoter 5 minutes à

*CI-DESSUS : Gratin
de rigatoni*
*CI-CONTRE : Timbales
de pâtes aux épinards*

1 Préchauffer le four à 180 °C. Beurrer ou huiler 6 moules à dariole d'une capacité de 250 ml. Garnir le fond de papier sulfurisé. Chauffer le beurre et l'huile dans une poêle et faire revenir l'oignon à feu doux jusqu'à ce qu'il soit tendre. Ajouter les épinards bien égouttés et les faire cuire 1 minute. Retirer du feu et laisser refroidir. Incorporer les œufs et la crème, puis les spaghetti (ou taglioni), les fromages râpés, du sel et du poivre fraîchement moulu ; bien mélanger. Répartir la préparation dans les moules.

2 Disposer les moules dans un plat à four. Verser de l'eau bouillante de sorte qu'elle arrive à mi-hauteur des moules. Enfourner 30 à 35 minutes, jusqu'à ce que la préparation ait pris. A mi-cuisson, couvrir éventuellement les moules d'une feuille de papier aluminium pour éviter qu'ils ne brunissent trop. Vers la fin de la cuisson, vérifier les timbales avec la pointe d'un couteau, qui doit ressortir sèche si elles sont cuites.

3 Laisser les timbales reposer 15 minutes avant de les démouler. Passer la pointe d'un couteau sur le pourtour de chaque moule et démouler sur les assiettes de service.

VALEURS NUTRITIVES PAR PORTION : *protéines 20 g, lipides 40 g, glucides 7 g, fibres alimentaires 3 g, cholestérol 330 mg, 1 860 kJ (440 kcal)*

PÂTES À LA FETA GRATINÉES

Préparation : 10 à 15 minutes
Cuisson : 35 à 40 minutes
Pour 4 personnes

☆

500 g de fusilli

600 ml de crème liquide

3 œufs

250 g de feta, émiettée

2 cuil. à soupe de farine

2 cuil. à café de muscade moulue

125 g de gruyère ou de mozzarella, râpé

1 Cuire les pâtes à l'eau bouillante salée jusqu'à ce qu'elles soient *al dente*. Les égoutter en réservant 250 ml d'eau de cuisson. Laisser les pâtes refroidir légèrement.

2 Préchauffer le four à 180 °C. Graisser un plat à four d'une capacité de 1,75 l avec de l'huile d'olive.

3 Dans un saladier, battre la crème, les œufs et l'eau réservée. Incorporer la feta émiettée, la farine, la muscade, du sel et du poivre.

4 Transférer les pâtes refroidies dans le plat préparé. Verser la préparation dessus et parsemer de fromage râpé. Enfourner 30 à 35 minutes, jusqu'à ce que la surface soit légèrement dorée.

VALEURS NUTRITIVES PAR PORTION : *protéines 40 g, lipides 85 g, glucides 95 g, fibres alimentaires 6 g, cholestérol 380 mg, 5 520 kJ (1 315 kcal)*

POIVRE BLANC

Les grains de poivre blanc proviennent de la même plante exotique que le poivre noir, mais les baies sont traitées différemment afin de donner un goût plus doux et une couleur plus claire. Ces caractéristiques sont préférables pour certains plats, comme les sauces blanches ou à base de crème, de façon à ne pas en altérer l'aspect. Curieusement, le poivre blanc est plus aromatique que le noir.

CI-DESSUS : Pâtes
à la feta gratinées

MOZZARELLA

Pratiquement toute la mozzarella fabriquée en dehors de l'Italie est destinée à la garniture de plats, tels que les pizzas ou les lasagne. C'est un fromage affiné, parfois traité, à la texture caoutchouteuse et fondant facilment. Chauffée, elle se désagrège totalement et devient lisse et coulante, en formant de longs fils qui font généralement la joie des enfants. On ne la mange pas comme fromage de table. La mozzarella fraîche (bocconcini), en revanche, se consomme telle quelle. Elle est d'un blanc très pur, possède une saveur crémeuse et une durée de vie limitée. En Italie, il arrive qu'on la fabrique encore avec du lait de bufflonne, comme cela se fait depuis des siècles.

CI-DESSUS : Boulettes de viande aux pâtes

BOULETTES DE VIANDE AUX PÂTES

Préparation : 40 minutes
Cuisson : 55 minutes
Pour 4 personnes

★★

100 g de macaroni

500 g de bifteck haché

1 oignon, finement haché

80 g de chapelure fraîche
(pain de mie émietté)

2 cuil. à soupe de parmesan
fraîchement râpé

1 cuil. à soupe de basilic frais haché

1 œuf, battu

2 cuil. à soupe d'huile d'olive

150 g de mozzarella, fraîchement râpée

Sauce

1 oignon, émincé

1 gousse d'ail, écrasée

1 poivron, épépiné et émincé

125 g de champignons, émincés

60 ml de concentré de tomates (double)

125 ml de vin rouge

1 Cuire les pâtes à l'eau bouillante salée jusqu'à ce qu'elles soient *al dente* ; bien égoutter et réserver.

2 Dans un saladier, mélanger la viande hachée, l'oignon, la moitié de la chapelure, le parmesan, le basilic et l'œuf. Former des petites boules avec cette préparation.

3 Chauffer l'huile dans une poêle et faire revenir les boulettes de viande jusqu'à ce qu'elles soient brunies sur toutes leurs faces. Égoutter sur du papier absorbant et transférer dans un plat à four. Préchauffer le four à 180 °C.

4 Sauce : mettre l'oignon et l'ail dans la même poêle et remuer à feu doux jusqu'à ce que l'oignon soit tendre. Ajouter le poivron et les champignons et faire revenir 2 minutes. Incorporer le concentré de tomates, puis le vin et 250 ml d'eau. Porter à ébullition sans cesser de remuer. Ajouter les macaroni, du sel et du poivre. Verser sur les boulettes de viande.

5 Enfourner 30 à 35 minutes, sans couvrir. Retirer du four et parsemer du mélange de mozzarella et de chapelure restante. Remettre 10 minutes au four, jusqu'à ce que le gratin soit doré.

VALEURS NUTRITIVES PAR PORTION : *protéines 45 g, lipides 35 g, glucides 40 g, fibres alimentaires 5 g, cholestérol 150 mg, 2 840 kJ (680 kcal)*

LÉGUMES FARCIS AUX PÂTES

Préparation : 40 minutes
Cuisson : 45 minutes
Pour 6 personnes

✫ ✫

150 g de rissoni

1 cuil. à soupe d'huile d'olive

1 oignon, finement haché

1 gousse d'ail, écrasée

3 tranches de bacon sans couenne, finement
hachées

150 g de mozzarella, fraîchement râpée

50 g de parmesan, fraîchement râpé

2 cuil. à soupe de persil frais haché

4 gros poivrons rouges, coupés en deux
dans le sens de la longueur et épépinés

425 g de tomates en boîte, grossièrement
hachées

125 ml de vin blanc sec

1 cuil. à soupe de concentré de tomates
(double)

1/2 cuil. à café d'origan moulu

2 cuil. à soupe de basilic frais haché

1 Cuire les pâtes à l'eau bouillante salée jusqu'à ce qu'elles soient *al dente* ; égoutter.

2 Préchauffer le four à 180 °C. Huiler un grand plat à gratin.

3 Chauffer l'huile dans une casserole et faire revenir l'oignon et l'ail à feu doux, jusqu'à ce que l'oignon soit tendre. Ajouter le bacon et remuer jusqu'à ce qu'il soit rissolé. Transférer dans un saladier et incorporer les rissoni, les fromages et le persil. Déposer la préparation dans les moitiés de poivron et les disposer dans le plat.

4 Dans une terrine, mélanger les tomates, le vin, le concentré de tomates, l'origan, du sel et du poivre. En déposer des cuillerées sur la farce. Saupoudrer de basilic et enfourner 35 à 40 minutes.

VALEURS NUTRITIVES PAR PORTION : *protéines 20 g, lipides 15 g, glucides 25 g, fibres alimentaires 5 g, cholestérol 35 mg, 1 345 kJ (320 kcal)*

POUR ACCOMPAGNER...

CHOU AUX GRAINES DE CARVI Émincer finement du chou et le faire cuire à l'eau, à la vapeur ou au micro-ondes, jusqu'à ce qu'il soit tendre. Faire revenir de l'oignon émincé et quelques graines de carvi dans du beurre, jusqu'à ce que l'oignon soit très tendre et le carvi aromatique. Ajouter le chou et bien remuer. Verser un peu de vinaigre de malt et assaisonner généreusement de sel et de poivre.

RISSONI

Les rissoni sont de petites pâtes sèches en forme de grains de riz. Ils se marient bien aux soupes et aux farces de légumes. Utilisés dans les ragoûts, ils donnent du corps et de la substance sans trop gonfler et se prêtent donc très bien aux farces de volaille.

CI-DESSUS : Légumes farcis aux pâtes

243

AIL

La façon dont on prépare l'ail dépend du degré d'arôme requis pour un plat particulier. Si les gousses sont finement hachées ou écrasées, elles donneront toute leur intensité car les huiles seront libérées. Pour une saveur moins forte, sans arrière-goût d'ail, on utilise les gousses entières, souvent non pelées et éliminées avant de consommer le plat. Pour une saveur intermédiaire, forte mais non piquante, on pèle les gousses et on les coupe en deux.

CANNELLONI CLASSIQUES

Préparation : 45 minutes
Cuisson : 1 heure 10
Pour 6 personnes

★ ★

Farce au bœuf et aux épinards

1 cuil. à soupe d'huile d'olive
1 oignon, haché
1 gousse d'ail, écrasée
500 g de bifteck haché
250 g d'épinards surgelés, décongelés
3 cuil. à soupe de concentré de tomates (double)
125 g de ricotta
1 œuf
1/2 cuil. à café d'origan moulu

Sauce béchamel

250 ml de lait
1 brin de persil frais
5 grains de poivre
30 g de beurre
1 cuil. à soupe de farine
125 ml de crème liquide

Sauce tomate

425 g de purée de tomates en boîte
2 cuil. à soupe de basilic frais haché
1 gousse d'ail, écrasée
1/2 cuil. à café de sucre

12 à 15 tubes à cannelloni précuits
150 g de mozzarella, fraîchement râpée
50 g de parmesan, fraîchement râpé

1 Préchauffer le four à 180 °C. Huiler un grand plat à four peu profond et réserver.
2 Farce au bœuf et aux épinards : chauffer l'huile dans une poêle et faire revenir l'oignon et l'ail à feu doux jusqu'à ce que l'oignon soit tendre. Ajouter la viande hachée et la faire brunir, en écrasant les grumeaux à l'aide d'une fourchette. Incorporer les épinards et le concentré de tomates ; remuer 1 minute puis retirer du feu. Dans un bol, mélanger la ricotta, l'œuf, l'origan, du sel et du poivre. Verser ce mélange sur la farce et bien mélanger. Réserver.
3 Sauce béchamel : dans une petite casserole, mettre le lait, le persil et les grains de poivre. Porter à ébullition puis retirer du feu et laisser reposer 10 minutes. Passer le lait en éliminant les aromates. Faire fondre le beurre à feu doux dans une petite

casserole. Ajouter la farine et remuer 1 minute, jusqu'à obtention d'un mélange homogène. Retirer du feu et incorporer peu à peu le lait aromatisé. Remettre sur le feu et remuer constamment à feu moyen jusqu'à ébullition et épaississement. Baisser le feu et laisser mijoter encore 1 minute. Incorporer la crème fraîche, du sel et du poivre.

4 Sauce tomate : mélanger tous les ingrédients dans une casserole et bien remuer. Porter à ébullition puis baisser le feu et laisser mijoter 5 minutes. Assaisonner à votre goût.

5 Verser la farce au bœuf et aux épinards dans une poche à douille et remplir les cannelloni (on peut aussi les fourrer à l'aide d'une petite cuillère).

6 Verser un peu de sauce tomate au fond du plat. Déposer les cannelloni dessus et les napper de Béchamel puis du reste de sauce tomate. Saupoudrer du mélange de fromages. Enfourner 35 à 40 minutes, sans couvrir, jusqu'à ce que la surface soit dorée.

NOTE : servir ce plat avec une salade mixte ou des légumes vapeur, tels que du brocoli ou des haricots verts.

VALEURS NUTRITIVES PAR PORTION : *protéines 35 g, lipides 40 g, glucides 25 g, fibres alimentaires 5 g, cholestérol 150 mg, 2 475 kJ (590 kcal)*

OMELETTE ITALIENNE

Préparation : 20 minutes
Cuisson : 15 minutes
Pour 4 personnes

★

2 cuil. à soupe d'huile d'olive

1 oignon, finement haché

125 g de jambon, émincé

6 œufs

60 ml de lait

150 g de fusilli

3 cuil. à soupe de parmesan râpé

2 cuil. à soupe de persil frais haché

1 cuil. à soupe de basilic frais haché

60 g de gruyère fraîchement râpé

1 Cuire les pâtes à l'eau bouillante salée jusqu'à qu'elles soient *al dente*. Les égoutter et laisser refroidir. Chauffer la moitié de l'huile dans une poêle et faire revenir l'oignon à feu doux jusqu'à ce qu'il soit tendre. Ajouter le jambon et le faire cuire 1 minute en remuant. Transférer dans une assiette et réserver.

2 Dans un saladier, battre les œufs, le lait, du sel et du poivre. Incorporer les pâtes, le parmesan, les fines herbes et le jambon.

3 Chauffer le reste de l'huile dans la même poêle. Verser le mélange aux œufs et saupoudrer de fromage. Cuire à feu moyen jusqu'à ce que les œufs commencent à prendre sur les bords. Passer l'omelette sous un gril chaud afin de terminer la cuisson. La couper en parts avant de servir.

NOTE : cette omelette s'accompagne très bien d'une salade verte ou mixte.

VALEURS NUTRITIVES PAR PORTION : *protéines 25 g, lipides 25 g, glucides 30 g, fibres alimentaires 2 g, cholestérol 310 mg, 1 925 kJ (460 kcal)*

CI-DESSUS : Omelette italienne

PASTICCIO

Préparation : 1 heure
Cuisson : 1 heure 50
Pour 6 personnes

★★

250 g de farine

125 g de beurre froid, coupé en petits morceaux

60 g de sucre en poudre

1 jaune d'œuf

Farce

2 cuil. à soupe d'huile d'olive

1 oignon, haché

2 gousses d'ail, finement hachées

500 g de bifteck haché

150 g de foies de volaille

2 tomates, hachées

125 ml de vin rouge

125 ml de bouillon de bœuf

1 cuil. à soupe d'origan frais haché

1 pincée de muscade

50 g de parmesan, fraîchement râpé

CI-DESSUS : Pasticcio

Sauce béchamel

60 g de beurre

2 cuil. à soupe de farine

375 ml de lait froid

150 g de bucatini

1 Travailler la farine, le beurre, le sucre et le jaune d'œuf au mixeur avec 1 cuil. à soupe d'eau. Mixer doucement jusqu'à formation d'une boule, en rajoutant de l'eau si nécessaire. Pétrir délicatement la pâte sur un plan de travail fariné, jusqu'à ce qu'elle soit homogène. L'envelopper de film plastique et laisser reposer au réfrigérateur.

2 Farce : chauffer l'huile dans une casserole à fond épais et faire revenir l'oignon et l'ail jusqu'à ce qu'ils soient tendres et légèrement dorés. Augmenter le feu, ajouter la viande hachée et la faire brunir, en écrasant les grumeaux à la fourchette. Incorporer les foies de volaille, les tomates, le vin rouge, le bouillon, l'origan et la muscade ; saler et poivrer généreusement. Faire cuire la sauce à feu vif jusqu'à ébullition, puis baisser le feu et laisser mijoter 40 minutes, à couvert. Laisser refroidir avant d'incorporer le parmesan.

3 Sauce béchamel : chauffer le beurre à feu doux dans une casserole. Ajouter la farine et remuer pendant 1 minute, jusqu'à ce que le mélange blondisse. Retirer du feu et incorporer peu à peu le lait. Remettre sur le feu et remuer constamment jusqu'à ébullition et épaississement. Prolonger la cuisson d'1 minute et assaisonner à votre goût.

4 Cuire les pâtes à l'eau bouillante salée jusqu'à ce qu'elles soient *al dente* ; égoutter et laisser refroidir. Beurrer un moule à tarte profond, de 23 cm de diamètre environ, et préchauffer le four à 160 °C. Diviser la pâte en deux et étaler une portion pour en garnir le fond et les bords du moule. Verser la moitié de la farce à la viande dans le moule, couvrir de pâtes, puis verser délicatement la béchamel dessus, en la laissant bien pénétrer dans les pâtes. Couvrir du reste de farce à la viande. Étaler l'autre moitié de pâte et la déposer sur la tarte. Égaliser les bords et pincer légèrement pour les souder. Enfourner 50 à 55 minutes, jusqu'à ce que la tourte soit bien dorée. Laisser reposer 15 minutes avant de la découper.

VALEURS NUTRITIVES PAR PORTION : *protéines 35 g, lipides 50 g, glucides 65 g, fibres alimentaires 5 g, cholestérol 270 mg, 3 595 kJ (860 kcal)*

PASTITSIO

Préparation : 1 heure
Cuisson : 1 heure 25
Pour 8 personnes

★ ★

2 cuil. à soupe d'huile d'olive

4 gousses d'ail, écrasées

3 oignons, hachés

1 kg de viande d'agneau hachée

800 g de tomates en boîte, grossièrement
    hachées

250 ml de vin rouge

250 ml de bouillon de volaille

3 cuil. à soupe de concentré de tomates
    (double)

2 cuil. à soupe d'origan frais

2 feuilles de laurier

350 g de ziti

2 œufs, légèrement battus + 3 œufs
    supplémentaires, légèrement battus

750 g de yaourt nature

200 g de kefalotyri ou manchego râpé

1/2 cuil. à café de muscade moulue

50 g de parmesan, fraîchement râpé

80 g de chapelure fraîche (pain de mie émietté)

1 Préchauffer le four à 200 °C. Chauffer l'huile dans une grande casserole à fond épais et faire revenir l'ail et l'oignon 10 minutes à feu doux, jusqu'à ce que l'oignon soit tendre et doré.

2 Ajouter la viande hachée et la saisir à feu vif jusqu'à ce qu'elle brunisse, en remuant constamment et en écrasant les grumeaux à la fourchette. Incorporer les tomates, le vin, le bouillon, le concentré de tomates, l'origan et les feuilles de laurier. Porter à ébullition puis baisser le feu et laisser mijoter 15 minutes à couvert. Retirer le couvercle et prolonger la cuisson de 30 minutes. Saler et poivrer.

3 Pendant que la sauce à la viande mijote, cuire les pâtes à l'eau bouillante salée jusqu'à ce qu'elles soient *al dente*. Bien égoutter et transférer dans un saladier. Incorporer 2 œufs et bien mélanger. Verser la préparation dans un plat à four beurré, d'une capacité de 4 l, et napper de sauce à la viande.

4 Battre le yaourt, les 3 autres œufs, le fromage et la muscade dans un bol et verser le mélange sur la viande. Parsemer du mélange de parmesan et de chapelure. Enfourner 30 à 35 minutes, jusqu'à ce que la surface soit bien dorée. Laisser reposer 20 minutes avant de découper. Servir avec une salade verte.

NOTE : le kefalotyri et le manchego sont des fromages à pâte dure, destinés à être râpés. A défaut, leur substituer du parmesan.

VALEURS NUTRITIVES PAR PORTION : *protéines 50 g, lipides 40 g, glucides 45 g, fibres alimentaires 5 g, cholestérol 250 mg, 3 275 kJ (780 kcal)*

PASTICCIO ET PASTITSIO

Il est facile de confondre le pasticcio et le pastitsio (*pastizio* ou *pastetseo*). Dans la cuisine italienne, le pasticcio est un terme générique désignant toutes sortes de tourtes dont les composants (viande, pâtes et légumes) sont disposés en couches et parfois recouverts de pâte (les lasagne, notamment, sont un type de pasticcio). Le pasticcio est généralement un plat de fête; il peut être tout simple ou très élaboré, en fonction de sa composition et des ingrédients utilisés. On le sert traditionnellement en plat principal, sans accompagnement, avant une salade ou un plat de légumes. Le pastitsio, quant à lui, est la version grecque du pasticcio, et si proche de celui-ci qu'il est parfois très difficile de les différencier. Le pastitsio se compose généralement d'agneau plutôt que de bœuf, et inclut des ingrédients grecs comme le yaourt ou les olives.

CI-CONTRE : *Pastitsio*

COURGE FARCIE AUX PÂTES ET AU POIREAU

Préparation : 30 minutes
Cuisson : 1 heure
Pour 2 personnes en repas léger, ou 4 en accompagnement

★★

1 courge butternut (doubeurre) moyenne
20 g de beurre
1 poireau, finement émincé
125 ml de crème liquide
1 pincée de muscade
60 g de linguine ou de stellini cuits
60 ml d'huile d'olive

1 Préchauffer le four à 180 °C. Couper soigneusement le quart supérieur de la courge afin de former un couvercle. Égaliser l'autre extrémité afin qu'elle se tienne droite. Retirer les graines et les fils intérieurs. Creuser une cavité au centre pour y mettre la farce. Saupoudrer les faces sectionnées de sel et de poivre et transférer la courge dans un petit plat à four.

2 Chauffer le beurre dans une petite poêle et faire revenir le poireau jusqu'à ce qu'il soit tendre. Ajouter la crème et la muscade et cuire 4 à 5 minutes à feu doux, jusqu'à épaississement. Assaisonner de sel et de poivre et incorporer les pâtes.

3 Remplir la courge de farce aux pâtes, mettre le couvercle en place et l'arroser d'huile d'olive. Enfourner 1 heure, jusqu'à ce que la courge soit tendre. Vérifier la cuisson à l'aide d'une brochette métallique enfoncée dans la partie la plus épaisse du légume.

NOTE : choisir une courge ronde et bien charnue et non dotée d'une longue pointe effilée. L'extrémité supérieure est celle rattachée au pédoncule ; c'est généralement la partie la plus charnue.

VALEURS NUTRITIVES PAR PORTION (4) : *protéines 10 g, lipides 30 g, glucides 30 g, fibres alimentaires 6 g, cholestérol 50 mg, 1 885 kJ (450 kcal)*

PAIN DE VIANDE AUX CHAMPIGNONS ET À LA CRÈME

Préparation : 20 minutes
Cuisson : 1 heure
Pour 6 personnes

★★

100 g de pappardelle
20 g de chapelure fraîche (pain de mie émietté)
1 cuil. à soupe de vin blanc
375 g de poulet haché
375 g de veau haché
2 gousses d'ail, écrasées
100 g de champignons de Paris, finement hachés
2 œufs, battus
1 pincée de muscade
1 pincée de poivre de Cayenne
60 ml de crème fraîche
4 oignons nouveaux, finement hachés
2 cuil. à soupe de persil frais haché

1 Beurrer un moule à cake d'une capacité de 1,5 l. Cuire les pâtes à l'eau bouillante salée jusqu'à ce qu'elles soient *al dente* ; égoutter.

2 Préchauffer le four à 200 °C.

3 Tremper la chapelure dans le vin puis la mélanger avec les viandes hachées, l'ail, les champignons, les œufs, la muscade, le poivre de Cayenne, du sel et du poivre fraîchement moulu. Incorporer la crème fraîche, l'oignon nouveau et le persil.

4 Avec les mains, répartir la moitié de la préparation dans le moule. Tracer un profond sillon sur toute la longueur et le remplir de pappardelle. Mettre le reste de préparation par-dessus et bien tasser. Enfourner 50 à 60 minutes en éliminant l'excédent de gras du moule deux fois en cours de cuisson. Laisser refroidir légèrement avant de le trancher.

NOTE : on peut hacher les champignons au mixeur, sans toutefois le faire trop à l'avance, car ils noirciraient et coloreraient le pain.

VALEURS NUTRITIVES PAR PORTION : *protéines 35 g, lipides 20 g, glucides 15 g, fibres alimentaires 2 g, cholestérol 205 mg, 1 545 kJ (365 kcal)*

COURGE BUTTERNUT
La courge butternut, ou doubeurre, doit son nom à sa saveur douce à l'arrière-goût de noisette et à sa texture fondante. Jeune, elle doit être uniformément ferme, sans craquelures ni parties molles. La pulpe interne doit être croquante, vivement colorée et pauvre en eau.

CI-CONTRE : Courge farcie aux pâtes et au poireau (en haut), Pain de viande aux champignons et à la crème.

CRÈME D'OLIVES VERTES

On l'obtient en mélangeant la purée d'olives vertes à de l'huile d'olive, du sel et des fines herbes. Telle quelle, elle se déguste en sauce froide ou en pâte à tartiner; on l'emploie également pour agrémenter les pâtes alimentaires et les légumes. Incorporée aux sauces et aux soupes, elle ajoute du goût et de la couleur; enfin, elle est délicieuse badigeonnée sur la peau des volailles.

CI-DESSUS : Pâtes à la crème d'olives et aux trois fromages

PÂTES À LA CRÈME D'OLIVES ET AUX TROIS FROMAGES

Préparation : 10 minutes
Cuisson : 20 minutes
Pour 4 personnes

★

400 g de mafalda ou de pappardelle

2 cuil. à soupe d'huile d'olive

2 gousses d'ail, écrasées

125 g de crème d'olives vertes

4 cuil. à soupe de crème liquide

50 g de parmesan, fraîchement râpé

60 g de gruyère, râpé

50 g de cheddar, râpé

1 Préchauffer le four à 200 °C. Huiler légèrement un plat à four profond.

2 Cuire les pâtes à l'eau bouillante salée jusqu'à ce qu'elles soient *al dente*. Égoutter et remettre dans la casserole.

3 Incorporer l'huile d'olive, l'ail et la purée d'olives, bien mélanger puis ajouter la crème. Assaisonner de poivre noir. Transférer la préparation dans le plat.

4 Parsemer du mélange de fromages et enfourner 20 minutes à découvert, jusqu'à ce que la surface soit croustillante et le fromage fondu.

VALEURS NUTRITIVES PAR PORTION : *protéines 25 g, lipides 40 g, glucides 70 g, fibres alimentaires 6 g, cholestérol 65 mg, 3 055 kJ (725 kcal)*

CONCHIGLIE GÉANTES À LA RICOTTA ET À LA ROQUETTE

Préparation : 50 minutes
Cuisson : 1 heure
Pour 6 personnes

★ ★

40 conchiglie géantes

Farce

500 g de ricotta

100 g de parmesan, râpé

150 g de roquette, finement émincée

1 œuf, légèrement battu

180 g d'artichauts marinés, finement émincés

80 g de tomates séchées au soleil, finement hachées

95 g de poivrons séchés au soleil, finement hachés

Béchamel au fromage

60 g de beurre

30 g de farine

750 ml de lait

100 g de gruyère, râpé

2 cuil. à soupe de basilic frais haché

600 ml de sauce pour pâtes toute prête

2 cuil. à soupe d'origan frais haché

2 cuil. à soupe de basilic frais finement ciselé

1 Cuire les pâtes à l'eau bouillante salée jusqu'à ce qu'elles soient *al dente*. Les égoutter et les disposer sur 2 plaques de four antiadhésives, sans les coller les unes aux autres. Couvrir délicatement d'un film plastique.

2 Farce : mélanger tous les ingrédients dans un saladier. Farcir les pâtes en prenant garde à ne pas trop les remplir pour éviter qu'elles ne se fendent.

3 Béchamel au fromage : faire fondre le beurre à feu doux dans une petite casserole. Ajouter la farine et remuer 1 minute, jusqu'à ce que le mélange blondisse. Retirer du feu et incorporer peu à peu le lait. Remettre sur le feu et remuer constamment jusqu'à ébullition et épaississement. Laisser mijoter encore 1 minute avant de retirer du feu et d'incorporer le gruyère, le basilic, du sel et du poivre.

4 Préchauffer le four à 180 °C. Étaler un grand verre de Béchamel au fond d'un plat à four d'une capacité de 3 litres. Disposer les conchiglie dessus, les napper du reste de Béchamel et enfourner 30 minutes, jusqu'à ce que la sauce soit dorée.

5 Réchauffer la sauce pour pâtes et l'origan 5 minutes à feu moyen dans une casserole. Pour servir, répartir la sauce dans les assiettes chauffées, garnir de conchiglie et parsemer de basilic frais.

VALEURS NUTRITIVES PAR PORTION : *protéines 35 g, lipides 35 g, glucides 70 g, fibres alimentaires 8 g, cholestérol 145 mg, 3 165 kJ (755 kcal)*

CI-DESSUS : Conchiglie géantes à la ricotta et à la roquette

251

PASTA PRONTO

Oubliés les repas-minute et les plats à emporter; vive les pâtes confectionnées au dernier moment ! Toutes les recettes suivantes se préparent en trente minutes maximum, et certaines sont si rapides qu'elles trônent sur la table avant même que les convives aient eu le temps de s'asseoir. Car en effet, qui est à l'abri d'une visite impromptue ? Rien de tel que quelques poignées de pâtes sèches pour improviser un repas rapide et sans prétention. Tiens… on a sonné ? Courez vite sortir le parmesan !

OLIVES VERTES

Comme son nom l'indique, l'olive verte est le fruit non mûr de l'olivier. Au début de leur formation, les olives ne contiennent pas d'huile, simplement des sucres et des acides organiques qui leur donnent ce goût aigre. En mûrissant, les olives passent du vert pâle au vert vif, puis au rose, au violet foncé et au noir, et leur teneur en huile augmente. La pulpe, au départ dure et croquante, devient molle et légèrement spongieuse. C'est pour toutes ces raisons que les olives vertes doivent subir un traitement différent de celui des olives noires afin d'être comestibles ; cela explique également pourquoi les deux variétés sont si différentes de goût et de texture.

CI-DESSUS : Linguine aux anchois, olives et câpres

LINGUINE AUX ANCHOIS, OLIVES ET CÂPRES

Prêt en 30 minutes
Pour 4 personnes

☆

500 g de linguine

2 cuil. à soupe d'huile d'olive

2 gousses d'ail, écrasées

2 tomates bien mûres, pelées et hachées

3 cuil. à soupe de câpres

75 g d'olives noires, finement hachées

50 g d'olives vertes, finement hachées

60 ml de vin blanc sec

3 cuil. à soupe de persil ou de basilic frais haché

90 g d'anchois en boîte, égouttés et hachés

1 Cuire les pâtes à l'eau bouillante salée jusqu'à ce qu'elles soient *al dente*. Les égoutter et les remettre dans la casserole.

2 Pendant que les pâtes cuisent, chauffer l'huile dans une grande poêle et faire revenir l'ail 1 minute à feu doux. Ajouter les tomates, les câpres et les olives, et prolonger la cuisson de 2 minutes.

3 Incorporer le vin, le persil (ou le basilic) et du poivre noir fraîchement moulu. Porter à ébullition puis baisser le feu et laisser mijoter 5 minutes environ. Retirer du feu et ajouter les anchois ; remuer délicatement.

4 Verser la sauce sur les pâtes chaudes et bien mélanger le tout.

NOTE : pour varier ou ajouter une touche sophistiquée, on peut confectionner ce plat avec la garniture suivante : chauffer un peu d'huile d'olive dans une petite casserole et mettre du pain de mie émietté et une gousse d'ail écrasée. Remuer jusqu'à ce que la mie soit bien dorée et en parsemer le plat avec du parmesan râpé.

VALEURS NUTRITIVES PAR PORTION : *protéines 20 g, lipides 15 g, glucides 90 g, fibres alimentaires 8 g, chlestérol 15 mg, 2 525 kJ (600 kcal)*

FETTUCINE AUX ÉPINARDS ET AU PROSCIUTTO

Prêt en 20 minutes
Pour 4 à 6 personnes

★

500 g de fettucine aux épinards ou nature

2 cuil. à soupe d'huile d'olive

8 fines tranches de prosciutto hachées

3 oignons nouveaux, hachés

500 g d'épinards

1 cuil. à soupe de vinaigre balsamique

1/2 cuil. à café de sucre en poudre

50 g de parmesan, fraîchement râpé

1 Cuire les pâtes à l'eau bouillante salée jusqu'à ce qu'elles soient *al dente*. Les égoutter et les remettre dans la casserole.
2 Pendant que les pâtes cuisent, chauffer l'huile dans une grande casserole à fond épais et faire revenir le prosciutto et l'oignon nouveau 5 minutes à feu moyen, en remuant.
3 Ôter la queue des épinards, hacher grossièrement les feuilles et les mettre dans la casserole. Incorporer le vinaigre et le sucre, couvrir et faire cuire 1 minute jusqu'à ce que les épinards soient tendres. Saler et poivrer à votre goût.
4 Verser la sauce sur les pâtes et bien mélanger. Saupoudrer de parmesan et servir immédiatement.

VALEURS NUTRITIVES PAR PORTION (6) : *protéines 20 g, lipides 10 g, glucides 60 g, fibres alimentaires 7 g, cholestérol 25 mg, 1 825 kJ (435 kcal)*

PÂTES À LA TRUITE FUMÉE ET AU CITRON VERT

Prêt en 30 minutes
Pour 4 personnes

★

500 g de linguine nature et aux épinards

1 cuil. à soupe d'huile d'olive vierge extra

3 gousses d'ail, écrasées

1 cuil. à soupe de zeste de citron vert râpé

2 cuil. à soupe de graines de pavot

250 g de truite fumée, sans peau ni arêtes

400 g de camembert, coupé en petits morceaux

2 cuil. à soupe d'aneth frais haché

Quartiers de citron vert, pour la garniture

1 Cuire les pâtes à l'eau bouillante salée jusqu'à ce qu'elles soient *al dente* ; les égoutter.
2 Chauffer l'huile d'olive dans une grande poêle à fond épais et faire revenir l'ail 3 minutes à feu doux. Ajouter le zeste de citron, les graines de pavot et les pâtes ; bien mélanger.
3 Incorporer la truite, le camembert et l'aneth ; prolonger la cuisson à feu doux jusqu'à ce que le camembert commence à fondre. Bien mélanger et servir immédiatement avec un filet de jus de citron vert.

VALEURS NUTRITIVES PAR PORTION : *protéines 50 g, lipides 40 g, glucides 90 g, fibres alimentaires 6 g, chlestérol 140 mg, 3 870 kJ (920 kcal)*

ÉPINARDS
Les épinards ont des feuilles vert moyen à vert foncé, plus petites que celles des bettes ou des cardons. Les tiges sont fines et seule la partie inférieure doit être retirée. Les épinards peuvent être cuits à la vapeur, à l'eau frémissante, sautés ou incorporés à un gratin ou une tarte salée.

CI-DESSUS : Fettucine aux épinards et au prosciutto

RAVIOLI AU POULET ET VINAIGRETTE AU CITRON VERT

Prêt en 30 minutes
Pour 4 personnes

★

250 g de poulet haché

I œuf, légèrement battu

I cuil. à café de zeste d'orange finement râpé

50 g de parmesan, fraîchement râpé

I cuil. à soupe de basilic frais finement ciselé

275 g de pâte à wonton

2 cuil. à soupe de jus de citron vert

2 cuil. à soupe de vinaigre balsamique

1/2 cuil. à café de miel

I cuil. à soupe d'huile

I Dans un saladier, mélanger le poulet haché, l'œuf, le zeste d'orange, le parmesan et le basilic. Déposer une cuillerée à soupe pleine de préparation au centre d'un rond de pâte ; humecter légèrement les bords et couvrir d'un autre rond de pâte. Presser les bords pour les souder. Continuer avec le reste de pâte et de garniture (c'est une façon rapide de confectionner des ravioli).

2 Cuire les ravioli 5 minutes à l'eau bouillante salée.

3 Pendant ce temps, mettre le jus de citron vert, le vinaigre balsamique, le miel et l'huile dans un bocal ; secouer vigoureusement. Égoutter les ravioli et les arroser de sauce. Garnir de ciboulette ciselée et, éventuellement, de rondelles de citron vert.

VALEURS NUTRITIVES PAR PORTION : *protéines 30 g, lipides 20 g, glucides 50 g, fibres alimentaires 2 g, cholestérol 120 mg, 2 020 kJ (480 kcal)*

ZITI AUX TOMATES GRILLÉES ET À LA MOZZARELLA

Prêt en 30 minutes
Pour 4 personnes

★

200 g de petites tomates jaunes

200 g de tomates cerises

500 g de ziti

200 g d'ovolini (petites boules de mozzarella)

100 g de câpres

3 cuil. à soupe de marjolaine fraîche

3 cuil. à soupe de thym citron frais

2 cuil. à soupe d'huile d'olive vierge extra

3 cuil. à soupe de vinaigre balsamique

I Préchauffer le four à 200 °C. Couper les tomates en deux et les passer 15 minutes au four, côté sectionné en haut.

2 Pendant que les tomates grillent, cuire les pâtes à l'eau bouillante salée jusqu'à ce qu'elles soient *al dente*. Les égoutter et les remettre dans la casserole.

3 Ajouter les tomates et le reste des ingrédients ; bien mélanger. Servir immédiatement.

NOTE : on peut réduire la quantité de fines herbes. Les ovolini se trouvent dans les crémeries spécialisées et dans certains supermarchés. À défaut, utiliser des bocconcini coupés en petits morceaux.

VALEURS NUTRITIVES PAR PORTION : *protéines 30 g, lipides 30 g, glucides 90 g, fibres alimentaires 10 g, cholestérol 50 mg, 3 110 kJ (740 kcal)*

CITRON VERT

Le citron vert, ou lime, est le fruit d'un arbre exotique. Il s'agit d'un petit citron jaune-vert, presque parfaitement rond, à la peau fine. Il possède un goût agréablement acide, avec une touche exotique. Les rondelles de citron vert forment une jolie garniture de plats, tandis que le jus et le zeste s'utilisent pour parfumer les plats salés et sucrés. Le jus de citron vert entre dans la composition de certaines marinades et du ceviche.

POUR ACCOMPAGNER...

SALADE AUX HERBES AROMATIQUES

Dans un saladier, mélanger des feuilles de basilic, de roquette, de persil, de coriandre et d'épinards. Sauce : ail écrasé, jus de citron, miel et huile d'olive. Bien mélanger et servir immédiatement avec une généreuse quantité de poivre noir fraîchement concassé.

SALADE DE TOMATES VARIÉES

Dans un saladier, mettre des tomates cerises, des tomates jaunes, des tomates Roma émincées, de l'oignon rouge haché et une bonne poignée de basilic frais ciselé. Arroser d'un peu de vinaigre de vin rouge et d'huile d'olive.

PAGE CI-CONTRE : Ravioli au poulet et vinaigrette au citron vert (en haut), Ziti aux tomates grillées et à la mozzarella.

CI-DESSUS,
DE GAUCHE À DROITE :
*Farfalle aux petits pois,
Penne à la roquette,
Penne aux olives et pesto
de pistaches.*

FARFALLE AUX PETITS POIS

Prêt en 20 minutes
Pour 4 personnes

★

500 g de farfalle

230 g de petits pois surgelés

8 fines tranches de pancetta

60 g de beurre

2 cuil. à soupe de basilic et de menthe fraîche hachés

1 Cuire les pâtes à l'eau bouillante salée jusqu'à ce qu'elles soient *al dente*. Les égoutter et les remettre dans la casserole.

2 Pendant que les pâtes cuisent, faire cuire les petits pois à l'eau, à la vapeur ou au micro-ondes, puis les égoutter. Hacher la pancetta et la faire revenir 2 minutes à feu moyen, dans le beurre. Incorporer la pancetta dans les pâtes et ajouter les petits pois, le basilic et la menthe. Assaisonner de poivre noir concassé et servir.

VALEURS NUTRITIVES PAR PORTION : *protéines 20 g, lipides 40 g, glucides 90 g, fibres alimentaires 10 g, cholestérol 220 mg, 3 470 (830 kcal)*

PENNE À LA ROQUETTE

Prêt en 20 minutes
Pour 4 personnes

★

500 g de penne

100 g de beurre

200 g de roquette, grossièrement hachée

3 tomates, finement hachées

45 g de pecorino, râpé

Parmesan fraîchement râpé, pour la garniture

1 Cuire les pâtes à l'eau bouillante salée jusqu'à ce qu'elles soient *al dente*. Les égoutter et les remettre dans la casserole. Remettre la casserole sur feu vif, ajouter le beurre et bien remuer.

2 Incorporer les feuilles de roquette et les tomates. Bien remuer pour ramollir la roquette. Incorporer le pecorino ; saler et poivrer. Garnir de parmesan.

VALEURS NUTRITIVES PAR PORTION : *protéines 20 g, lipides 25 g, glucides 90 g, fibres alimentaires 10 g, cholestérol 80 mg, 2 885 kJ (690 kcal)*

PENNE AUX OLIVES ET PESTO DE PISTACHES

Prêt en 20 minutes
Pour 4 personnes

☆

500 g de penne

125 g de pistaches décortiquées,
   non salées

4 gousses d'ail

1 cuil. à soupe de grains de poivre vert

2 cuil. à soupe de jus de citron

150 g d'olives noires dénoyautées

150 g de parmesan, fraîchement râpé
   + quelques copeaux pour la garniture

125 ml d'huile d'olive légère

1 Cuire les pâtes à l'eau bouillante salée jusqu'à ce qu'elles soient *al dente*. Les égoutter et les remettre dans la casserole.

2 Pendant que les pâtes cuisent, passer les pistaches, l'ail, le poivre, le jus de citron, les olives et le parmesan 30 secondes au mixeur, jusqu'à obtention d'un hachis grossier.

3 Sans arrêter le moteur, incorporer peu à peu l'huile d'olive en un fin filet. Mixer jusqu'à obtention d'une pâte lisse. Incorporer le pesto dans les pâtes chaudes et garnir de copeaux de parmesan.

VALEURS NUTRITIVES PAR PORTION : *protéines 40 g, lipides 60 g, glucides 90 g, fibres alimentaires 10 g, chlestérol 35 mg, 4 420 kJ (1 055 kcal)*

POUR ACCOMPAGNER...

SALADE DE TOMATES, ŒUFS ET OLIVES

Couper 6 tomates mûres en rondelles épaisses et les disposer sur un grand plat. Couvrir d'1 oignon rouge finement émincé, 6 œufs durs écaillés et coupés en rondelles, 90 g d'olives noires marinées et quelques feuilles de basilic. Arroser d'huile d'olive vierge extra et saupoudrer généreusement de sel marin et de poivre noir fraîchement concassé.

SPAGHETTI SAUCE AU BŒUF ET AUX CHAMPIGNONS

Prêt en 30 minutes
Pour 6 personnes

☆

1 cuil. à soupe d'huile d'olive légère

1 gros oignon, finement haché

2 gousses d'ail, écrasées

500 g de viande de bœuf hachée

350 g de champignons de Paris, coupés en deux

1 cuil. à soupe de fines herbes séchées

1/2 cuil. à café de paprika

1/2 cuil. à café de poivre noir concassé

825 g de tomates en boîte, grossièrement hachées

125 g de purée de tomates

125 ml de vin blanc sec

125 ml de bouillon de bœuf

500 g de spaghetti

Parmesan fraîchement râpé, pour la garniture

1 Chauffer l'huile dans une grande casserole et faire revenir l'oignon, l'ail et la viande hachée 5 minutes, en écrasant les grumeaux à la fourchette. Ajouter les champignons, les fines herbes, le paprika et le poivre concassé. Baisser le feu (à doux) et incorporer les tomates, la purée de tomates, le vin rouge et le bouillon. Couvrir et laisser mijoter 15 minutes.

2 Pendant que la sauce mijote, cuire les pâtes à l'eau bouillante salée jusqu'à ce qu'elles soient *al dente* ; égoutter. Verser la sauce dessus et garnir de parmesan fraîchement râpé.

VALEURS NUTRITIVES PAR PORTION : *protéines 30 g, lipides 15 g, glucides 70 g, fibres alimentaires 10 g, cholestérol 55 mg, 2 300 kJ (550 kcal)*

POUR ACCOMPAGNER...

SALADE DE PROSCIUTTO, CAMEMBERT ET FIGUES
Disposer de la feuille de chêne sur un grand plat et garnir de 4 figues fraîches coupées en quartiers, 100 g de camembert finement tranché et 60 g de prosciutto très finement tranché et grillé. Confectionner une vinaigrette avec 1 gousse d'ail écrasée, 1 cuil. à soupe de moutarde, 2 cuil. à soupe de vinaigre de vin blanc et 80 ml d'huile d'olive.

PENNE AUX POIVRONS GRILLÉS

Prêt en 30 minutes
Pour 4 personnes

☆

1 poivron rouge

1 poivron vert

1 poivron jaune ou orange

1 cuil. à soupe d'huile d'olive

2 gousses d'ail, écrasées

6 filets d'anchois, finement hachés

1 cuil. à café de poivre concassé

80 ml de vin blanc sec

250 ml de bouillon de légumes

2 cuil. à soupe de concentré de tomates (double)

500 g de penne

1 cuil. à soupe de persil frais haché

1 Couper les poivrons en gros morceaux plats et éliminer les graines et membranes. Les passer 8 minutes au gril chaud, côté peau en haut, jusqu'à ce que la peau cloque et noircisse. Retirer du gril et couvrir d'un torchon humide. Lorsqu'ils sont refroidis, les peler et les détailler en fines lanières.

2 Chauffer l'huile dans une grande casserole et faire revenir l'ail et les anchois 2 à 3 minutes à feu doux. Ajouter le poivron, le poivre et le vin. Porter à ébullition puis baisser le feu et laisser mijoter 5 minutes. Incorporer le bouillon et le concentré de tomates ; prolonger la cuisson de 10 minutes.

3 Pendant que la sauce mijote, cuire les pâtes à l'eau bouillante salée jusqu'à ce qu'elles soient *al dente*. Les égoutter et les incorporer à la sauce aux poivrons ; bien mélanger. Ajouter le persil frais et servir immédiatement.

NOTE : à défaut de poivron jaune, utiliser un autre poivron rouge, plus doux que les verts.

VALEURS NUTRITIVES PAR PORTION : *protéines 20 g, lipides 10 g, glucides 95 g, fibres alimentaires 10 g, cholestérol 5 mg, 2 245 kJ (535 kcal)*

CE QUI DIFFÉRENCIE LES POIVRONS
Les poivrons rouges, jaunes, verts et violets appartiennent à la même famille mais possède des caractéristiques distinctes. La couleur en est bien évidemment une, mais la texture, le goût et les qualités digestives varient également. Les poivrons rouges ont une saveur plus douce et une chair plus moelleuse, qualités qui ont tendance à se maintenir avec la cuisson. Ils sont donc particulièrement destinés à être grillés. Les poivrons orange et jaunes viennent ensuite, suivis par les poivrons verts et violets, généralement choisis pour leur pulpe croquante et leur goût frais ; ils sont donc plus adaptés aux salades et aux sautés.

PAGE CI-CONTRE : Spaghetti sauce au bœuf et aux champignons (en haut), Penne aux poivrons grillés.

SPAGHETTI À L'AIL ET AU PIMENT

Prêt en 20 minutes
Pour 4 personnes

☆

500 g de spaghetti
125 ml d'huile d'olive vierge extra
3 gousses d'ail, écrasées
1 piment rouge, finement haché

1 Cuire les pâtes à l'eau bouillante salée jusqu'à ce qu'elles soient *al dente*. Les égoutter et les remettre dans la casserole.
2 En fin de cuisson, chauffer l'huile dans une petite casserole et faire revenir l'ail et le piment 2 minutes à feu doux. Verser l'huile parfumée sur les pâtes et bien mélanger.

VALEURS NUTRITIVES PAR PORTION : *protéines 15 g, lipides 30 g, glucides 90 g, fibres alimentaires 10 g, cholestérol 0 mg, 2 900 kJ (690 kcal)*

FUSILLI À LA SAUGE ET À L'AIL

Prêt en 20 minutes
Pour 4 personnes

☆

500 g de fusilli
60 g de beurre
2 gousses d'ail, écrasées
1 poignée de sauge fraîche
2 cuil. à soupe de crème liquide
Parmesan fraîchement râpé,
   pour la garniture

1 Cuire les pâtes à l'eau bouillante salée jusqu'à ce qu'elles soient *al dente*. Les égoutter et les remettre dans la casserole.
2 Pendant que les pâtes cuisent, chauffer le beurre dans une poêle et faire revenir l'ail et la sauge 4 minutes à feu doux, en remuant fréquemment.

3 Incorporer la crème et assaisonner à votre goût. Verser la sauce sur les pâtes et bien mélanger. Garnir chaque portion de parmesan râpé.

VALEURS NUTRITIVES PAR PORTION : *protéines 15 g, lipides 20 g, glucides 90 g, fibres alimentaires 5 g, cholestérol 55 mg, 2 510 kJ (600 kcal)*

RUOTE AU CITRON, BACON ET OLIVES

Prêt en 25 minutes
Pour 4 personnes

★

500 g de ruote
6 tranches de bacon
125 g d'olives noires, émincées
80 ml de jus de citron
2 cuil. à café de zeste de citron râpé
80 ml d'huile d'olive
1 bonne poignée de persil frais haché

1 Cuire les pâtes à l'eau bouillante salée jusqu'à ce qu'elles soient *al dente*. Les égoutter et les remettre dans la casserole.
2 Pendant que les pâtes cuisent, éliminer la couenne du bacon et détailler celui-ci en fines lanières. Le faire rissoler à la poêle.
3 Dans un saladier, mélanger les olives, le jus et le zeste de citron, le persil haché et le bacon. Verser ce mélange sur les pâtes et remuer délicatement. Servir avec du poivre noir fraîchement moulu.
NOTE : les ruote sont de jolies pâtes en forme de petites roues. Elles retiennent bien la sauce entre leurs rayons.

VALEURS NUTRITIVES PAR PORTION : *protéines 25 g, lipides 25 g, glucides 90 g, fibres alimentaires 10 g, cholestérol 30 mg, 2 900 kJ (690 kcal)*

CI-DESSOUS, DE GAUCHE À DROITE : Spaghetti à l'ail et au piment, Fusilli à la sauge et à l'ail, Ruote au citron, au bacon et aux olives.

PERSIL

Le persil frisé et le persil plat sont très fréquemment utilisés dans la cuisine de tous les jours. Le persil donne du goût et une touche de couleur aux plats qu'il accompagne; il s'emploie aussi bien cru que cuit et forme une garniture idéale. Si vous ne le cultivez pas vous-même, achetez-le avec des feuilles non fripées et des tiges bien fermes. Pour le conserver, immerger les tiges dans de l'eau froide pendant une semaine, ou l'entreposer dans le bac à légumes de votre réfrigérateur, enveloppé de papier absorbant. Le persil est riche en fer ainsi qu'en vitamines A, B et C.

CI-DESSUS : Spaghetti puttanesca

SPAGHETTI PUTTANESCA

Prêt en 25 minutes
Pour 4 à 6 personnes

★★

500 g de spaghetti

2 cuil. à soupe d'huile d'olive

3 gousses d'ail, écrasées

2 cuil. à soupe de persil frais haché

1/4 à 1/2 cuil. à café de piment en flocons ou en poudre

850 g de tomates en boîte, grossièrement hachées

1 cuil. à soupe de câpres

3 filets d'anchois, hachés

3 cuil. à soupe d'olives noires

Parmesan fraîchement râpé, pour la garniture

1 Cuire les pâtes à l'eau bouillante salée jusqu'à ce qu'elles soient *al dente*. Les égoutter et les remettre dans la casserole.

2 Pendant que les pâtes cuisent, chauffer l'huile dans une grande poêle à fond épais et faire revenir l'ail, le persil et le piment 1 minute à feu moyen, sans cesser de remuer.

3 Ajouter les tomates et porter à ébullition. Baisser le feu et laisser mijoter 5 minutes.

4 Incorporer les câpres, les anchois et les olives; prolonger la cuisson de 5 minutes, en remuant. Assaisonner de poivre noir. Verser la sauce sur les pâtes et mélanger délicatement. Garnir de parmesan.

VALEURS NUTRITIVES PAR PORTION (**6**) : *protéines 15 g, lipides 10 g, glucides 65 g, fibres alimentaires 5 g, cholestérol 5 mg, 1 650 kJ (395 kcal)*

SPAGHETTI AUX PETITS POIS ET AUX OIGNONS

Prêt en 25 minutes
Pour 4 à 6 personnes

★

500 g de spaghetti ou de vermicelle

1 kg d'oignons nouveaux à gros bulbe

1 cuil. à soupe d'huile d'olive

4 tranches de bacon, hachées

2 cuil. à café de farine

250 ml de bouillon de volaille

125 ml de vin blanc

150 g de petits pois écossés

1 Cuire les pâtes à l'eau bouillante salée jusqu'à ce qu'elles soient *al dente*. Les égoutter et les remettre dans la casserole.

2 Pendant que les pâtes cuisent, couper les extrémités des oignons, en ne laissant qu'une courte partie de vert.

3 Chauffer l'huile dans une grande casserole à fond épais et faire revenir le bacon et les oignons 4 minutes à feu doux, jusqu'à ce qu'ils soient dorés. Saupoudrer de farine et remuer 1 minute.

4 Ajouter le mélange de bouillon et de vin et remuer jusqu'à ébullition et épaississement. Incorporer les petits pois et faire cuire 5 minutes, jusqu'à ce que les oignons soient tendres. Saupoudrer de poivre noir. Verser la préparation sur les pâtes et mélanger délicatement. Garnir d'un bouquet de fines herbes de votre choix.

VALEURS NUTRITIVES PAR PORTION (6) : *protéines 20 g, lipides 5 g, glucides 70 g, fibres alimentaires 10 g, cholestérol 15 mg, 1 770 kJ (420 kcal)*

CI-DESSUS : *Spaghetti aux petits pois et aux oignons*

265

RIGATONI AU CHORIZO ET AU FENOUIL

Prêt en 25 minutes
Pour 4 à 6 personnes

★

500 g de rigatoni

30 g de beurre

1 cuil. à soupe d'huile

500 g de chorizo, coupé en épaisses rondelles obliques

1 bulbe de fenouil, finement émincé

2 gousses d'ail, écrasées

80 ml de jus de citron vert

400 g de pimientos rouges en boîte, émincés

100 g de roquette, hachée

Copeaux de parmesan frais, pour la garniture

1 Cuire les pâtes à l'eau bouillante salée jusqu'à ce qu'elles soient *al dente*. Les égoutter et les remettre dans la casserole.
2 Pendant que les pâtes cuisent, chauffer le beurre et l'huile dans une grande poêle et faire brunir le chorizo à feu moyen. Ajouter le fenouil et prolonger la cuisson de 5 minutes, en remuant de temps en temps.
3 Ajouter l'ail et remuer 1 minute. Incorporer le jus de citron vert et les pimientos ; porter à ébullition puis baisser le feu et laisser mijoter encore 5 minutes.
4 Incorporer la préparation au chorizo et la roquette aux pâtes ; bien mélanger. Garnir de copeaux de parmesan.
NOTE : le chorizo est une saucisse sèche épicée, parfumée à l'ail et au piment. À défaut, lui substituer du salami.

VALEURS NUTRITIVES PAR PORTION (**6**) : *protéines 25 g, lipides 35 g, glucides 60 g, fibres alimentaires 10 g, cholestérol 80 mg, 2 945 kJ (705 kcal)*

FUSILLI AUX LÉGUMES SAUTÉS

Prêt en 30 minutes
Pour 4 personnes

★

500 g de fusilli

3 cuil. à soupe d'huile d'olive

6 mini-pâtissons jaunes, émincés

3 courgettes, émincées

2 gousses d'ail, écrasées

3 oignons nouveaux, hachés

1 poivron rouge, coupé en lanières

65 g de grains de maïs

4 tomates, hachées

2 cuil. à soupe de persil frais haché

1 Cuire les pâtes à l'eau bouillante salée jusqu'à ce qu'elles soient *al dente*. Les égoutter et les remettre dans la casserole.
2 Pendant la cuisson, chauffer 2 cuil. à soupe d'huile dans un wok ou une poêle et faire sauter les courges et les courgettes 3 minutes en remuant, jusqu'à ce qu'elles soient juste tendres. Ajouter l'ail, les oignons, le poivron, le maïs et faire sauter 2 à 3 minutes. Incorporer les tomates et bien remuer.
3 Mélanger le reste d'huile d'olive et le persil aux pâtes. Servir les légumes sur les pâtes.
NOTE : cette recette s'adapte à tous les légumes que vous avez sous la main. Les champignons, le brocoli, les pois mange-tout et les asperges conviennent très bien, et toutes sortes d'herbes aromatiques, comme la ciboulette ou la coriandre, peuvent être ajoutées.

VALEURS NUTRITIVES PAR PORTION (**6**) : *protéines 20 g, lipides 20 g, glucides 100 g, fibres alimentaires 15 g, cholestérol 5 mg, 2 740 kJ (655 kcal)*

MINI-PÂTISSON JAUNE
Les pâtissons jaunes miniatures appartiennent à la famille des cucurbitacées. On les apprécie pour leur couleur, leur taille et leur texture ainsi que pour leur facilité de préparation. Ils se prêtent aussi bien à la cuisson au four qu'à la cuisson à la vapeur, à l'eau ou à la poêle, ce qui les rend très populaires dans certaines cuisines du monde.

POUR ACCOMPAGNER...

SALADE D'ASPERGES AU PARMESAN
Cuire 300 g d'asperges vertes à l'eau bouillante jusqu'à ce qu'elles soient tendres et vert vif. Les rafraîchir dans de l'eau glacée et bien égoutter. Les disposer sur une assiette et garnir de copeaux de parmesan. Confectionner une sauce avec un peu de vinaigre balsamique et d'huile d'olive vierge extra, et saupoudrer généreusement de poivre noir concassé.

PAGE CI-CONTRE : Rigatoni au chorizo et au fenouil (en haut), Fusilli aux légumes sautés.

PÂTES À LA CRÈME D'OIGNON

Prêt en 30 minutes
Pour 4 personnes

☆

500 g de fettucine ou de linguine

50 g de beurre

6 oignons, finement émincés

125 ml de bouillon de bœuf

125 ml de crème liquide

Copeaux de parmesan, pour la garniture

Oignon nouveau, pour la garniture (facultatif)

1 Cuire les pâtes à l'eau bouillante salée jusqu'à ce qu'elles soient *al dente*. Les égoutter et les remettre dans la casserole.
2 Pendant que les pâtes cuisent, chauffer le beurre et faire revenir l'oignon 10 minutes à feu moyen, jusqu'à ce qu'il soit tendre. Incorporer le bouillon et la crème et laisser mijoter encore 10 minutes. Assaisonner à votre goût.
3 Verser la sauce sur les pâtes et bien mélanger. Garnir de copeaux de parmesan et d'oignon nouveau haché.

VALEURS NUTRITIVES PAR PORTION : *protéines 20 g, lipides 25 g, glucides 95 g, fibres alimentaires 10 g, cholestérol 80 mg, 2 935 kJ (700 kcal)*

FUSILLI À L'ORIENTALE

Prêt en 30 minutes
Pour 4 à 6 personnes

☆

500 g de fusilli multicolores

2 cuil. à soupe d'huile d'arachide

1 cuil. à café d'huile de sésame

2 gousses d'ail, écrasées

1 cuil. à soupe de gingembre frais râpé

1/2 chou chinois, finement émincé

1 poivron rouge, finement émincé

200 g de pois gourmands

3 cuil. à soupe de sauce de soja

3 cuil. à soupe de sauce de piment douce

2 cuil. à soupe de coriandre fraîche hachée

Cacahuètes ou noix de cajou hachées,
    pour la garniture

1 Cuire les pâtes à l'eau bouillante salée jusqu'à ce qu'elles soient *al dente*. Les égoutter et les réserver au chaud.
2 Pendant que les pâtes cuisent, chauffer les huiles dans une poêle ou un wok et faire revenir l'ail et le gingembre 1 minute à feu moyen.
3 Ajouter le chou, le poivron et les pois gourmands ; les faire sauter 3 minutes à feu vif en remuant constamment. Incorporer les sauces et la coriandre et prolonger la cuisson de 3 minutes, jusqu'à ce que le tout soit bien réchauffé. Mettre les fusilli dans la poêle et bien mélanger. Garnir de cacahuètes ou de noix de cajou hachées.

VALEURS NUTRITIVES PAR PORTION (6) : *protéines 15 g, lipides 10 g, glucides 65 g, fibres alimentaires 10 g, cholestérol 0 mg, 1 780 kJ (425 kcal)*

SPAGHETTI SAUCE CRÉMEUSE AU CITRON

Prêt en 20 minutes
Pour 4 personnes

☆

500 g de spaghetti

250 ml de crème liquide

185 ml de bouillon de volaille

1 cuil. à soupe de zeste de citron finement râpé
    + un peu pour la garniture

2 cuil. à soupe de persil frais finement ciselé

2 cuil. à soupe de ciboulette fraîche hachée

1 Cuire les pâtes à l'eau bouillante salée jusqu'à ce qu'elles soient *al dente*. Les égoutter et les remettre dans la casserole.
2 Pendant que les pâtes cuisent, chauffer la crème, le bouillon et le zeste de citron à feu moyen dans une casserole. Porter à ébullition, en remuant de temps en temps. Baisser le feu et laisser mijoter 10 minutes, jusqu'à ce que la sauce ait réduit et légèrement épaissi.
3 Verser la sauce et les fines herbes sur les pâtes et bien mélanger. Servir immédiatement, garni de zeste de citron râpé.

VALEURS NUTRITIVES PAR PORTION : *protéines 15 g, lipides 30 g, glucides 90 g, fibres alimentaires 5 g, cholestérol 85 mg, 2 850 kJ (680 kcal)*

CIBOULETTE
La ciboulette fait partie de la famille des oignons, mais s'utilise comme herbe aromatique pour parfumer ou garnir. Seules les tiges vertes sont consommées, coupées au fur et à mesure des besoins. Si vous avez l'intention d'en garnir un plat chaud, incorporez la ciboulette juste avant de servir. La ciboulette séchée n'est guère comparable avec la fraîche, autant pour son goût que pour sa texture.

PAGE CI-CONTRE, DE HAUT EN BAS : Pâtes à la crème d'oignon, Fusilli à l'orientale, Spaghetti sauce crémeuse au citron.

OSEILLE

L'oseille est un légume à feuilles amères riche en vitamines A et C, ainsi qu'en minéraux essentiels. Les feuilles jeunes et luisantes sont rincées et débarrassées de leur tige avant d'être incorporées à une salade verte. Le goût frais et acidulé de l'oseille se marie très bien au poisson et à la volaille, notamment à l'oie et au canard ; l'oseille parfume également les ragoûts et les sauces. Cuite longuement, l'oseille se décompose en une purée. Éviter de la cuire dans des casserole en fer ou en aluminium, car la réaction chimique lui donne un goût âcre.

BOUILLON AUX TORTELLINI

Prêt en 20 minutes
Pour 4 personnes

☆

250 g de tortellini

1 l de bouillon de bœuf de qualité

30 g d'oignons nouveaux, émincés
+ un peu pour la garniture

1 Cuire les tortellini à l'eau bouillante salée jusqu'à ce qu'ils soient *al dente*. Les égoutter et les répartir dans 4 bols à soupe.
2 Pendant que les pâtes cuisent, porter le bouillon à ébullition dans une casserole. Ajouter l'oignon nouveau et laisser mijoter 3 minutes. Verser le bouillon à la louche sur les tortellini et garnir d'un peu d'oignon nouveau finement émincé.

VALEURS NUTRITIVES PAR PORTION : *protéines 10 g, lipides 1 g, glucides 45 g, fibres alimentaires 3 g, cholestérol 0 mg, 945 kJ (225 kcal)*

PÂTES À L'ARTICHAUT, À L'ŒUF ET À L'OSEILLE

Prêt en 25 minutes
Pour 4 personnes

☆

500 g de conchiglie

2 cuil. à soupe d'huile

3 gousses d'ail, écrasées

320 g de cœurs d'artichaut marinés, coupés en deux

3 cuil. à soupe de persil frais haché

160 g d'oseille, grossièrement hachée

4 œufs durs, hachés

Copeaux de parmesan, pour la garniture

1 Cuire les pâtes à l'eau bouillante salée jusqu'à ce qu'elles soient *al dente*. Les égoutter et les réserver au chaud.
2 Pendant que les pâtes cuisent, chauffer l'huile dans une poêle et faire dorer l'ail à feu moyen. Ajouter les cœurs d'artichaut et le persil et cuire

5 minutes à feu doux, jusqu'à ce que les artichauts soient bien réchauffés.

3 Transférer les pâtes dans un grand saladier. Ajouter l'oseille, les œufs et les cœurs d'artichaut ; bien mélanger. Servir immédiatement, garni de copeaux de parmesan et de poivre noir concassé.

VALEURS NUTRITIVES PAR PORTION : *protéines 25 g, lipides 20 g, glucides 90 g, fibres alimentaires 10 g, cholestérol 210 mg, 2 620 kJ (625 kcal)*

PÂTES DE SARRASIN AUX HARICOTS

Prêt en 30 minutes
Pour 4 à 6 personnes

★

500 g de fusilli au sarrasin

1 cuil. à soupe d'huile

2 gousses d'ail, écrasées

1 oignon, haché

300 g de sauce pour pâtes toute prête

80 ml de jus d'orange

400 g de haricots rouges en boîte, égouttés

125 g de cheddar (ou gruyère) râpé + un peu pour la garniture

3 cuil. à soupe de fines herbes fraîches hachées

1 Cuire les pâtes à l'eau bouillante salée jusqu'à ce qu'elles soient *al dente*. Les égoutter et les remettre dans la casserole.

2 Pendant que les pâtes cuisent, chauffer l'huile dans une poêle et faire revenir l'ail et l'oignon 3 minutes à feu moyen, jusqu'à ce qu'ils soient dorés mais pas trop roussis.

3 Ajouter la sauce pour pâtes, le jus d'orange et les haricots. Porter à ébullition puis baisser le feu et laisser mijoter 5 minutes, jusqu'à ce que la sauce soit bien chaude.

4 Verser la sauce sur les pâtes et parsemer de cheddar et de fines herbes. Mélanger le tout jusqu'à ce que le fromage fonde et servir immédiatement. Garnir d'un peu de cheddar râpé.

VALEURS NUTRITIVES PAR PORTION (6) : *protéines 20 g, lipides 15 g, glucides 65 g, fibres alimentaires 15 g, cholestérol 25 mg, 2 015 kJ (480 kcal)*

CI-DESSUS, DE GAUCHE À DROITE : Bouillon aux tortellini, Pâtes à l'artichaut, à l'œuf et à l'oseille, Pâtes de sarrasin aux haricots.

PRÉPARATION ET CUISSON DES MOULES

Les moules sont une variété de mollusques bivalves dotée d'une coquille noire et bombée et d'une chair succulente. Comme tous les coquillages, elles doivent être consommées fraîches et soigneusement nettoyées. Éliminer toutes celles qui sont ouvertes et gratter les moules fermées à l'aide d'une brosse dure, en ôtant les barbes. Si les moules sont sableuses, les plonger 1 à 2 heures dans de l'eau salée. Après les avoir rincées, les faire cuire à la vapeur dans une casserole : elles sont cuites quand elles sont toutes ouvertes. Éliminer celles qui sont restées fermées ainsi que celles dont la chair est plate et desséchée.

PAGE CI-CONTRE : Moules à la tomate sur lit de spaghetti (en haut), Linguine au gorgonzola et aux noix grillées.

MOULES À LA TOMATE SUR LIT DE SPAGHETTI

Prêt en 30 minutes
Pour 4 personnes

★★

16 moules fraîches

500 g de spaghetti

4 cuil. à soupe d'huile d'olive

1 gros oignon, finement haché

2 gousses d'ail, écrasées

850 g de tomates en boîte, grossièrement hachées

125 ml de vin blanc

1 Nettoyer et gratter soigneusement les moules, en éliminant celles qui sont ouvertes.

2 Cuire les pâtes à l'eau bouillante salée jusqu'à ce qu'elles soient *al dente*. Les égoutter, les remettre dans la casserole. Enduire de la moitié de l'huile d'olive.

3 Pendant que les pâtes cuisent, chauffer le reste d'huile dans une casserole et faire revenir les oignons jusqu'à ce qu'ils soient tendres mais pas roussis. Ajouter l'ail et prolonger la cuisson d'1 minute. Incorporer les tomates et le vin, et porter à ébullition. Baisser le feu et laisser mijoter doucement.

4 Pendant ce temps, mettre les moules dans une grande casserole et les couvrir tout juste d'eau. Cuire quelques minutes à feu vif, jusqu'à ce qu'elles s'ouvrent. Secouer la casserole régulièrement et éliminer les moules qui restent fermées au bout de 5 minutes.

5 Mettre les moules dans la sauce tomate et mélanger. Servir les pâtes nappées de sauce aux moules. On peut garnir de bouquets de thym.

VALEURS NUTRITIVES PAR PORTION : *protéines 20 g, lipides 20 g, glucides 95 g, fibres alimentaires 10 g, cholestérol 8 mg, 2 825 kJ (670 kcal)*

POUR ACCOMPAGNER...

SALADE D'ÉPINARDS À LA PANCETTA ET AUX NOIX DE PÉCAN
Mélanger 250 g de jeunes épinards, 50 g de noix de pécan grillées et 3 œufs durs hachés. Rissoler ou griller 6 tranches de pancetta très fines et les réduire en morceaux pour en parsemer la salade. Confectionner une sauce avec 100 g de bleu, 60 ml de crème fraîche, 2 cuil. à soupe de lait et 2 cuil. à soupe d'huile, le tout soigneusement mélangé. En arroser la salade et servir immédiatement.

LINGUINE AU GORGONZOLA ET AUX NOIX GRILLÉES

Prêt en 25 minutes
Pour 4 personnes

★

75 g de cerneaux de noix

500 g de linguine

75 g de beurre

150 g de gorgonzola, haché ou émietté

2 cuil. à soupe de crème liquide

150 g de petits pois écossés

1 Préchauffer le four à 180 °C. Éparpiller les noix sur une plaque et les passer 5 minutes au four, jusqu'à ce qu'elles soient légèrement grillées. Laisser refroidir.

2 Cuire les pâtes à l'eau bouillante salée jusqu'à ce qu'elles soient *al dente*. Les égoutter et les remettre dans la casserole.

3 Pendant que les pâtes cuisent, chauffer le beurre à feu doux dans une petite casserole et ajouter le gorgonzola, la crème et les petits pois. Remuer doucement pendant 5 minutes, jusqu'à épaississement. Saler et poivrer. Verser la sauce et les noix sur les pâtes et bien mélanger. Servir immédiatement, saupoudré de poivre noir fraîchement moulu.

NOTE : on peut aussi utiliser des petits pois surgelés, que l'on incorporera à la sauce sans les décongeler. Si vous trouvez le gorgonzola trop fort, employez un bleu plus doux comme le bleu castello.

VALEURS NUTRITIVES PAR PORTION : *protéines 30 g, lipides 50 g, glucides 90 g, fibres alimentaires 10 g, cholestérol 95 mg, 3 870 kJ (920 kcal)*

SPAGHETTI AUX FINES HERBES

Prêt en 20 minutes
Pour 4 personnes

⭐

500 g de spaghetti

50 g de beurre

1 bonne poignée de basilic frais ciselé

1 poignée d'origan frais haché

1 poignée de ciboulette fraîche hachée

1 Cuire les pâtes à l'eau bouillante salée jusqu'à ce qu'elles soient *al dente*. Les égoutter et les remettre dans la casserole.
2 Fondre le beurre dans la casserole en remuant jusqu'à ce que les spaghetti en soient bien imprégnés. Ajouter le basilic, l'origan et la ciboulette, et bien mélanger. Assaisonner à votre goût et servir immédiatement.

VALEURS NUTRITIVES PAR PORTION : *protéines 15 g, lipides 10 g, glucides 90 g, fibres alimentaires 5 g, cholestérol 30 mg, 2 175 kJ (520 kcal)*

PÂTES AU PESTO ET AU PARMESAN

Prêt en 15 minutes
Pour 4 personnes

⭐

500 g de linguine ou de taglierini

40 g de pignons

100 g de basilic frais

2 gousses d'ail, hachées

25 g de parmesan, fraîchement râpé + quelques copeaux pour la garniture

125 ml d'huile d'olive vierge extra

1 Cuire les pâtes à l'eau bouillante salée jusqu'à ce qu'elles soient *al dente*. Les égoutter et les remettre dans la casserole.
2 Pendant que les pâtes cuisent, passer les pignons, le basilic, l'ail et le parmesan au mixeur, jusqu'à obtention d'un fin hachis. Sans arrêter le moteur, incorporer l'huile peu à peu, en un fin filet, jusqu'à obtention d'une purée lisse. Ajouter du sel et

CI-DESSOUS, DE GAUCHE À DROITE : Spaghetti aux fines herbes, Pâtes au pesto et au parmesan, Spaghetti à la calabraise.

du poivre noir fraîchement moulu. Verser le pesto sur les pâtes chaudes et bien mélanger. Garnir de copeaux de parmesan frais.

VALEURS NUTRITIVES PAR PORTION : *protéines 20 g, lipides 45 g, glucides 90 g, fibres alimentaires 5 g, cholestérol 15 mg, 3 390 kJ (810 kcal)*

SPAGHETTI À LA CALABRAISE

Prêt en 20 minutes
Pour 4 personnes

★

500 g de spaghetti

80 ml d'huile d'olive

3 gousses d'ail, écrasées

50 g de filets d'anchois, finement hachés

1 cuil. à café de piments rouges finement hachés

3 cuil. à soupe de persil frais haché

1 Cuire les pâtes à l'eau bouillante salée jusqu'à ce qu'elles soient *al dente*. Les égoutter et les remettre dans la casserole.

2 Pendant que les pâtes cuisent, chauffer l'huile dans une petite casserole et faire revenir l'ail, les anchois et les piments 5 minutes à feu doux. Veiller à ne pas laisser brûler l'ail, ni à le faire trop brunir, ce qui le rendrait amer. Ajouter le persil et prolonger la cuisson de quelques minutes. Saler et poivrer.

3 Verser la sauce sur les pâtes et bien mélanger. Garnir d'anchois supplémentaires, de piment rouge émincé et éventuellement d'un brin d'herbe aromatique.

VALEURS NUTRITIVES PAR PORTION : *protéines 15 g, lipides 20 g, glucides 90 g, fibres alimentaires 5 g, cholestérol 10 mg, 2 600 kJ (620 kcal)*

PESTO

Quand on conserve longtemps un pesto entièrement fait maison, la composition des ingrédients se détériore. Le fromage réagit avec les autres ingrédients, en particulier le basilic, et commence à devenir rance. Le pesto se conserve, dans le meilleur des cas, 5 à 7 jours au réfrigérateur, dans un bocal hermétique, avec une couche d'huile d'olive ou un film plastique couvrant la surface exposée. Une variante plus sûre consiste à confectionner le pesto en omettant le fromage pour ne l'incorporer qu'au moment de l'utilisation. Ainsi, votre pesto se gardera 2 à 3 mois au réfrigérateur, ou 5 à 6 mois au congélateur.

RAVIOLI AUX PETITS POIS ET AUX ARTICHAUTS

Prêt en 30 minutes
Pour 4 personnes

★

650 g de ravioli frais aux épinards
    et au fromage
1 cuil. à soupe d'huile d'olive
8 cœurs d'artichaut marinés, coupés en quartiers
2 grosses gousses d'ail, finement hachées
125 ml de vin blanc sec
125 ml de bouillon de volaille
300 g de petits pois surgelés
125 g de prosciutto en fines tranches, haché
1 cuil. à soupe de persil plat haché
1/2 cuil. à café de poivre concassé

1 Cuire les pâtes à l'eau bouillante salée jusqu'à ce qu'elles soient *al dente*. Les égoutter et les remettre dans la casserole.
2 Pendant que les pâtes cuisent, chauffer l'huile dans une casserole et faire revenir les cœurs d'artichaut et l'ail 2 minutes à feu moyen, en remuant fréquemment. Verser le vin et le bouillon et bien remuer. Porter à ébullition puis baisser le feu et laisser mijoter 5 minutes. Ajouter les petits pois (non décongelés) et prolonger la cuisson de 2 minutes.
3 Incorporer le prosciutto, le persil et le poivre. Servir les ravioli nappés de sauce à l'artichaut.
NOTE : les cœurs d'artichaut marinés s'achètent en bocaux dans les supermarchés et les épiceries fines.

VALEURS NUTRITIVES PAR PORTION : *protéines 25 g, lipides 15 g, glucides 30 g, fibres alimentaires 10 g, cholestérol 45 mg, 1 540 kJ (370 kcal)*

POUR ACCOMPAGNER...

SALADE DE PÊCHES À LA SALSA Couper 6 belles pêches en morceaux et les mettre dans un saladier. Ajouter 1 oignon rouge finement émincé, 6 tomates Roma coupées en quartiers, 200 g de maïs en grains et 1 poivron vert émincé. Confectionner une sauce avec 1 gousse d'ail écrasée, 1 cuil. à café de cumin moulu, 1 piment rouge finement haché, 2 cuil. à soupe de jus de citron vert frais et 60 ml d'huile. Verser la sauce sur la salade et bien mélanger. Incorporer une poignée de coriandre fraîche juste avant de servir.

FUSILLI AU SAUMON ET CRÈME AU COGNAC

Prêt en 30 minutes
Pour 2 personnes

★

375 g de fusilli
45 g de beurre
1 poireau, finement émincé
1 grosse gousse d'ail, écrasée
60 ml de cognac
1/2 cuil. à café de sambal oelek
2 cuil. à soupe d'aneth frais finement haché
1 cuil. à soupe de concentré de tomates
    (double)
250 ml de crème liquide
250 g de saumon fumé, finement émincé
Caviar rouge ou œufs de lump,
    pour la garniture (facultatif)

1 Cuire les pâtes à l'eau bouillante salée jusqu'à ce qu'elles soient *al dente* ; égoutter.
2 Chauffer le beurre dans une grande casserole et faire revenir le poireau quelques minutes à feu moyen, jusqu'à ce qu'il soit tendre. Ajouter l'ail et le faire cuire 1 minute. Verser le cognac et prolonger la cuisson d'1 minute. Incorporer le sambal oelek, l'aneth, le concentré de tomates et la crème. Laisser mijoter 5 minutes à feu doux, jusqu'à ce que la sauce soit réduite et légèrement épaissie.
3 Ajouter les pâtes et le saumon à la sauce. Bien mélanger et assaisonner de poivre noir fraîchement moulu. Répartir les pâtes dans deux assiettes et garnir d'une cuillerée de caviar et d'un brin d'aneth. Servir immédiatement.
NOTE : laver soigneusement le poireau, dont les feuilles internes retiennent souvent du sable et de la terre.

VALEURS NUTRITIVES PAR PORTION : *protéines 55 g, lipides 80 g, glucides 140 g, fibres alimentaires 10 g, cholestérol 290 mg, 6 500 kJ (1 550 kcal)*

SAMBAL OELEK
Le sambal oelek est une pâte indissociable de la cuisine indonésienne. Elle est traditionnellement composée de piments rouges et de sel, mais le produit que l'on trouve dans le commerce est souvent additionné de vinaigre. Aussi bien que pour parfumer les plats, le sambal oelek peut servir de sauce d'accompagnement ou de garniture. On le trouve dans certains supermarchés et dans les épiceries asiatiques. Il est pratique d'en avoir sous la main pour toutes les recettes requérant du piment. Il se conserve au réfrigérateur.

PAGE CI-CONTRE : Ravioli aux petits pois et aux artichauts (en haut), Fusilli au saumon et crème au cognac.

CI-DESSUS,
DE GAUCHE À DROITE :
Pâtes à la niçoise,
Bucatini à l'ail, Spaghetti
à la méditerranéenne.

PÂTES À LA NIÇOISE

Prêt en 25 minutes
Pour 4 personnes

⭐

500 g de farfalle
350 g de haricots verts
80 ml d'huile d'olive
60 g de filets d'anchois, émincés
2 gousses d'ail, finement émincées
250 g de tomates cerises, coupées en deux
Parmesan fraîchement râpé, pour la garniture

1 Cuire les pâtes à l'eau bouillante salée jusqu'à ce qu'elles soient *al dente*. Les égoutter et les remettre dans la casserole.
2 Pendant que les pâtes cuisent, mettre les haricots dans un saladier résistant à la chaleur et les couvrir d'eau bouillante. Laisser reposer 5 minutes, égoutter et rincer à l'eau froide.
3 Chauffer l'huile dans une poêle et faire sauter les haricots et les anchois 2 à 3 minutes en remuant. Ajouter l'ail et prolonger la cuisson d'1 minute. Incorporer les tomates et bien mélanger.

4 Verser la sauce sur les pâtes, bien mélanger et réchauffer le tout. Garnir de parmesan râpé.

VALEURS NUTRITIVES PAR PORTION : *protéines 20 g, lipides 25 g, glucides 90 g, fibres alimentaires 10 g, cholestérol 15 mg, 2 810 kJ (670 kcal)*

BUCATINI À L'AIL

Prêt en 15 minutes
Pour 4 personnes

⭐

500 g de bucatini
80 ml d'huile d'olive
8 gousses d'ail, écrasées
2 cuil. à soupe de persil frais haché
Parmesan fraîchement râpé, pour la garniture

1 Cuire les pâtes à l'eau bouillante salée jusqu'à ce qu'elles soient *al dente*. Les égoutter et les remettre dans la casserole.
2 En fin de cuisson, chauffer l'huile à feu doux dans une poêle et faire revenir l'ail 1 minute avant de le retirer du feu. Verser l'huile parfumée à l'ail

et le persil sur les pâtes et bien mélanger. Garnir
de parmesan.

NOTE : on peut ajouter des olives ou des tomates
coupées en dés. Éviter de trop cuire l'ail, qui
deviendrait amer.

VALEURS NUTRITIVES PAR PORTION : *protéines 15 g,
lipides 20 g, glucides 90 g, fibres alimentaires 5 g,
cholestérol 5 mg, 2 605 kJ (620 kcal)*

SPAGHETTI
À LA MÉDITERRANÉENNE

Prêt en 30 minutes
Pour 4 à 6 personnes

★

500 g de spaghetti

750 g de tomates

125 ml d'huile d'olive vierge extra

2 gousses d'ail, écrasées

4 oignons nouveaux, finement émincés

6 filets d'anchois, hachés

1/2 cuil. à café de zeste de citron râpé

1 cuil. à soupe de feuilles de thym frais

12 olives vertes farcies, finement émincées

Basilic ciselé, pour la garniture

1 Cuire les pâtes à l'eau bouillante salée jusqu'à ce
qu'elles soient *al dente*. Les égoutter et les remettre
dans la casserole.

2 Pendant que les pâtes cuisent, inciser la base des
tomates d'une petite croix. Les plonger 1 à
2 minutes dans de l'eau bouillante, égoutter puis
plonger dans de l'eau froide. Les peler à partir de
la croix et les couper en deux à l'horizontale.
Poser un tamis sur un bol et presser le jus des
tomates dessus ; éliminer les graines. Hacher grossièrement la pulpe des tomates et les réserver.

3 Dans un saladier, mélanger l'huile, l'ail, l'oignon
nouveau, les anchois, le zeste de citron, le thym et
les olives. Ajouter les tomate hachées et leur jus ;
bien mélanger et assaisonner de sel et de poivre
noir fraîchement moulu. Verser la sauce sur les
pâtes, bien mélanger et garnir de basilic.

VALEURS NUTRITIVES PAR PORTION (**6**) : *protéines 10 g,
lipides 20 g, glucides 60 g, fibres alimentaires 5 g,
cholestérol 3 mg, 2 060 kJ (490 kcal)*

THYM

Il existe de nombreuses
variétés de thym, allant des
feuilles gris-vert à l'arôme
intense aux petites feuilles
vert vif au parfum moins
prononcé. En fait, l'odeur
que confère le thym à un
plat est tout aussi importante que son goût. Le thym
sauvage offre une touche
aromatique et raffinée, tandis que le thym-citron libère
un subtil arôme de citron
une fois réchauffé. Avec ses
petites feuilles à faible teneur
en eau, le thym est une
herbe facile à sécher.

SPAGHETTI SAUCE TOMATE

Prêt en 30 minutes
Pour 4 personnes

★

500 g de spaghetti

1 cuil. à soupe d'huile d'olive

1 oignon, finement haché

2 gousses d'ail, écrasées

825 g de tomates en boîte, grossièrement
hachées

1 cuil. à café d'origan séché

2 cuil. à soupe de concentré de tomates
(double)

2 cuil. à café de sucre

Copeaux de parmesan, pour la garniture

1 Cuire les pâtes à l'eau bouillante salée jusqu'à ce
qu'elles soient *al dente*; les égoutter.
2 Chauffer l'huile dans une casserole et faire revenir l'oignon 3 minutes, jusqu'à ce qu'il soit tendre.
Ajouter l'ail et prolonger la cuisson d'1 minute.
3 Incorporer les tomates et porter à ébullition.
Ajouter l'origan, le concentré de tomates et le
sucre; baisser le feu et laisser mijoter 15 minutes.
Saler et poivrer. Servir les pâtes nappées de sauce
tomate et garnies de copeaux de parmesan.

VALEURS NUTRITIVES PAR PORTION : *protéines 20 g,
lipides 10 g, glucides 100 g, fibres alimentaires 10 g,
cholestérol 5 mg, 2 300 kJ (550 kcal)*

TAGLIATELLE À LA RICOTTA
ET AU BASILIC

Prêt en 25 minutes
Pour 4 personnes

★

500 g de tagliatelle

2 poignées de persil plat frais

2 poignées de basilic frais

1 cuil. à café d'huile d'olive

50 g de poivron séché, haché

250 g de crème fraîche

250 g de ricotta fraîche

25 g de parmesan fraîchement râpé

1 Cuire les pâtes à l'eau bouillante salée jusqu'à ce
qu'elles soient *al dente*. Les égoutter et les remettre
dans la casserole.

2 Pendant que les pâtes cuisent, passer le persil et
le basilic au mixeur, jusqu'à ce qu'ils soient juste
hachés.
3 Chauffer l'huile dans une casserole et faire revenir les poivrons 2 à 3 minutes. Incorporer la crème
fraîche, la ricotta et le parmesan et remuer
4 minutes à feu doux, jusqu'à ce que la sauce soit
bien chaude. Ne pas la faire bouillir.
4 Verser la sauce et les fines herbes sur les pâtes,
bien mélanger et servir.

VALEURS NUTRITIVES PAR PORTION : *protéines 25 g,
lipides 35 g, glucides 90 g, fibres alimentaires 5 g,
cholestérol 120 mg, 3 330 kJ (800 kcal)*

SPAGHETTI CARBONARA
AUX CHAMPIGNONS

Prêt en 25 minutes
Pour 4 personnes

★

500 g de spaghetti

8 tranches de bacon

180 g de champignons de Paris, émincés

2 cuil. à café d'origan frais haché

4 œufs, légèrement battus

250 ml de crème liquide

65 g de parmesan, fraîchement râpé

1 Cuire les pâtes à l'eau bouillante salée jusqu'à ce
qu'elles soient *al dente*. Les égoutter et les remettre
dans la casserole.
2 Pendant que les pâtes cuisent, ôter la couenne
du bacon et le couper en petits morceaux. Le faire
rissoler puis le réserver sur du papier absorbant.
Mettre les champignons dans la poêle et les faire
revenir 2 à 3 minutes, jusqu'à ce qu'ils soient
tendres.
3 Incorporer les champignons, le bacon, l'origan
et le mélange d'œufs et de crème dans les pâtes.
Réchauffer le tout à feu doux, en remuant jusqu'à
ce que la préparation commence à épaissir légèrement. Retirer du feu et incorporer le fromage.
Saler et poivrer à votre goût.

VALEURS NUTRITIVES PAR PORTION : *protéines 45 g,
lipides 40 g, glucides 90 g, fibres alimentaires 5 g,
cholestérol 320 mg, 3 844 kJ (920 kcal)*

CONCENTRÉ
DE TOMATES

Le concentré de tomates
s'obtient en laissant mijoter
des tomates entières jusqu'à
ce qu'elles donnent une
purée épaisse, sombre et
presque solide. On y ajoute
du sel et parfois un peu de
sucre. La pâte qui en résulte a
une saveur intense que l'on
utilise parcimonieusement
pour parfumer les sauces, les
bouillons, les ragoûts et les
soupes. Les nombreuses
marques vendues dans le
commerce sont plus ou
moins concentrées; c'est
donc à vous de les tester
pour trouver celle qui vous
convient. Le concentré de
tomates italien existe en diffé-
rents degrés, dont le *doppio
concentrato* (double con-
centré) et le *triplo concentrato*
(triple concentré).

*PAGE CI-CONTRE,
DE HAUT EN BAS :
Spaghetti sauce tomate,
Tagliatelle à la ricotta
et au basilic, Spaghetti
carbonara aux
champignons.*

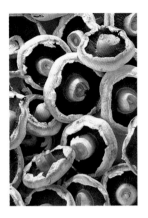

FARFALLE AUX PETITS POIS, PROSCIUTTO ET CHAMPIGNONS

Prêt en 20 minutes
Pour 4 personnes

★

375 g de farfalle

60 g de beurre

1 oignon, haché

200 g de champignons, finement émincés

250 g de petits pois surgelés

3 tranches de prosciutto, émincées

250 ml de crème liquide

1 jaune d'œuf

Parmesan frais, pour la garniture (facultatif)

1 Cuire les pâtes à l'eau bouillante salée jusqu'à ce qu'elles soient *al dente*. Les égoutter et les remettre dans la casserole.

2 Pendant que les pâtes cuisent, chauffer le beurre dans une casserole et faire revenir l'oignon et les champignons 5 minutes à feu moyen, en remuant jusqu'à ce qu'ils soient tendres.

3 Ajouter les petits pois et le prosciutto. Dans un bol, mélanger la crème et le jaune d'œuf et verser le mélange dans la casserole. Couvrir et laisser mijoter 5 minutes pour bien réchauffer le tout.

4 Verser la sauce sur les pâtes et bien mélanger. Garnir de copeaux de parmesan.

VALEURS NUTRITIVES PAR PORTION : *protéines 25 g, lipides 45 g, glucides 75 g, fibres alimentaires 10 g, cholestérol 180 mg, 3 280 kJ (785 kcal)*

POUR ACCOMPAGNER...

SALADE DE FENOUIL À L'ORANGE ET AUX AMANDES Émincer finement 1 ou 2 bulbes de fenouil. Peler 3 oranges en éliminant bien la peau blanche, et détacher les quartiers. Griller 100 g d'amandes effilées dans une poêle, jusqu'à ce qu'elles soient dorées. Dans un saladier, mélanger le fenouil, les oranges et les amandes. Ajouter 150 g de bleu fondant émietté et 50 g de poivron séché finement émincé. Confectionner une sauce avec 3 cuil. à soupe de jus d'orange, 1 cuil. à café d'huile de sésame et 1 cuil. à soupe de vinaigre de vin rouge. En arroser la salade et servir.

CI-DESSOUS : Farfalle aux petits pois, prosciutto et champignons

PENNE
AUX TOMATES SÉCHÉES
ET AU CITRON

Prêt en 25 minutes
Pour 4 personnes

☆

250 g de penne

60 ml d'huile d'olive

3 tranches de bacon, hachées

1 oignon, haché

80 ml de jus de citron

1 cuil. à soupe de feuilles de thym frais

50 g de tomates séchées au soleil, hachées

80 g de pignons, grillés

1 Cuire les pâtes à l'eau bouillante salée jusqu'à ce qu'elles soient *al dente* ; les égoutter.
2 Pendant que les pâtes cuisent, chauffer l'huile dans une grande casserole et faire revenir le bacon et l'oignon 4 minutes à feu moyen, en remuant jusqu'à ce que le bacon soit rissolé et l'oignon tendre.
3 Mettre les pâtes dans la casserole, ainsi que le jus de citron, le thym, les tomates séchées et les pignons. Remuer 2 minutes à feu doux pour bien réchauffer le tout.
NOTE : on peut remplacer le bacon par de la pancetta.

VALEURS NUTRITIVES PAR PORTION : *protéines 15 g, lipides 30 g, glucides 50 g, fibres alimentaires 5 g, cholestérol 15 mg, 2 200 kJ (530 kcal)*

FARFALLE AU POIVRE ROSE
ET AUX POIS GOURMANDS

Prêt en 30 minutes
Pour 4 personnes

☆

400 g de farfalle

250 ml de vin blanc

250 ml de crème liquide

100 g de poivre rose en saumure, égoutté

300 ml de crème fraîche

200 g de pois gourmands, équeutés

1 Cuire les pâtes à l'eau bouillante salée jusqu'à ce qu'elles soient *al dente*. Les égoutter et les remettre dans la casserole.
2 Pendant que les pâtes cuisent, verser le vin dans une grande casserole. Porter à ébullition puis baisser le feu et laisser mijoter jusqu'à ce qu'il ait réduit de moitié.
3 Ajouter la crème liquide, porter de nouveau à ébullition puis baisser le feu et laisser mijoter jusqu'à ce que la sauce ait réduit de moitié.
4 Retirer du feu et incorporer le poivre et la crème fraîche. Remettre sur le feu et ajouter les pois gourmands. Laisser mijoter jusqu'à ce qu'ils deviennent vert vif. Saler, si nécessaire. Mélanger la sauce aux pâtes et servir immédiatement.

VALEURS NUTRITIVES PAR PORTION : *protéines 15 g, lipides 55 g, glucides 80 g, fibres alimentaires 8 g, cholestérol 175 mg, 3 855 kJ (915 kcal)*

CI-DESSUS : Penne aux tomates séchées et au citron

DESSERTS DE PÂTES

Vous n'avez jamais mangé de pâtes en dessert? C'est peut-être le moment ou jamais.

Combinées à des fruits frais, de la crème ou du chocolat, les pâtes se dégustent en fin de repas, plutôt qu'au commencement. Si vous êtes un véritable passionné, vous pouvez même débuter et terminer votre repas avec des pâtes! Si le concept de dessert de pâtes n'est pas très conventionnel, les possibilités, toutefois, sont infinies. Alors… avis aux amateurs!

ÉCORCE DE CITRON CONFITE

L'écorce de citron confite consiste en écorce fraîche confite dans du sucre. On remplace progressivement l'eau de l'écorce par un sirop de sucre afin qu'elle conserve sa forme et son moelleux. Quand l'écorce a absorbé suffisamment de sucre, elle est mise à sécher pour mieux se conserver. L'écorce confite s'utilise dans les desserts et entremets, et orne les gâteaux et friandises.

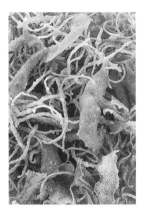

CI-DESSUS : Beignets de pâte citronnée à la ricotta

BEIGNETS DE PÂTE CITRONNÉE À LA RICOTTA

Préparation : I heure + temps de repos
Cuisson : 25 minutes
Pour 4 à 6 personnes

★★

250 g de farine

1/2 cuil. à café de sel

I cuil. à café de sucre

Zeste râpé de 2 citrons

2 cuil. à soupe de jus de citron frais

2 œufs, légèrement battus + I œuf battu pour badigeonner

I cuil. à soupe de raisins secs

I cuil. à soupe de cognac

600 g de ricotta

5 cuil. à soupe de sucre glace

3/4 de cuil. à café de zeste de citron râpé

3/4 de cuil. à café d'essence de vanille

4 cuil. à soupe d'amandes effilées, grillées

Huile végétale à friture

250 ml de crème liquide, parfumée au cognac

Feuilles de menthe et fines lamelles de zeste de citron (ou écorce de citron confite), pour la garniture (facultatif)

I Placer le mélange de farine, sel, sucre et zeste de citron sur un plan de travail et creuser un puits au centre. Ajouter 1 à 2 cuil. à soupe d'eau, le jus de citron et les 2 œufs, et les incorporer peu à peu dans la farine à l'aide d'une fourchette (la pâte peut être réalisée au mixeur jusqu'à ce stade). Commencer à pétrir à la main dès que se forme une pâte grossière. Incorporer un peu de farine supplémentaire si elle est trop poisseuse. Pétrir 5 à 8 minutes, jusqu'à ce qu'elle soit homogène et élastique. Couvrir de film plastique et laisser reposer 15 minutes.

2 Tremper les raisins secs dans le cognac. Dans un saladier, mélanger la ricotta, le sucre glace, le zeste de citron supplémentaire et la vanille. Réserver.

3 Diviser la pâte en 8 portions égales. Étaler finement chaque portion en un carré de 18 cm de côté environ, puis le couvrir.

4 Former des carrés bien droits. En travaillant avec quelques carrés de pâte à la fois, badigeonner les bords d'œuf battu. Mélanger les raisins secs et les amandes grillées avec la ricotta, puis déposer un huitième du mélange au centre de chaque carré de pâte. Replier les bords dessus de façon à recouvrir complètement la garniture. Presser les bords pour souder.

5 Chauffer 1 à 2 cm d'huile dans une casserole. Laisser tomber un petit bout de pâte ; il doit dorer sans roussir. Faire frire les paquets fourrés, deux ou trois à la fois, jusqu'à ce qu'ils soient dorés. Retirer à l'aide d'une écumoire et égoutter sur du papier absorbant ; réserver au chaud. Servir avec de la crème parfumée au cognac, saupoudrer de sucre glace et garnir de menthe et de zeste de citron.

VALEURS NUTRITIVES PAR PORTION (6) : *protéines 20 g, lipides 45 g, glucides 50 g, fibres alimentaires 3 g, cholestérol 185 mg, 2 965 kJ (705 kcal)*

ROULEAUX FOURRÉS À LA CRÈME ET AUX FRAISES

Préparation : 40 minutes
Cuisson : 50 minutes
Pour 6 personnes

★ ★

250 g de fraises, équeutées

60 g de beurre

2 jaunes d'œufs

80 ml de crème liquide

90 g de sucre

1 cuil. à café de jus de citron

6 feuilles de lasagne fraîches, de 16 x 21 cm

40 g d'amandes effilées grillées + 1 cuil. à soupe
    pour la garniture

Sucre glace, pour la garniture

1 Préchauffer le four à 180 °C et beurrer un plat
à gratin. Couper les fraises en deux, de haut en
bas. Chauffer 20 g de beurre dans une casserole et
faire revenir les fraises 20 secondes à feu doux.
Retirer de la casserole. Faire fondre encore 20 g
de beurre. Mélanger les jaunes d'œufs et la crème
et verser ce mélange dans la casserole, avec le
sucre et le jus de citron. Faire cuire en remuant
souvent, jusqu'à ce que la crème soit très épaisse.
Retirer du feu et incorporer les fraises. Laisser
refroidir.

2 Cuire les lasagne, deux à la fois, 3 minutes à
l'eau bouillante jusqu'à ce qu'elles soient *al dente*.
Transférer dans un bol d'eau froide et les laisser
tremper 1 minute avant de les faire sécher sur un
torchon.

3 Déposer la crème aux fraises sur les lasagne, en
laissant une bordure de 3 cm tout autour. Replier
d'abord les bords longs, puis le bord le plus
proche de vous, et commencer à rouler. Quand la
crème commence à couler, rabattre le côté supérieur sur le rouleau, vers vous. Déposer délicatement les rouleaux dans le plat, côté jointure en
bas, en les tassant les uns contre les autres.

4 Parsemer de petits morceaux de beurre, des
amandes supplémentaires et de 2 cuil. à café de
sucre glace. Enfourner 15 minutes, puis passer
5 minutes au gril préchauffé jusqu'à ce que les
rouleaux soient légèrement dorés.

NOTE : ce dessert s'accompagne très bien de glace
à la vanille et de coulis de fraise. Pour varier, remplacer les fraises par des framboises, quand elles
sont de saison. Il est inutile de les faire cuire ; les
ajouter simplement à la crème. On peut également
utiliser des myrtilles, que l'on préparera de la
même façon que les fraises. À défaut de lasagne
fraîches, on peut en utiliser des sèches, en sachant
qu'elles sont généralement plus épaisses et moins
malléables. Les cuire selon les instructions du
paquet, puis les couper aux dimensions requises.

VALEURS NUTRITIVES PAR PORTION : *protéines 9 g,
lipides 20 g, glucides 50 g, fibres alimentaires 4 g,
cholestérol 100 mg, 1 775 kJ (420 kcal)*

FRAISES
Toutes les variétés de fraises
cultivées aujourd'hui pour la
vente commerciale sont des
hybrides issus du croisement
entre de grosses fraises frui-
tées d'Amérique du Nord
et des fruits très parfumés
du Chili.

*CI-DESSUS : Rouleaux
fourrés à la crème
et aux fraises*

AMANDES MONDÉES

On appelle amandes mondées les amandes débarrassées de leur peau. Elles s'achètent en vrac ou en paquets, mais on peut aussi bien retirer la peau soi-même. Pour cela, plonger les amandes décortiquées dans de l'eau bouillante et les laisser frémir 1 minute. Égoutter, et dès qu'elles sont suffisamment refroidies, presser chaque amande entre le pouce et l'index afin de la libérer de sa peau. Quand une recette requiert des amandes en poudre, mieux vaut les acheter déjà broyées car il est difficile d'obtenir soi-même un hachis fin et uniforme. En outre, cela libère l'huile des amandes qui coagulent en petites boules. Pour pallier partiellement cet inconvénient, on peut ajouter aux amandes environ 2 cuillerées à soupe du sucre requis dans la recette, au moment de les broyer.

CI-DESSUS : Gâteau de rissoni à la noix de coco et au citron

GÂTEAU DE RISSONI À LA NOIX DE COCO ET AU CITRON

Préparation : 20 minutes
Cuisson : 1 heure
Pour 6 à 8 personnes

★

70 g de rissoni

30 g de farine

90 g de farine avec levure incorporée

95 g d'amandes moulues

45 g de noix de coco séchée

1 cuil. à soupe bien tassée de zeste de citron râpé

185 g de beurre

160 g de confiture d'abricots

250 g de sucre en poudre

3 œufs, légèrement battus

1 Préchauffer le four à 160 °C. Beurrer ou huiler un moule à gâteau rond, de 20 cm environ. Garnir la base et les bords de papier sulfurisé.

2 Cuire les pâtes 3 à 4 minutes à l'eau bouillante jusqu'à ce qu'elles soient *al dente*. Bien égoutter.

3 Pendant que les pâtes cuisent, mélanger les farines, les amandes, la noix de coco et le zeste de citron dans une grande terrine. Faire un puits au centre.

4 Faire fondre le beurre, la confiture et le sucre à feu doux dans une casserole ou au micro-ondes. Ajouter les rissoni puis, avec une cuillère en métal, incorporer ce mélange dans la terrine. Incorporer ensuite les œufs et bien mélanger. Verser la préparation dans le moule et enfourner 50 à 55 minutes (vérifier la cuisson à l'aide d'une lame de couteau : elle doit ressortir sèche). Laisser reposer 10 à 15 minutes dans le moule avant de démouler le gâteau. Le servir chaud ou froid, décoré de rondelles de citron confit.

VALEURS NUTRITIVES PAR PORTION (8) : *protéines 8 g, lipides 30 g, glucides 60 g, fibres alimentaires 3 g, cholestérol 125 mg, 2 280 kJ (540 kcal)*

PUDDING DE RISSONI

Préparation : 15 minutes
Cuisson : 1 heure
Pour 4 à 6 personnes

★

50 g de rissoni

2 œufs, légèrement battus

80 ml de sirop d'érable

500 ml de crème liquide

30 g de raisins de Smyrne

1 cuil. à café d'essence de vanille

1 pincée de muscade

1 pincée de cannelle moulue

1 Préchauffer le four à 150 °C. Cuire les rissoni 3 à 4 minutes à l'eau bouillante jusqu'à ce qu'ils soient *al dente* ; bien égoutter.

2 Dans un saladier, battre les œufs, le sirop d'érable et la crème.

3 Incorporer les rissoni, les raisins de Smyrne, la vanille, la muscade et la cannelle. Verser la préparation dans un plat rond ou ovale, lui-même posé dans un grand plat. Verser de l'eau jusqu'à mi-hauteur du plus petit plat et enfourner 50 à 55 minutes (vérifier la cuisson à l'aide d'une lame de couteau : elle doit ressortir sèche).

NOTE : pour varier, on peut remplacer les raisins de Smyrne par des abricots secs hachés ou des raisins secs. Ou encore, on peut utiliser des dattes fraîches dénoyautées et hachées ou des framboises et des myrtilles entières. Dans le cas de fruits frais, le temps de cuisson devra peut-être être prolongé en raison du jus des fruits.

VALEURS NUTRITIVES PAR PORTION (**6**) : *protéines 5 g, lipides 30 g, glucides 25 g, fibres alimentaires 1 g, cholestérol 155 mg, 1 700 kJ (405 kcal)*

CI-DESSUS : *Pudding de rissoni*

FEUILLETÉ AUX FRUITS ROUGES

Préparation : 15 minutes
Cuisson : 15 minutes
Pour 4 personnes

★

4 feuilles de lasagne fraîches ou sèches

Huile à friture

500 ml de crème liquide

250 g de fraises

250 g de myrtilles

250 g de framboises

4 fruits de la Passion

Sucre glace, à saupoudrer

CI-DESSUS : Feuilleté aux fruits rouges

1 Cuire les lasagne à l'eau bouillante, deux à la fois, jusqu'à ce qu'elles soient *al dente* (ajouter un peu d'huile dans l'eau pour éviter qu'elles ne collent les unes aux autres). Égoutter et rincer soigneusement à l'eau froide. Les couper délicatement en trois, dans le sens de la largeur. Les essuyer avec un torchon.

2 Remplir d'huile une casserole, jusqu'à mi-hauteur. La chauffer jusqu'à ce qu'elle soit modérément chaude. Frire un rectangle de pâte à la fois jusqu'à ce qu'il soit doré et croustillant. Égoutter sur du papier absorbant.

3 Fouetter la crème en chantilly. Déposer un rectangle de pâte frit sur chaque assiette. Garnir de crème fouettée, de fruits rouges et de fruit de la Passion. Saupoudrer de sucre glace. Répéter la couche et terminer par un rectangle de pâte. Saupoudrer de sucre glace et servir immédiatement.

NOTE : tous les fruits de saison conviennent pour ce dessert ; les hacher ou les émincer à votre guise. On peut légèrement sucrer la crème fouettée en y ajoutant un peu de sucre et de vanille.

VALEURS NUTRITIVES PAR PORTION : *protéines 7 g, lipides 50 g, glucides 35 g, fibres alimentaires 10 g, cholestérol 145 mg, 2 520 kJ (600 kcal)*

COUPELLES À LA RICOTTA ET AUX FRUITS CONFITS

Préparation : 35 minutes
Cuisson : 30 minutes
Pour 4 personnes

★ ★ ★

Huile à friture
6 feuilles de lasagne sèches

Garniture à la ricotta et aux fruits confits

350 g de ricotta fraîche
1 cuil. à soupe de sucre en poudre
60 g de fruits confits (cerises, écorces d'orange et de citron), hachés
30 g de copeaux de chocolat noir

1 Chauffer l'huile (elle doit avoir au moins 10 cm de profondeur) dans une friteuse. Cuire une lasagne à la fois dans de l'eau bouillante salée jusqu'à ce qu'elle soit *al dente*. Retirer de l'eau à l'aide d'une écumoire et faire tremper 1 à 2 minutes dans un bol d'eau froide. Transférer sur un torchon et faire sécher les deux faces. Couper le bout de chaque feuille de façon à former un carré.
2 Pour le stade suivant, il vous faudra 3 ustensiles résistant à l'huile bouillante : une louche à soupe d'environ 9 cm de diamètre (ou une louche en fil de fer de mêmes dimensions), un fouet métallique qui puisse entrer dans la louche afin de mettre la pâte en forme, et une paire de pincettes. Prendre un carré de pâte et le mettre dans la louche à la main. Former une sorte de bol en laissant dépasser les coins et sans pincer les bords.
3 Vérifier la température de l'huile en y plongeant un petit morceau de pâte. Il doit immédiatement former des bulles et remonter en surface. Plonger la louche dans l'huile. À l'aide des pincettes, retirer la pâte de la louche pour ne pas qu'elle colle tout de suite, puis utiliser le fouet pour maintenir la pâte de nouveau en place dans la louche (la pâte est solide : ne craignez pas de la malmener). Les coupelles sont prêtes quand elles sont dorées et croustillantes, avec des bulles en surface. Entraînez-vous avec les deux premières, qui sont en plus.
4 Au fur et à mesure que les coupelles sont prêtes, les retirer de l'huile et les égoutter à l'envers sur du papier absorbant. Laisser refroidir.
5 Garniture à la ricotta et aux fruits confits : bien mélanger la ricotta et le sucre à la main (un mixeur rendrait la préparation trop lisse). Incorporer les fruits confits et le chocolat. En remplir les coupelles juste avant de servir. Garnir de copeaux de chocolat supplémentaires.

NOTE : si les coupelles ramollissent ou deviennent huileuses par endroits, les passer au four chaud pour leur rendre leur croustillant. Ces coupelles sont idéales pour donner une touche sophistiquée aux desserts les plus simples, comme la glace ou la salade de fruits. On peut également napper le dessert d'une sauce ou le saupoudrer de sucre glace. On trouve des paniers métalliques, destinés à confectionner de telles coupelles, dans certaines boutiques spécialisées.

VALEURS NUTRITIVES PAR PORTION : *protéines 15 g, lipides 15 g, glucides 45 g, fibres alimentaires 2 g, cholestérol 40 mg, 1 585 kJ (375 kcal)*

SUCRE EN POUDRE

Comme son nom l'indique, le sucre en poudre est du sucre semoule broyé en un grain très fin. Il convient tout particulièrement à la cuisine car il fond rapidement et complètement. Le sucre en poudre est également décoratif et sert à saupoudrer le dessus des gâteaux et des petits pains sucrés, ainsi qu'à recouvrir certains bonbons et friandises.

CI-DESSUS : Coupelles à la ricotta et aux fruits confits

NOISETTES

Les noisettes sont le fruit comestible du noisetier, *Corylus*, un arbre de la famille du bouleau. Elles sont riches en huile et leur petit goût agréable est très apprécié dans la pâtisserie et la confiserie. Les recettes requièrent souvent des noisettes mondées et grillées, ce que l'on peut faire soi-même. Les étaler sur une plaque et les passer au four préchauffé à 180 °C, environ 10 minutes, jusqu'à ce que les peaux se dessèchent. Envelopper les noisettes d'un torchon pendant 5 minutes et les frotter vigoureusement dans le torchon pour ôter une partie de la peau. Ensuite, chaque noisette devra être pelée séparément avec les doigts.

CI-DESSUS : Gâteau au chocolat et aux fruits secs

GÂTEAU AU CHOCOLAT ET AUX FRUITS SECS

Préparation : 30 minutes + 1 nuit de réfrigération
Cuisson : 5 à 10 minutes
Pour 6 à 8 personnes

⭐

250 g de stellini
140 g de noisettes grillées, sans peau
150 g de noix
100 g d'amandes mondées
3 cuil. à soupe de cacao en poudre
1 cuil. à café de cannelle moulue
150 g de sucre
1 cuil. à soupe de fruits confits variés
Zeste râpé d'1 citron
1 cuil. à café d'essence de vanille
2 cuil. à soupe de cognac
60 g de beurre
100 g de chocolat noir, concassé

1 Beurrer un moule rond de 20 cm, à fond amovible, et le garnir de papier sulfurisé. Cuire les pâtes à l'eau bouillante jusqu'à ce qu'elles soient *al dente*. Les rincer à l'eau froide et les égoutter soigneusement.
2 Passer les fruits secs, le cacao, la cannelle, le sucre, les fruits confits, le zeste de citron, la vanille et le cognac au mixeur, en travaillant par à-coups jusqu'à obtention d'une pâte fine.
3 Faire fondre le beurre et le chocolat dans une petite casserole à feu doux, ou au micro-ondes.
4 Dans un saladier, mettre les pâtes, la préparation aux fruits secs et le chocolat fondu ; bien mélanger. Verser la préparation dans le moule et tasser fermement avec une main mouillée. Égaliser la surface avec le dos d'une cuillère mouillée. Laisser reposer toute la nuit au réfrigérateur. Démouler et couper en parts. Saupoudrer d'un peu de cacao et de sucre glace. Ce gâteau est délicieux avec de la crème fouettée.

VALEURS NUTRITIVES PAR PORTION **(8)** : *protéines 15 g, lipides 45 g, glucides 55 g, fibres alimentaires 7 g, cholestérol 20 mg, 2 795 kJ (665 kcal)*

INDEX

Les numéros de page en *italique* renvoient aux photographies. Les numéros en **gras** renvoient aux explications.

Accompagnements

Asperges au beurre de citron et de noisette 63

Biscuits au parmesan 188

Brocoli aux graines de cumin 89

Brocoli chaud aux amandes 131

Carottes à l'orange 164

Champignons à l'ail et à l'aneth 64

Chips de kumera et de panais 175

Chou aux graines de carvi 243

Chou-fleur au fromage 239

Coleslaw au sésame 160

Concombre au sésame 57

Courgettes et tomates à l'ail 97

Damper (pain australien) 181

Épis de maïs aux aromates 63

Haricots au beurre persillé 91

Haricots verts à l'ail et au cumin 226

Navets à la tomate, au vin et à l'ail 198

Pain aux fines herbes 43

Pain de polenta 175

Pain « pizza » à l'ail 195

Panzanella 91

Pilaf aux fines herbes 162

Poireaux braisés aux pignons 164

Poireaux caramélisés aux lardons 223

Popovers 206

Potiron à la sauge 57

Riz sauvage aux poivrons grillés 223

Rubans de courgette panés 139

Salade aux herbes aromatiques 256

Salade chaude de carottes au gingembre et au sésame 136

Salade chaude de kumera, roquette et bacon 209

Salade chaude printanière 146

Salade d'antipasti 157

Salade d'asperges au parmesan 266

Salade d'épinards à la pancetta et aux noix de pécan 272

Salade d'épinards aux noix et au cheddar 237

Salade d'oranges et d'olives 195

Salade de bacon, laitue et tomate 83

Salade de betteraves à la framboise 237

Salade de betteraves et de nectarines 131

Salade de betteraves, chèvre et pistaches 73

Salade de capucine et de cresson 209

Salade de champignons marinés 96

Salade de concombre épicée 64

Salade de cresson, saumon et camembert 96

Salade de fenouil à l'orange et aux amandes 282

Salade de haricots noirs à la coriandre 97

Salade de haricots vinaigrette 61

Salade de légumes au brie 110

Salade de légumes chauds 120

Salade de patates douces au yaourt et à l'aneth 150

Salade de pêches à la salsa 276

Salade de pommes de terre 59

Salade de pommes de terre pimentée à la coriandre 232

Salade de pommes de terre, œuf et bacon 113

Salade de prosciutto, camembert et figues 261

Salade de tomates à la mozzarella 157

Salade de tomates et de feta 150

Salade de tomates variées 256

Salade de tomates, œufs et olives 259

Salade grecque 146

Salade Waldorf 130

Scones au potiron et à la sauge 173

Taboulé 107

Tomates cerises à l'aneth 89

Tomates grillées au chèvre et aux fines herbes 87

Pâtes

A

agneau
Agneau à la marocaine aux
poivrons et fusilli 70, *71*
Agneau parsi au cumin
et aux tagliatelle 75, *75*
Pâtes à l'agneau
et aux légumes 77, *77*
Ravioli turcs 69, *69*
Soupe à l'agneau
et aux fusilli 49, *49*
ail **77, 244**
Bucatini à l'ail 278, *278*
Conchiglie géantes
à la ricotta et à la roquette
251, *251*
Fusilli à la sauge et à l'ail
262, *262*
Gressins à l'ail 184, *184*
Olives au piment et à l'ail
135, *135*
Salade chaude de fettucine
aux crevettes et à l'ail 188,
189
Soupe de poisson à l'ail
et aux pâtes 47
Spaghetti à l'ail et au piment
262, *262*
Spaghettini au saumon
et à l'ail 104
Alfredo, sauce, 25, *25*, **162**
amandes mondées **288**
Amatriciana, sauce, 29, *29*
anchois **152**
Conchiglie au brocoli
et à l'anchois 152, *153*
Crostini à l'anchois
et à la tomate 185, *185*
Linguine aux anchois, olives
et câpres 254, *254*
Salade de poivrons grillés
aux anchois 192, *192*
aneth **195**
Salade de pâtes au saumon
fumé et à l'aneth *194*,
195
antipasti
Aubergine et poivron grillés
52, *52*
Beignets de chou-fleur 53, *53*
Bocconcini au pesto 52, *52*
Bruschetta 53, *53*
Frittata au salami et à la
pomme de terre 50, *50*
Galettes de polenta au
chorizo et à la salsa 51, *51*
Moules farcies 50, *50*
Sardines grillées 51, *51*

Tomates rôties au four 53, *53*
Arrabbiata, sauce, 32, *32*
artichaut **178**
Farfalle aux cœurs
d'artichaut et aux olives
117, *117*
Pâtes à l'artichaut, à l'œuf
et à l'oseille 270, *270*
Ravioli aux petits pois
et aux artichauts 276, *277*
asiago 169, *169*
asperges vertes **154**
Linguine crémeuses
aux asperges 118, *119*
Salade de conchiglie
aux asperges, bocconcini
et origan 188, *189*
Tagliatelle aux asperges
et fines herbes 154, *154*
aubergine **44**
Aubergine et poivron grillés
52, *52*
Gâteau de macaroni
à l'aubergine 230, *230*
Pâtes aux olives
et à l'aubergine 120, *120*
Tortellini à l'aubergine
143, *143*

B

bacon
Ruote au citron, au bacon
et aux olives 263, *263*
Sauce carbonara 27, *27*
Soupe au bacon et aux petits
pois 43, *43*
Spaghetti carbonara 155, *155*
Spaghetti carbonara
aux champignons *280*, *281*
Tortellini au basilic et sauce
tomate au bacon 226, *226*
basilic **41**
Fettucine aux courgettes
et au basilic frit 116, *116*
Gnocchi à la tomate
et au basilic 200
Gnocchi de pommes
de terre à la sauce tomate
199, *199*
Linguine, au miel
et au basilic 158, *158*
Salade de pâtes à la tomate
et au basilic 174, *174*
Soupe au pistou 45, *45*
Soupe de crevettes au basilic
42, *42*
Soupe de tomate aux pâtes
et au basilic 41, *41*

Tagliatelle à la ricotta
et au basilic *280*, 281
Tortellini au basilic et sauce
tomate au bacon 226, *226*
Béchamel, sauce, 231, 235,
235, 244, 246
Béchamel au fromage 82, 123
beignets
Beignets de chou-fleur 53, *53*
Beignets de pâte citronnée à
la ricotta 286, *286*
bel paese 168, *168*
bettes **129**
blé dur **234**
bleu (fromage)
Rigatoni au bleu
et au brocoli *138*, 139
Rissoni au bleu et à l'oignon
caramélisé 159, *159*
bocconcini 166, *167*
Bocconcini au pesto 52, *52*
Salade de conchiglie
aux asperges, bocconcini
et origan 188, *189*
voir aussi mozzarella
bœuf
Bœuf épicé sauté
aux spaghettini 70, *71*
Bouillon de bœuf **49**
Boulettes de viande
Stroganoff 76, *76*
Pâtes au bœuf gratinées 61
Spaghetti sauce au bœuf
et aux champignons *260*,
261
voir aussi queue de bœuf
bolognaise, sauce
Sauce bolognaise
traditionnelle 24, *24*
Spaghetti bolognaise 56, *56*
Spaghetti sauce bolognaise
au poulet 85, *85*
Spaghetti bolognaise
«rapides» 60, *60*
borlotti, haricots, **37**
Boscaiola crémeuse, sauce, 30,
30
bouillons
Bouillon aux rissoni
et aux champignons 38
Bouillon aux tortellini 270,
270
Bouillon aux tortellini
parfumé au citron 36, *36*
Bouillon de poulet épicé et
pâtes à la coriandre 40, *40*
Bouillon de bœuf **49**
Bouillon de légumes **151**

fumet de poisson, **99**
boulettes de viande
    Boulettes de viande
        aux fusilli 73, *73*
    Boulettes de viande
        aux pâtes 242, *242*
    Boulettes de viande
        Stroganoff 76, *76*
    Spaghetti aux boulettes
        de poulet 80, *80*
brocoli **42**
    Conchiglie au brocoli
        et à l'anchois 152, *153*
    Potage de brocoli 42, *42*
    Rigatoni au bleu
        et au brocoli *138*, 139
Bruschetta 53, *53*
    Bruschetta au poivron grillé
        185, *185*
bucatini
    Bucatini à l'ail 278, *278*
    Bucatini au gorgonzola
        150, *150*

C
cacciatore 67, *67*
calmars **94**
    Spaghetti aux calmars
        pimentés 99, *99*
cannelle **236**
    Penne au potiron
        et à la cannelle 132
cannelloni 220, *221*, **222**
    Cannelloni aux épinards
        et à la ricotta 222, *222*
    Cannelloni classiques
        244, *244*
    Gratin de cannelloni
        à la milanaise 239, *239*
cappelletti **81**
câpres **125**
    Linguine aux anchois, olives
        et câpres 254, *254*
    Orecchiette sauce au thon,
        citron et câpres 160, *161*
    Spaghetti aux olives
        et au câpres 125, *125*
Carbonara, sauce, 27, *27*, **155**
    Carbonara au gratin 160, *161*
    Spaghetti carbonara 155, *155*
    Spaghetti carbonara
        aux champignons *280*, 281
carottes
    Gnocchi à la carotte
        et à la feta 206, *207*
caviar rouge **102**
    Fettucine au caviar rouge 102
céleri **43**
    Pâtes à la queue de bœuf
        et au céleri braisés 58, *58*
cerfeuil **183**
champignons
    Bouillon aux rissoni

et aux champignons
    38, *38*
champignons de Paris **137**,
    137
Farfalle aux champignons 126
Farfalle aux petits pois,
    prosciutto et champignons
    282, *282*
Farfalle au thon et
    aux champignons 95, *95*
Fettucine aux champignons
    152, *153*
Fettucine sauce aux
    champignons et aux
    haricots verts 151, *151*
Fettucine boscaiola 137
Fettucine sauce au poulet et
    aux champignons 86, *86*
Lasagnette aux champignons
    et au poulet 88, *88*
Pain de viande
    aux champignons
    et à la crème *248*, 249
Penne au poulet
    et aux champignons 148
Ravioli aux
    champignons 227, *227*
Salade de pastrami,
    champignons
    et concombre 176, *177*
Spaghetti carbonara aux
    champignons *280*, 281
Spaghetti sauce au bœuf et
    aux champignons *260*, 261
Tortellini sauce
    aux champignons
    et à la crème 225, *225*
chapelure fraîche **130**
charcuteries
    cacciatore 67, *67*
    chiffonnade de jambon **187**
    chorizo **62**, 67, *67*
    coppa 67, *67*
    finocchiona toscana 67, *67*
    mortadelle 67, *67*
    pancetta 66, *66*
    pastrami **176**, *176*
    pepperoni 67, *67*
    prosciutto 66, *66*, **160**
    salami **59**, 67, *67*
    salami de Milan 67, *67*
    saucisses italiennes **65**
    speck 67, *67*
    pour les recettes, voir viande
cheddar **232**
chèvre *voir* fromage de chèvre
chiffonnade de jambon **187**
chocolat
    Gâteau au chocolat
        et aux fruits secs 292, *292*
chorizo **62**, 67, *67*
    Rigatoni au chorizo
        et à la tomate 62, *62*

Rigatoni au chorizo
    et au fenouil 266, *267*
ciboulette 269, *269*
citron **83**
    Beignets de pâte citronnée à
        la ricotta 286, *286*
    Bouillon aux tortellini
        parfumé au citron 36, *36*
    écorce de citron confite
        286
    Gâteau de rissoni
        à la noix de coco
        et au citron 288, *288*
    Linguine sauce crémeuse
        au citron 163, *163*
    Orecchiette sauce au thon,
        citron et câpres 160, *161*
    Penne aux tomates séchées
        et au citron 283, *283*
    Poulet au citron et
        orecchiette 83, *83*
    Ruote au citron, au bacon
        et aux olives 263, *263*
    Salade de pâtes au citron
        et aux légumes 183, *183*
    Spaghetti sauce crémeuse
        au citron 268, 269
    Ziti au citron et aux dattes
        191, *191*
citron vert **256**
    Pâtes à la truite fumée
        et au citron vert 255
    Ravioli au poulet
        et vinaigrette au citron
        vert 256, *257*
cœurs d'artichaut **178**
concentré de tomates **281**
conchiglie
    Conchiglie au brocoli
        et à l'anchois 152, *153*
    Conchiglie aux pois chiches
        132, *133*
    Conchiglie farcies au poulet
        et à la ricotta 237, *237*
    Conchiglie farcies au poulet
        et au pesto 223, *223*
    Conchiglie géantes
        à la ricotta et à la roquette
        251, *251*
    Salade de conchiglie
        aux asperges, bocconcini
        et origan 188, *189*
coppa 67, *67*
Coquilles farcies aux épinards
    et à la ricotta 214, *214*
coquilles Saint-Jacques **108**
    Pâtes aux noix de
        Saint-Jacques et
        au lemon-grass 165, *165*
coriandre **40**
    Bouillon de poulet épicé
        et pâtes à la coriandre
        40, *40*

Coupelles à la ricotta
et aux fruits confits 291, *291*
courge
butternut **249**
Courge farcie aux pâtes
et au poireau *248*, 249
mini-pâtisson jaune **266**
Tagliatelle à la courge
et aux pignons *138*, 139
voir aussi potiron
courgettes **116**
Fettucine aux courgettes
et au basilic frit 116, *116*
crabes **97**
Croquettes de crabe à la salsa
épicée 97, *97*
crème **225**
crème d'olives vertes **250**
crevettes
Crevettes à la crème
et aux fettucine 96, *96*
Crevettes à la mexicaine
100, *100*
Salade chaude de fettucine
aux crevettes et à l'ail 188,
189
Soupe de crevettes au basilic
42, *42*
Soupe de pâtes aux pois
mange-tout et aux gambas
38, *38*
Tagliatelle aux crevettes
et aux feuilles de
citronnier 100, *101*
Tortelloni aux crevettes 215,
215
Croquettes de crabe à la salsa
épicée 97, *97*
Crostini à l'anchois
et à la tomate 185, *185*
cumin
Agneau parsi au cumin
et aux tagliatelle 75, *75*

D

dattes **191**
Ziti au citron et aux dattes
191, *191*
desserts
Beignets de pâte citronnée à
la ricotta 286, *286*
Coupelles à la ricotta
et aux fruits confits 291,
291
Feuilleté aux fruits rouges
290, *290*
Gâteau au chocolat
et aux fruits secs 292, *292*
Gâteau de rissoni à la noix de
coco et au citron 288, *288*
Pudding de rissoni 289, *289*
Rouleaux fourrés à la crème
et aux fraises 287, *287*

E

écorce de citron confite **286**
épinards **255**
Cannelloni aux épinards
et à la ricotta 222, *222*
Coquilles farcies
aux épinards et à la ricotta
214, *214*
Fettucine aux épinards
et au prosciutto 255, *255*
Gnocchi d'épinards
et de ricotta 206, *207*
Lasagne au poulet
et aux épinards 82, *82*
Ravioli aux épinards et sauce
à la tomate séchée 216,
216
Rigatoni à la tomate, au
fromage et aux épinards
190, *190*
Salade de farfalle aux tomates
et aux épinards 172, *172*
Timbales de pâtes
aux épinards 240, *240*

F

farcir les pâtes 218-21, *218-21*
farfalle
Farfalle au poivre rose et aux
pois gourmands 283
Farfalle aux champignons
126
Farfalle aux cœurs
d'artichaut et aux olives
117, *117*
Farfalle aux petits pois 258,
258
Farfalle aux petits pois,
prosciutto et champignons
282, *282*
Farfalle au thon
et aux champignons 95,
95
Salade de farfalle aux tomates
et aux épinards 172, *172*
farine assaisonnée **73**
fenouil **107**
Frittata à la truite, au fenouil
et aux fettucine *106*, 107
Rigatoni au chorizo
et au fenouil 266, *267*
feta **206**
Gnocchi à la carotte et à la
feta 206
Pâtes à la feta gratinées 241,
241
fettucine
Crevettes à la crème
et aux fettucine 96, *96*
Fettucine Alfredo 162,
162
Fettucine au caviar rouge
102, *102*

Fettucine au fromage
et au salami *156*, 157
Fettucine au poulet
et au cognac 91, *91*
Fettucine au saumon fumé
111, *111*
Fettucine aux champignons
152, *153*
Fettucine sauce
aux champignons et aux
haricots verts 151, *151*
Fettucine aux courgettes
et au basilic frit 116, *116*
Fettucine aux épinards
et au prosciutto 255, *255*
Fettucine aux pois mange-
tout et aux noix 140, *141*
Fettucine boscaiola 137, *137*
Fettucine primavera 131, *131*
Fettucine sauce au poulet et
aux champignons 86, *86*
Frittata à la truite, au fenouil
et aux fettucine *106*, 107
Salade chaude de fettucine
aux crevettes et à l'ail 188,
189
feuilles de citronnier
feuilles de citronnier kaffir
101
Tagliatelle aux crevettes
et aux feuilles
de citronnier 100, *101*
feuilles de laurier **80**
Feuilleté aux fruits rouges 290,
290
fèves **45**
Fusilli sauce aux fèves 146
filets d'anchois **152**
finocchiona toscana 67, *67*
Focaccia grillée au pesto 185,
185
foies de volaille
Foies de volaille aux penne
89, *89*
Tagliatelle aux foies
de volaille et à la crème
147, *147*
fontina 168, *168*, **204**
fraises **287**
Rouleaux fourrés à la crème
et aux fraises 287, *287*
frittata
Frittata à la truite, au fenouil
et aux fettucine *106*, 107
Frittata au salami et à
la pomme de terre 50, *50*
Frittata aux spaghetti 238,
238
fromage, plats au
Fettucine au fromage
et au salami *156*, 157
Gnocchi aux deux fromages
200, *200*

Gnocchi au poivron et
au fromage de chèvre 209,
209
Gratin de macaroni 236, *236*
Pâtes à la crème d'olives
et aux trois fromages 250,
250
Petits pains au fromage et
aux fines herbes 184, *184*
Rigatoni à la tomate,
fromage et épinards 190
Rigatoni au bleu
et au brocoli *138*, 139
Rissoni au bleu et à l'oignon
caramélisé 159, *159*
fromages
asiago 169, *169*
bel paese 168, *168*
bocconcini 166, *167*
cheddar **232**
feta **206**
fontina 168, *168*, **204**
fromage de chèvre 169, *169*,
209
gorgonzola **150**, *166*, 167
grana 168, *169*
mascarpone 167, *167*
mozzarella 166, *166*, **242**
ovolini 166, *167*
parmigiano reggiano 168, *168*
pecorino 167, *167*
provolone 167, *167*
ricotta 166, *166*, **214**
taleggio 169
fruits confits
Coupelles à la ricotta et aux
fruits confits 291
fruits rouges, feuilleté aux,
290, *290*
fruits de mer
Fruits de mer épicés
à la sauce tomate 103, *103*
Lasagne aux fruits de mer
232, *232*
Pâtes aux fruits de mer
parfumées 102, *103*
Ravioli crémeux aux fruits
de mer 108, *108*
Salade de fruits de mer
à la mayonnaise 179, *179*
voir aussi poissons et fruits
de mer
fumet de poisson **99**
fusilli
Agneau à la marocaine aux
poivrons et fusilli 70, *71*
Boulettes de viande
aux fusilli 73, *73*
Fusilli à l'orientale *268*, 269
Fusilli à la sauce verte *128*,
129
Fusilli à la sauge et à l'ail
262, *262*

Fusilli au saumon et crème
au cognac 276, *277*
Fusilli aux légumes sautés
266, *267*
Fusilli sauce aux fèves 146,
146
Soupe à l'agneau
et aux fusilli 49, *49*

G

Galettes de polenta au chorizo
et à la salsa 51, *51*
garam massala **75**
gâteaux
Gâteau au chocolat
et aux fruits secs 292, *292*
Gâteau de macaroni
à l'aubergine 230, *230*
Gâteau de rissoni à la noix
de coco et au citron 288,
288
gingembre **70**
gnocchi **200**
Gnocchi à la carotte
et à la feta 206, *207*
Gnocchi à la romaine 198,
198
Gnocchi à la tomate
et au basilic 200
Gnocchi aux deux fromages
200, *200*
Gnocchi d'épinards
et de ricotta 206, *207*
Gnocchi de panais 208, *208*
Gnocchi au poivron et
au fromage de chèvre 209,
209
Gnocchi de pommes
de terre à la sauce tomate
199, *199*
Gnocchi aux herbes et
à la sauce tomate 205, *205*
Gnocchi de pommes
de terre traditionnels 202,
202
Gnocchi de potiron au
beurre de sauge 201, *201*
Gnocchi sauce au fontina
204, *204*
gorgonzola **150**, *166*, 167
Bucatini au gorgonzola 150,
150
Linguine au gorgonzola et
aux noix grillées 272, *273*
grana 168, *169*
gratins
Carbonara au gratin 160,
161
Gratin de cannelloni
à la milanaise 239, *239*
Gratin de macaroni 236, *236*
Gratin de macaroni
au poulet 88, *88*

Gratin de rigatoni 240, *240*
Pâtes à la feta gratinées 241,
241
Pâtes au bœuf gratinées 61,
61
gremolata **113**
Gressins à l'ail 184, *184*

H

haricots
borlotti **37**
et pâtes **46**
Fettucine sauce
aux champignons et
aux haricots verts 151, *151*
Pâtes de sarrasin aux haricots
271, *271*
Potage aux pâtes
et aux haricots 46, *46*
Rigatoni aux haricots
et à la saucisse 65, *65*
Salade de thon, haricots verts
et oignon 176, *177*
Soupe de haricots
à la saucisse 39, *39*
huile d'olive **60**

J

jambon, chiffonnade de, **187**

L

lasagne **15**
Lasagne aux fruits de mer
232, *232*
Lasagne à la ricotta 231,
231
Lasagne au poulet
et aux épinards 82, *82*
Lasagne classiques 234, *235*
Lasagne farcies 216, *216*
Lasagne végétariennes 123,
123
Lasagnette aux champignons
et au poulet 88, *88*
laurier **80**
légumes et pâtes
Conchiglie aux pois chiches
132, *133*
Farfalle aux champignons
126
Farfalle aux cœurs
d'artichaut et aux olives
117, *117*
Fettucine aux courgettes
et basilic frit 116, *116*
Fusilli à la sauce verte *128*,
129
Fusilli aux légumes sautés
266, *267*
Lasagne végétariennes 123,
123
Légumes farcis aux pâtes
243, *243*

Légumes grillés aux pâtes
122, *122*
Linguine au poivron rouge
128, 129
Linguine aux légumes 121
Linguine crémeuses
aux asperges 118, *119*
Minestrone 37, *37*
Pâtes à l'agneau
et aux légumes 77
Pâtes aux olives vertes
et à l'aubergine 120, *120*
Pâtes et légumes à la
méditerranéenne 187, *187*
Pâtes et légumes
à la thaïlandaise 186, *186*
Penne à la sauce tomate
onctueuse 126, *126*
Penne au potiron
et à la cannelle 132, *133*
Penne épicées aux poivrons
140, *141*
Rigatoni au potiron 127, *127*
Salade de pâtes au citron
et aux légumes 183, *183*
Spaghetti aux fines herbes
et à la tomate 130, *130*
Spaghetti aux olives
et aux câpres 125, *125*
Spaghetti napolitaine 124, *124*
Tagliatelle et sauce aux
tomates séchées 118, *119*
Ziti aux légumes
et à la saucisse 63
lemon-grass **165**
Pâtes aux noix de
Saint-Jacques et
au lemon-grass 165, *165*
linguine
Linguine au miel
et au basilic 158, *158*
Linguine au gorgonzola
et aux noix grillées 272, *273*
Linguine au poivron rouge
128, 129
Linguine aux anchois, olives
et câpres 254, *254*
Linguine aux légumes 121
Linguine crémeuses
aux asperges 118, *119*
Linguine sauce crémeuse
au citron 163, *163*

M
macaroni **74**
Gâteau de macaroni
à l'aubergine 230, *230*
Gratin de macaroni 236, *236*
Gratin de macaroni
au poulet 88, *88*
Macaroni au four 233, *233*
maïs, épis, **186**
Marinara, sauce, 33, *33*

Spaghetti marinara 94, *94*
marjolaine **72**
mascarpone 167, *167*
Ravioli au mascarpone
et à la pancetta 157
Mezzelune au poulet et sauce
à la crème 213, *213*
miel **158**
Linguine au miel
et au basilic 158, *158*
Minestrone 37, *37*
mortadelle 67, *67*
morue
Pâtes à la morue
et au sésame *106*, 107
moules **272**, *272*
Spaghetti et moules
à la tomate 113, *113*
Spaghetti crémeux
aux moules 110, *110*
Moules à la sauce tomate
109, *109*
Moules à la tomate sur lit
de spaghetti 272, *273*
Moules farcies 50, *50*
moutarde **147**
mozzarella 166, *166*, **242**
Spaghetti aux olives
et à la mozzarella 116, *117*
Ziti aux tomates grillées
et à la mozzarella 256, *257*
voir aussi bocconcini

N
Napolitaine, sauce, 26, *26*
noisettes 292
noix **142**
Fettucine aux pois mange-
tout et aux noix 140, *141*
Linguine au gorgonzola
et aux noix grillées 272
Tagliatelle à la tomate
et aux noix 142, *142*
noix de coco
Gâteau de rissoni à la noix de
coco et au citron 288, *288*

O
oignon
Pâtes à la crème d'oignon
268, 269
Rissoni au bleu et à l'oignon
caramélisé 159, *159*
Salade de thon, haricots verts
et oignon 176, *177*
Spaghetti aux petits pois
et aux oignons 265, *265*
olives **118**, *118*, 134, *134*,
135, **254**
crème d'olives vertes **250**
Farfalle aux cœurs d'artichaut
et aux olives 117, *117*
huile **60**

Linguine aux anchois, olives
et câpres 254, *254*
Olives au piment et à l'ail
135, *135*
Olives noires sautées 135, *135*
olives vertes **254**
Pâtes à la crème d'olives
et aux trois fromages 250,
250
Pâtes aux olives et
à l'aubergine 120, *120*
Penne aux olives et pesto
de pistaches 259, *259*
Ruote au citron, au bacon
et aux olives 263, *263*
Salade de pâtes à l'houmous,
aux tomates et aux olives
194, 195
Spaghetti aux olives
et à la mozzarella 116, *117*
Spaghetti aux olives
et aux câpres 125, *125*
Tapenade d'olives
et de tomates 135, *135*
Omelette italienne 245, *245*
orecchiette
Orecchiette sauce au thon,
citron et câpres 160, *161*
Poulet au citron
et orecchiette 83, *83*
origan **172**
Salade de conchiglie
aux asperges, bocconcini
et origan 188
oseille **270**
ovolini 166, *167*

P
Pain de viande
aux champignons
et à la crème *248*, 249
palourdes **112**
Spaghetti vongole 112, *112*
panais **208**
Gnocchi de panais 208, *208*
pancetta 66, *66*
pappardelle **104**
Pappardelle au saumon 104,
104
paprika **231**
parmesan **164**
parmigiano reggiano 168, *168*
Pâtes au pesto
et au parmesan 274, *274*
Rigatoni à la saucisse
et au parmesan 148, *149*
parmigiano reggiano 168, *168*
Pasticcio 246, *246*, *247*
Pastitsio 247, *247*, **247**
pastrami **176**, *176*
Salade de pastrami,
champignons
et concombre 176, *177*

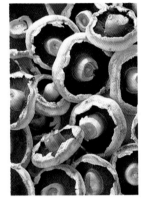

pâtes
  confection 16
  cuisson 9
  fraîches 14
  réchauffage **86**
  sèches 10-13
Pâtes à l'agneau et aux légumes 77, *77*
Pâtes à l'artichaut, à l'œuf et à l'oseille 270, *270*
Pâtes à la crème d'oignon *268*, 269
Pâtes à la feta gratinées 241, *241*
Pâtes à la morue et au sésame *106*, 107
Pâtes à la niçoise 278, *278*
Pâtes à la crème d'olives et aux trois fromages 250, *250*
Pâtes à la queue de bœuf et au céleri braisés 58, *58*
Pâtes à la truite fumée et au citron vert 255
Pâtes au bœuf gratinées 61, *61*
Pâtes au pesto et au parmesan 274, *274*
Pâtes au porc, au paprika et aux graines de pavot 68, *68*
Pâtes au poulet à l'orientale 84, *84*
Pâtes au poulet et au pesto 87, *87*
Pâtes aux fruits de mer parfumées 102, *103*
Pâtes aux noix de Saint-Jacques et au lemon-grass 165, *165*
Pâtes aux olives et à l'aubergine 120, *120*
Pâtes de sarrasin aux haricots 271, *271*
Pâtes et légumes à la méditerranéenne 187, *187*
Pâtes et légumes à la thaïlandaise 186, *186*
pâtes au four
  Boulettes de viande aux pâtes 242, *242*
  Cannelloni classiques 244, *244*
  Conchiglie farcies au poulet et à la ricotta 237, *237*
  Conchiglie géantes à la ricotta et à la roquette 251, *251*
  Courge farcie aux pâtes et au poireau *248*, 249
  Frittata aux spaghetti 238, *238*
  Gâteau de macaroni à l'aubergine 230, *230*
  Gratin de cannelloni à la milanaise 239, *239*
  Gratin de macaroni 236, *236*
  Gratin de macaroni au poulet 88

  Gratin de rigatoni 240, *240*
  Lasagne à la ricotta 231, *231*
  Lasagne aux fruits de mer 232, *232*
  Lasagne classiques 234, *235*
  Légumes farcis aux pâtes 243, *243*
  Macaroni au four 233, *233*
  Omelette italienne 245, *245*
  Pain de viande aux champignons et à la crème *248*, 249
  Pasticcio 246, *246*, **247**
  Pastitsio 247, *247*, **247**
  Pâtes à la feta gratinées 241, *241*
  Pâtes à la crème d'olives et aux trois fromages 250, *250*
  Soufflé aux pâtes et au saumon 234, *234*
  Timbales de pâtes aux épinards 240, *240*
pâtes et haricots **46**
pâtes et sauces à la crème
  Bucatini au gorgonzola 150, *150*
  Carbonara au gratin 160, *161*
  Conchiglie au brocoli et à l'anchois 152, *153*
  Crevettes à la crème et aux fettucine 96, *96*
  Farfalle au thon et aux champignons 95, *95*
  Fettucine Alfredo 162, *162*
  Fettucine sauce aux champignons et aux haricots verts 151, *151*
  Fusilli au saumon et crème au cognac 276, *277*
  Fusilli sauce aux fèves 146, *146*
  Linguine au miel et au basilic 158, *158*
  Linguine sauce crémeuse au citron 163, *163*
  Mezzelune au poulet et sauce à la crème 213, *213*
  Orecchiette sauce au thon, citron et câpres 160, *161*
  Pain de viande aux champignons et à la crème *248*, 249
  Pâtes à la feta gratinées 241, *241*
  Pâtes aux noix de Saint-Jacques et au lemon-grass 165, *165*
  Penne à la sauce tomate onctueuse 126, *126*
  Penne au poulet et aux champignons 148, *149*

Ravioli aux deux viandes avec sauce au fromage 164, *164*
Ravioli crémeux aux fruits de mer 108, *108*
Rigatoni à la saucisse et au parmesan 148, *149*
Rissoni au bleu et à l'oignon caramélisé 159, *159*
Salade de fruits de mer à la mayonnaise 179, *179*
Sauce Alfredo 25, *25*
Spaghetti crémeux aux moules 110, *110*
Spaghetti sauce crémeuse au citron *268*, 269
Tagliatelle au veau, sauce crémeuse au vin 57, *57*
Tagliatelle aux foies de volaille et à la crème 147, *147*
Tortellini sauce aux champignons et à la crème 225, *225*
pâtes farcies
  Cannelloni aux épinards et à la ricotta 222, *222*
  Conchiglie farcies au poulet et au pesto 223, *223*
  Coquilles farcies aux épinards et à la ricotta 214, *214*
  Lasagne farcies 216, *216*
  Mezzelune au poulet et sauce à la crème 213, *213*
  Ravioli au potiron et aux fines herbes 217, *217*
  Ravioli au poulet 212, *212*
  Ravioli au poulet et beurre de sauge 224, *224*
  Ravioli aux épinards et sauce à la tomate séchée 216, *216*
  Ravioli aux champignons 227, *227*
  Tortellini au basilic et sauce tomate au bacon 226, *226*
  Tortellini sauce aux champignons et à la crème 225, *225*
  Tortelloni aux crevettes 215, *215*
pecorino 167, *167*
penne
  Foies de volaille aux penne 89, *89*
  Penne à la roquette 258, *258*
  Penne à la sauce tomate onctueuse 126, *126*
  Penne au potiron et à la cannelle 132, *133*
  Penne au poulet et aux champignons 148, *149*

Penne au prosciutto 74, *74*
Penne aux olives et pesto
  de pistaches 259, *259*
Penne aux poivrons grillés
  260, 261
Penne aux tomates séchées
  et au citron 283, *283*
Penne épicées aux poivrons
  140, *141*
pepperoni 67, *67*
persil **264**
  persil plat **124**
pesto 28, *28*, **275**
  Bocconcini au pesto 52, *52*
  Conchiglie farcies au poulet
    et au pesto 223, *223*
  Pâtes au pesto
    et au parmesan 274, *274*
  Pâtes au poulet et au pesto
    87, *87*
  Penne aux olives et pesto
    de pistaches 259, *259*
Petits pains au fromage
  et aux fines herbes 184, *184*
petits pois
  Farfalle aux petits pois 258
  Farfalle aux petits pois,
    prosciutto et champignons
    282
  Spaghetti aux petits pois
    et aux oignons 265
pignons **139**
  Tagliatelle à la courge
    et aux pignons *138*, 139
piments **226**
  Bœuf sauté épicé
    aux spaghettini 70, *71*
  Fruits de mer épicés
    à la sauce tomate 103, *103*
  Olives au piment et à l'ail
    135, *135*
  Spaghetti à l'ail et au piment
    262, *262*
  Spaghetti aux calmars
    pimentés 99, *99*
Pistou, soupe au, 45
poireaux **39**
  Courge farcie aux pâtes
    et au poireau *248*, 249
  Soupe au poulet, au poireau
    et aux pois chiches 36
poires **181**
pois chiches **132**
  Conchiglie aux pois chiches
    132, *133*
  Soupe au poulet, au poireau
    et aux pois chiches 36
pois gourmands
  Farfalle au poivre rose
    et aux pois gourmands 283
pois mange-tout
  Fettucine aux pois mange-
    tout et aux noix 140, *141*

Soupe de pâtes aux pois
  mange-tout et aux gambas
  38, *38*
poissons et fruits de mer
coquilles Saint-Jacques **108**
  Crevettes à la crème
    et aux fettucine 96, *96*
  Crevettes à la mexicaine
    100, *100*
  Croquettes de crabe à la salsa
    épicée 97, *97*
  Crostini à l'anchois
    et à la tomate 185, *185*
  Farfalle crémeuses au thon
    et aux champignons 95,
    95
  Fettucine au saumon fumé
    111, *111*
filets d'anchois **152**
  Frittata à la truite, au fenouil
    et aux fettucine *106*, 107
  Fusilli au saumon et crème
    au cognac 276, *277*
  Lasagne aux fruits de mer
    232, *232*
  Linguine aux anchois, olives
    et câpres 254, *254*
moules **272**, *272*
  Moules à la sauce tomate
    109, *109*
  Moules à la tomate sur lit
    de spaghetti 272, *273*
  Moules farcies 50, *50*
  Orecchiette sauce au thon,
    citron et câpres 160, *161*
palourdes **112**
  Pappardelle au saumon 104,
    104
  Pâtes à la morue
    et au sésame *106*, 107
  Pâtes à la truite fumée
    et au citron vert 255
  Pâtes aux fruits de mer
    parfumées 102, *103*
  Pâtes aux noix de Saint-
    Jacques et au lemon-grass
    165, *165*
  Ravioli crémeux aux fruits
    de mer 108, *108*
  Salade chaude de fettucine
    aux crevettes et à l'ail 188,
    189
  Salade de fruits de mer
    à la mayonnaise 179, *179*
  Salade de pâtes au saumon
    fumé et à l'aneth *194*,
    195
  Salade de pâtes au thon 175,
    175
  Salade de thon, haricots verts
    et oignon 176, *177*
  Sardines grillées 51, *51*
saumon **98**

Saumon et pâtes sauce
  Mornay 98, *98*
Soupe de crevettes au basilic
  42, *42*
Soupe de pâtes aux pois
  mange-tout et aux gambas
  38, *38*
Soupe de poisson à l'ail
  et aux pâtes 47
Spaghetti aux calmars
  pimentés 99, *99*
Spaghetti aux olives
  et aux câpres 125, *125*
Spaghetti crémeux
  aux moules 110, *110*
Spaghetti et moules
  à la tomate 113, *113*
Spaghetti vongole 112, *112*
Spaghettini au saumon
  et à l'ail 104
Tagliatelle au poulpe 105,
  105
Tagliatelle aux crevettes
  et aux feuilles
  de citronnier 100, *101*
Tortelloni aux crevettes 215,
  215
poivre
  poivre blanc **241**
  poivre de Cayenne **157**
  poivre noir **148**
poivron **261**
  Agneau à la marocaine aux
    poivrons et fusilli 70, *71*
  Bruschetta au poivron grillé
    185, *185*
  Gnocchi au poivron et
    au fromage de chèvre 209,
    209
  Linguine au poivron rouge
    128, 129
  Penne aux poivrons grillés
    260, 261
  Penne épicées aux poivrons
    140, *141*
  Salade de poivrons grillés
    aux anchois 192, *192*
  Spaghetti au salami
    et aux poivrons 59, *59*
polenta
  Galettes de polenta au
    chorizo et à la salsa 51, *51*
pommes de terre **199**
  Frittata au salami et à la
    pomme de terre 50, *50*
  Gnocchi de pommes
    de terre à la sauce tomate
    199, *199*
  Gnocchi aux herbes et à la
    sauce tomate 205, *205*
  Gnocchi de pommes de
    terre traditionnels 202, *202*
Pomodoro, sauce, 23, *23*

porc
Pâtes au porc, au paprika et
aux graines de pavot 68, *68*
Ravioli aux deux viandes et
sauce au fromage 164,
164
potages
Potage aux pâtes
et aux haricots 46, *46*
Potage champêtre au potiron
et aux pâtes 48, *48*
Potage de brocoli 42, *42*
voir aussi soupes ; bouillons
potiron 48, 201
Gnocchi de potiron au
beurre de sauge 201, *201*
Penne au potiron
et à la cannelle 132, *133*
Potage champêtre au potiron
et aux pâtes 48, *48*
Ravioli au potiron et
aux fines herbes 217,
217
Rigatoni au potiron 127,
127
voir aussi courge
poulet
Bouillon de poulet épicé et
pâtes à la coriandre 40, *40*
Conchiglie farcies au poulet
et à la ricotta 237, *237*
Conchiglie farcies au poulet
et au pesto 223, *223*
Fettucine sauce au poulet et
aux champignons 86, *86*
Fettucine au poulet
et au cognac 91, *91*
Gratin de macaroni
au poulet 88, *88*
Lasagne au poulet
et aux épinards 82, *82*
Lasagnette aux champignons
et au poulet 88, *88*
Mezzelune au poulet
et sauce à la crème 213,
213
Pain de viande
aux champignons
et à la crème *248*, 249
Pâtes au poulet à l'orientale
84, *84*
Pâtes au poulet et au pesto
87, *87*
Penne au poulet et aux
champignons 148, *149*
Poulet au citron
et orecchiette 83, *83*
poulet haché 237
Ravioli au poulet 212, *212*
Ravioli au poulet et beurre
de sauge 224, *224*
Ravioli au poulet et sauce
tomate fraîche 90, *90*

Ravioli au poulet
et vinaigrette au citron
vert 256, *257*
Salade chaude au poulet
et aux pâtes 174, *174*
Salade de pâtes au poulet
et aux poires *180*, 181
Salade de pâtes au poulet rôti
182, *182*
Salade de pâtes et poulet
à l'italienne 178, *178*
Soupe au poulet, au poireau
et aux pois chiches 36
Soupe de poulet aux pâtes
47, *47*
Spaghetti aux boulettes
de poulet 80, *80*
Spaghetti sauce bolognaise
au poulet 85, *85*
Tortellini au poulet
et à la sauce tomate 81, *81*
poulpe
Tagliatelle au poulpe 105, *105*
**préparation et cuisson
des moules 272**
Primavera, sauce, 22, *22*
Fettucine primavera 131,
131
prosciutto 66, *66*, **160**
Farfalle aux petits pois,
prosciutto et champignons
282, *282*
Fettucine aux épinards et au
prosciutto 255, *255*
Penne au prosciutto 74, *74*
provolone 167, *167*
Pudding de rissoni 289, *289*
Puttanesca, sauce, 31, *31*

Q
queue de bœuf
Pâtes à la queue de bœuf
et au céleri braisés 58, *58*
Rigatoni à la queue de bœuf
64, *64*

R
ratatouille
Soupe à la ratatouille
et aux pâtes 44, *44*
ravioli 219, *219*, **227**
Ravioli au mascarpone
et à la pancetta *156*, 157
Ravioli au potiron et aux
fines herbes 217, *217*
Ravioli au poulet 212, *212*
Ravioli au poulet et beurre
de sauge 224, *224*
Ravioli au poulet et sauce
tomate fraîche 90, *90*
Ravioli au poulet
et vinaigrette au citron
vert 256, *257*

Ravioli aux champignons
227, *227*
Ravioli aux deux viandes
avec sauce au fromage
164, *164*
Ravioli aux épinards et sauce
à la tomate séchée 216, *216*
Ravioli aux petits pois
et aux artichauts 276, *277*
Ravioli crémeux aux fruits
de mer 108, *108*
Ravioli turcs 69, *69*
réchauffer les pâtes 86
ricotta 166, *166*, **214**
Cannelloni aux épinards
et à la ricotta 222, *222*
Conchiglie farcies au poulet
et à la ricotta 237, *237*
Conchiglie géantes
à la ricotta et à la roquette
251, *251*
Coquilles farcies
aux épinards et à la ricotta
214, *214*
Coupelles à la ricotta
et aux fruits confits 291,
291
Beignets de pâte citronnée à
la ricotta 286, *286*
Gnocchi d'épinards
et de ricotta 206, *207*
Lasagne à la ricotta 231, *231*
Tagliatelle à la ricotta
et au basilic *280*, 281
rigatoni 190
Gratin de rigatoni 240, *240*
Rigatoni à la queue de bœuf
64, *64*
Rigatoni à la saucisse
et au parmesan 148, *149*
Rigatoni à la tomate, au
fromage et aux épinards
190, *190*
Rigatoni au bleu
et au brocoli *138*, 139
Rigatoni au chorizo
et à la tomate 62, *62*
Rigatoni au chorizo
et au fenouil 266, *267*
Rigatoni au potiron 127, *127*
Rigatoni au salami
et aux fines herbes 72, *72*
Rigatoni aux haricots
et à la saucisse 65, *65*
rissoni 243
Bouillon aux rissoni
et aux champignons 38, *38*
Gâteau de rissoni à la noix
de coco et au citron 288,
288
Pudding de rissoni 289, *289*
Rissoni au bleu et à l'oignon
caramélisé 159, *159*

romarin **85**

roquette

Conchiglie géantes à la
ricotta et à la roquette 251

Penne à la roquette 258

Salade de pâtes à la roquette,
tomate et salami 180, *181*

Rouleaux fourrés à la crème
et aux fraises 287, *287*

Ruote au citron, au bacon
et aux olives 263, *263*

S

safran **163**

salades

Pâtes et légumes
à la méditerranéenne 187,
187

Pâtes et légumes
à la thaïlandaise 186, *186*

Rigatoni à la tomate,
au fromage et aux épinards
190, *190*

Salade chaude au poulet
et aux pâtes 174, *174*

Salade chaude de fettucine
aux crevettes et à l'ail 188,
189

Salade de conchiglie
aux asperges, bocconcini
et origan 188, *189*

Salade de farfalle aux tomates
et aux épinards 172, *172*

Salade de fruits de mer
à la mayonnaise 179, *179*

Salade de pastrami,
champignons
et concombre 176, *177*

Salade de pâtes à l'houmous,
aux tomates et aux olives
194, 195

Salade de pâtes à la roquette,
tomate et salami *180*, 181

Salade de pâtes à la tomate
et au basilic 174, *174*

Salade de pâtes au citron
et aux légumes 183, *183*

Salade de pâtes au poulet
et aux poires *180*, 181

Salade de pâtes au poulet rôti
182, *182*

Salade de pâtes au saumon
fumé et à l'aneth *194*, 195

Salade de pâtes au thon 175,
175

Salade de pâtes chaude
à la toscane 193, *193*

Salade de pâtes chaude
au crabe 188, *189*

Salade de pâtes et poulet
à l'italienne 178, *178*

Salade de poivrons grillés
aux anchois 192, *192*

Salade de spaghetti
à la tomate 173, *173*

Salade de thon, haricots verts
et oignon 176, *177*

salades chaudes **174**

Ziti au citron et aux dattes
191, *191*

salami **59**, 67, *67*

Fettucine au fromage
et au salami *156*, 157

Frittata au salami
et à la pomme de terre 50,
50

Rigatoni au salami
et aux fines herbes 72, *72*

Salade de pâtes à la roquette,
tomate et salami *180*, 181

Spaghetti au salami
et aux poivrons 59, *59*

salami de Milan 67, *67*

sambal œlek **276**

Sardines grillées 51, *51*

sauces

Béchamel 231, 235, **235**,
244, 246

Béchamel au fromage 82,
123

Pesto 28, *28*, **28**

Sauce Alfredo 25, *25*, **162**

Sauce amatriciana 29, *29*

Sauce arrabbiata 32, *32*

Sauce bolognaise
traditionnelle 24, *24*

Sauce boscaiola crémeuse
30, *30*

Sauce carbonara 27, *27*

Sauce marinara 33, *33*

Sauce napolitaine 26, *26*

Sauce pomodoro 23, *23*

Sauce primavera 22, *22*

Sauce puttanesca 31, *31*

Sauces tomate 81, 94, 212,
231, 244

saucisse

Rigatoni à la saucisse
et au parmesan 148, *149*

Rigatoni aux haricots
et à la saucisse 65

saucisses italiennes **65**

Soupe de haricots
à la saucisse 39, *39*

Ziti aux légumes
et à la saucisse 63, *63*

saumon **98**

Fettucine au saumon fumé
111, *111*

Fusilli au saumon et crème
au cognac 276, *277*

Pappardelle au saumon 104,
104

Salade de pâtes au saumon
fumé et à l'aneth *194*, 195

Saumon et pâtes sauce

Mornay 98, *98*

Soufflé aux pâtes
et au saumon 234, *234*

Spaghettini au saumon
et à l'ail 104

sel **193**

semoule **198**

Soufflé aux pâtes et au saumon
234, *234*

soupes

Minestrone 37, *37*

Soupe à l'agneau
et aux fusilli 49, *49*

Soupe à la ratatouille
et aux pâtes 44, *44*

Soupe au bacon et aux petits
pois 43, *43*

Soupe au pistou 45, *45*

Soupe au poulet, au poireau
et aux pois chiches 36

Soupe de crevettes au basilic
42, *42*

Soupe de haricots
à la saucisse 39, *39*

Soupe de pâtes aux pois
mange-tout et aux gambas
38, *38*

Soupe de poisson à l'ail
et aux pâtes 47

Soupe de poulet aux pâtes
47, *47*

Soupe de tomate aux pâtes
et au basilic 41, *41*

voir aussi bouillons ; potages

spaghetti **110**

Frittata aux spaghetti 238,
238

Salade de spaghetti
à la tomate 173, *173*

Spaghetti à l'ail et au piment
262, *262*

Spaghetti à la calabraise 275,
275

Spaghetti à la
méditerranéenne 279,
279

Spaghetti au salami
et aux poivrons 59, *59*

Spaghetti aux boulettes
de poulet 80, *80*

Spaghetti aux calmars
pimentés 99, *99*

Spaghetti aux fines herbes
274, *274*

Spaghetti aux herbes
et à la tomate 130, *130*

Spaghetti aux olives
et à la mozzarella 116, *117*

Spaghetti aux olives
et aux câpres 125, *125*

Spaghetti aux petits pois
et aux oignons 265, *265*

Spaghetti bolognaise 56, *56*

Spaghetti bolognaise
« rapides » 60, *60*
Spaghetti carbonara 155,
155, **155**
Spaghetti carbonara aux
champignons *280*, 281
Spaghetti crémeux aux
moules 110, *110*
Spaghetti et moules
à la tomate 113, *113*
Spaghetti marinara 94, *94*
Spaghetti napolitaine 124, *124*
Spaghetti puttanesca 264, *264*
Spaghetti sauce au bœuf et
aux champignons *260*, 261
Spaghetti sauce bolognaise
au poulet 85, *85*
Spaghetti sauce crémeuse
au citron *268*, 269
Spaghetti sauce tomate *280*,
281
Spaghetti sauce tomate
fraîche 121, *121*
Spaghetti siracusani 136, *136*
Spaghetti vongole 112, *112*
spaghettini
Bœuf épicé sauté
aux spaghettini 70, *71*
Spaghettini au saumon
et à l'ail 104
speck 67, *67*
sucre en poudre **291**

T
tagliatelle
Agneau parsi au cumin
et aux tagliatelle 75
Tagliatelle à la courge
et aux pignons *138*, 139
Tagliatelle à la ricotta
et au basilic *280*, 281
Tagliatelle à la tomate
et aux noix 142, *142*
Tagliatelle au poulpe 105,
105
Tagliatelle au veau, sauce
crémeuse au vin 57, *57*
Tagliatelle aux asperges
et fines herbes 154, *154*
Tagliatelle aux crevettes
et aux feuilles de
citronnier 100, *101*
Tagliatelle aux foies
de volaille et à la crème
147, *147*
Tagliatelle et sauce aux
tomates séchées 118, *119*
taleggio 169, *169*
Tapenade d'olives
et de tomates 135, *135*
thon **95**
Farfalle au thon et
aux champignons 95, *95*

Orecchiette sauce au thon,
citron et câpres 160, *161*
Salade de pâtes au thon 175,
175
Salade de thon, haricots verts
et oignon 176, *177*
thym **279**
Timbales de pâtes aux épinards
240, *240*
tomates
concentré de tomates **281**
Crostini à l'anchois
et à la tomate 185, *185*
Fruits de mer épicés
à la sauce tomate 103, *103*
Gnocchi à la tomate
et au basilic 200
Gnocchi de pommes
de terre à la sauce tomate
199, *199*
Gnocchi aux herbes et
à la sauce tomate 205, *205*
Penne à la sauce tomate
onctueuse 126, *126*
Penne aux tomates séchées
et au citron 283, *283*
Ravioli au poulet et sauce
tomate fraîche 90, *90*
Ravioli aux épinards et sauce
à la tomate séchée 216,
216
Rigatoni à la tomate,
au fromage et aux épinards
190, *190*
Rigatoni au chorizo
et à la tomate 62, *62*
Salade de farfalle aux tomates
et aux épinards 172, *172*
Salade de pâtes à l'houmous,
aux tomates et aux olives
194, 195
Salade de pâtes à la roquette,
tomate et salami *180*, 181
Salade de pâtes à la tomate
et au basilic 174, *174*
Salade de spaghetti
à la tomate 173, *173*
sauces tomate 81, 94, 212,
231, 244
Soupe de tomate aux pâtes
et au basilic 41, *41*
Spaghetti aux herbes
et à la tomate 130, *130*
Spaghetti et moules
à la tomate 113, *113*
Spaghetti sauce tomate
fraîche 121, *121*
Tagliatelle à la tomate
et aux noix 142, *142*
Tagliatelle et sauce aux
tomates séchées 118, *119*
Tapenade d'olives
et de tomates 135, *135*

Tomates rôties au four 53, *53*
tomates cerises **140**
tomates Roma **122**
tomates séchées **111**
Tortellini au basilic et sauce
tomate au bacon 226, *226*
Tortellini au poulet
et à la sauce tomate 81, *81*
Ziti aux tomates grillées
et à la mozzarella 256, *257*
tortellini **81**, **143**, 220, *220*
Bouillon aux tortellini 270,
270
Bouillon aux tortellini
parfumé au citron 36, *36*
Tortellini à l'aubergine 143,
143
Tortellini au basilic et sauce
tomate au bacon 226, *226*
Tortellini au poulet
et à la sauce tomate 81, *81*
Tortellini sauce
aux champignons
et à la crème 225, *225*
Tortelloni aux crevettes 215,
215
truite
Frittata à la truite, au fenouil
et aux fettucine *106*, 107
Pâtes à la truite fumée
et au citron vert 255

V
veau
Pain de viande
aux champignons
et à la crème *248*, 249
Ravioli aux deux viandes et
sauce au fromage 164, *164*
Tagliatelle au veau, sauce
crémeuse au vin 57, *57*
viande
Agneau à la marocaine aux
poivrons et fusilli 70, *71*
Agneau parsi au cumin
et aux tagliatelle 75, *75*
Bœuf sauté épicé
aux spaghettini 70, *71*
Boulettes de viande
aux fusilli 73, *73*
Boulettes de viande
aux pâtes 242, *242*
Boulettes de viande
Stroganoff 76, *76*
Farfalle aux petits pois,
prosciutto et champignons
282, *282*
Fettucine au fromage
et au salami *156*, 157
Fettucine aux épinards
et au prosciutto 255, *255*
Frittata au salami et à la
pomme de terre 50, *50*

Lasagne classiques 234, *235*
Pain de viande
    aux champignons
    et à la crème *248*, 249
Pâtes à l'agneau
    et aux légumes 77, *77*
Pâtes à la queue de bœuf
    et au céleri braisés 58, *58*
Pâtes au bœuf gratinées 61,
    61
Pâtes au porc, au paprika et
    aux graines de pavot 68, *68*
Penne au prosciutto 74, *74*
Ravioli aux deux viandes
    avec sauce au fromage
    164, *164*
Ravioli turcs 69, *69*
Rigatoni à la queue de bœuf
    64, *64*
Rigatoni à la saucisse
    et au parmesan 148, *149*
Rigatoni au chorizo
    et à la tomate 62, *62*
Rigatoni au chorizo
    et au fenouil 266, *267*
Rigatoni au salami
    et aux fines herbes 72, *72*
Rigatoni aux haricots
    et à la saucisse 65, *65*

Salade de pastrami,
    champignons
    et concombre 176, *177*
Salade de pâtes à la roquette,
    tomate et salami *180*, 181
Sauce bolognaise
    traditionnelle 24, *24*
Sauce carbonara 27, *27*
Soupe à l'agneau
    et aux fusilli 49, *49*
Soupe de haricots
    à la saucisse 39, *39*
Spaghetti au salami
    et aux poivrons 59, *59*
Spaghetti bolognaise 56, *56*
Spaghetti bolognaise
    « rapides » 60, *60*
Spaghetti sauce au bœuf
    et aux champignons *260*,
    261
Tagliatelle au veau, sauce
    crémeuse au vin 57, *57*
Tortellini au basilic et sauce
    tomate au bacon 226, *226*
voir aussi charcuteries ; poulet
Ziti aux légumes
    et à la saucisse 63, *63*
vin
    vin blanc **57**

vin rouge **64**
vinaigre balsamique **188**
    Ravioli au poulet
    et vinaigrette au citron
    vert 256, *257*
    Tomates rôties au four 53, *53*

Y

yaourt **69**

Z

ziti
    Ziti au citron et aux dattes
    191, *191*
    Ziti aux légumes
    et à la saucisse 63, *63*
    Ziti aux tomates grillées
    et à la mozzarella 256, *257*

REMERCIEMENTS

RECETTES : Wendy Berecry, Rebecca Clancy,
Amanda Cooper, Alex Diblasi, Michelle Earl,
Jo Forrest, Joanne Glynn, Lulu Grimes,
Michelle Lawton, Barbara Lowery, Kerrie Mullins,
Angela Nahas, Sally Parker, Jennene Plumber,
Justine Poole, Tracey Port, Kerrie Ray,
Jo Richardson, Tracy Rutherford, Chris Sheppard,
Dimitra Stais, Alison Tuner, Jody Vassallo

PHOTOGRAPHIES : Jon Bader, Ashley Barber,
Joe Filshie, Chris Jones, Luis Martin, Reg Morrison

STYLISTES : Amanda Cooper, Carolyn
Fienberg, Michelle Gorry, Mary Harris, Donna
Hay, Rosemary Mellish

Nous remercions les organismes et magasins suivants
de nous avoir facilité la prise de photographies pour
cet ouvrage :
Antico's Northbridge Fruitworld, NSW ;
Bush Wa Zee Pry Ltd Ceramics, NSW ;
Dee Why Fruitworld, NSW ;
Nic Greco Family Delicatessen, NSW ;
Ma Maison en Provence, NSW ; Pasta Vera, NSW